# ESPAÑOL LENGUA EXTRANJERA
# Libro del profesor

# PASAPORTE ELE

## A1

**Matilde Cerrolaza Aragón**
**Óscar Cerrolaza Gili**
**Begoña Llovet Barquero**

edelsa
GRUPO DIDASCALIA, S.A.

# Prólogo

La innovación más importante en los últimos años en el mundo de la enseñanza de idiomas es la aparición del *Marco común de referencia*, obra fundamental en la que se plasman las últimas investigaciones sobre el aprendizaje y la enseñanza de lenguas. El *Marco* es un instrumento de valor incalculable, que ha iniciado un nuevo proceso de ayuda y cambio para todas las personas que nos dedicamos a esta hermosa tarea.

Con **Pasaporte ELE** queremos ofrecerle un material novedoso para la enseñanza del español porque utiliza los siguientes planteamientos recogidos en el *Marco común de referencia* y en los *Niveles de referencia para el español*:

- La metodología que propone se basa en los principios del **enfoque por competencias dirigido a la acción**, el cual contempla al estudiante en tres dimensiones:

  - El alumno como **agente social** que aprende una lengua y una cultura para poder actuar en ellas y así desarrollar sus competencias lingüísticas comunicativas.
  - El alumno como **hablante intercultural**, ya que el uso de la lengua se desarrolla siempre en unos contextos culturales y sociales. La cultura cotidiana está presente de forma constante en cada una de las actividades, integrando así cultura y sociocultura en el aprendizaje lingüístico.
  - El alumno como **aprendiente autónomo**, que se siente ubicado en todo momento en el proceso de adquisición y que tiene la posibilidad de evaluar su aprendizaje y reparar las posibles deficiencias.

- Cada nivel está constituido por **módulos**. Estos módulos presentan unidades de intención y necesidades: identificarse, hablar de otras personas, alimentarse, etc.

- Como indica el *Marco*, el aprendizaje se desarrolla en los **cuatro ámbitos** de uso de la lengua:

  - Cada módulo consta de **cuatro ámbitos** (Personal, Público, Profesional y Académico) o cuatro contextos de uso de la lengua, en los cuales se desarrollan las intenciones de habla, con diferentes interlocutores y estilos, con variados y peculiares tipos de textos.
  - Cada uno de los tres primeros ámbitos parte de un **documento real** que permite al estudiante activar sus conocimientos previos y contextualizar el aprendizaje.
  - En cada uno de estos ámbitos se trabajan los contenidos y habilidades necesarios para que al finalizar el alumno pueda realizar la **acción** (actividad real, basada en sus propias necesidades e intereses).
  - Cada ámbito trabaja sistemáticamente las **cinco competencias lingüísticas comunicativas**: las lingüísticas (léxica, gramatical y fonética y ortográfica), la pragmática-funcional y la sociolingüística.
  - Cada módulo propone unas actividades con aspectos de la **cultura hispana** y, mediante una metodología pluricultural cuidadosamente diseñada, el alumno adquiere un conocimiento sociocultural especialmente útil en la práctica social del español.
  - Cada módulo se cierra con el **Ámbito Académico**, en el que el alumno podrá realizar una autoevaluación de los conocimientos adquiridos mediante un **Portfolio**. Logrará reparar los conocimientos y destrezas todavía algo deficientes o reforzarlos, mediante un **Laboratorio de Lengua**, y conseguir, en definitiva, un buen dominio de los contenidos trabajados en el módulo.

En este Libro del profesor, le presentamos:
  - El **Libro del alumno** íntegro con las claves de las actividades.
  - Un **apéndice metodológico**, con sugerencias de explotación.
  - Un complemento de **lecturas** que usted podrá fotocopiar y llevar a la clase, si lo desea.

En www.edelsa.es/pasaporte.htm encontrará una sección exclusiva para **Pasaporte ELE** con todas las transcripciones de los audios y con actividades sobre esas transcripciones –por si usted quiere fotocopiar alguna y llevarla al aula–, pruebas y exámenes, actividades de explotación del DVD y otras sugerencias.

Esperamos que este libro sea fuente de inspiración, acompañante y guía en la tarea de hacer de sus clases una actividad satisfactoria y efectiva.

Los autores

# Índice

**Pautas para el desarrollo de cada actividad indicando:**
- La forma social de trabajo
- El objetivo
- Sugerencias metodológicas
- Informaciones socio-culturales

**Módulo 1:** Texto literario, poema titulado *Nunca*, de Carlos Edmundo de Ory.
Entrevista a César Antonio Molina, director del Instituto Cervantes.
**Módulo 2:** Texto literario, extracto de *La infanta baila*, de Manuel Hidalgo.
Adivinanza de la escritora Gloria Fuertes.
**Módulo 3:** Canción, *Me gustas tú*, de Manu Chao.
Texto gastronómico: el arroz y receta de la paella.
**Módulo 4:** Texto literario, extracto de *Cuentos y novelas de Madrid*, de César González Ruano.
Texto de geografía sobre Madrid.
**Módulo 5:** Texto literario, poema titulado *La Ardilla*, de Amado Nervo.
Texto periodístico del político norteamericano Al Gore sobre el cambio climático.
**Módulo 6:** Texto literario, extracto de *La tregua*, de Mario Benedetti.
Biografía de la escritora Gloria Fuertes.

El Libro del profesor consta de **dos CD**: uno que abarca el Ámbito Personal, Público y Profesional de cada módulo (CD exclusivo del profesor), y otro, "tu CD", que abarca el Ámbito Académico (incluido en el Libro del alumno).

Material añadido para el profesor

En www.edelsa.es/pasaporte.htm encontrará una sección exclusiva con:

- Las transcripciones de los audios y actividades sobre esas transcripciones por si el profesor quiere fotocopiar alguna y llevarla al aula.
- Pruebas y exámenes.
- Actividades de explotación del DVD y otras sugerencias.

# Módulo 1 — Pág. 6
## presentarse

### Ámbito Personal 1.
Rellenas el formulario de entrada a un país.
- **Competencia léxica:** los datos personales.
- **Competencia gramatical:** presente de *ser* y *llamarse*, pronombres interrogativos (1), la negación.
- **Competencia funcional:** preguntar e informar sobre el nombre y el origen.
- **Competencia fonética y ortográfica:** el abecedario, deletrear.
- **Competencia sociolingüística:** los dos apellidos.

### Ámbito Público 2.
Haces la reserva de una habitación en un hotel.
- **Competencia léxica:** los números del 1 al 10.
- **Competencia fonética y ortográfica:** los números.
- **Competencia funcional:** dar datos personales en un hotel.
- **Competencia gramatical:** presente de *tener* y pronombres interrogativos (2).
- **Competencia sociolingüística:** los saludos y las despedidas formales e informales.

### Ámbito Profesional 3.
Confeccionas tu propia tarjeta de visita para presentarte formalmente en español.
- **Competencia léxica:** la profesión u ocupación y la dirección.
- **Competencia funcional:** hablar de la profesión u ocupación.
- **Competencia gramatical:** verbos regulares en presente: *-ar, -er, -ir*.
- **Competencia sociolingüística:** *tú* o *usted*.
- **Competencia fonética y ortográfica:** la acentuación de las palabras.

### Cultura hispánica
Los países y los hispanos.
- Hispanos famosos.
- ¿Dónde se habla español?
- La importancia del español.

### Ámbito Académico 4.
Portfolio: evalúa tus conocimientos.
Laboratorio de Lengua: refuerza tu aprendizaje.

# Módulo 2 — Pág. 32
## hablar de otras personas

### Ámbito Personal 5.
Realizas y explicas tu árbol genealógico.
- **Competencia léxica:** la familia.
- **Competencia fonética y ortográfica:** la entonación de la frase.
- **Competencia funcional:** describir el físico.
- **Competencia sociolingüística:** los nombres familiares.
- **Competencia gramatical:** los adjetivos posesivos.

### Ámbito Público 6.
Escribes un anuncio para buscar amigos.
- **Competencia léxica:** los adjetivos de carácter.
- **Competencia gramatical:** el verbo *gustar* en presente.
- **Competencia funcional:** describir el carácter.
- **Competencia sociolingüística:** la cortesía.
- **Competencia fonética y ortográfica:** el acento en la penúltima sílaba.

### Ámbito Profesional 7.
Describes una empresa.
- **Competencia léxica:** los puestos de trabajo.
- **Competencia fonética y ortográfica:** las palabras terminadas en vocal, *-n* o *-s* que no se acentúan en la penúltima sílaba.
- **Competencia gramatical:** los demostrativos.
- **Competencia sociolingüística:** los tratamientos de persona.
- **Competencia funcional:** presentar formalmente a otras personas.

### Cultura hispánica
La familia.
- La familia en tu país.
- La familia en España.
- Las principales fiestas familiares.

### Ámbito Académico 8.
Portfolio: evalúa tus conocimientos.
Laboratorio de Lengua: refuerza tu aprendizaje.

# Módulo 3 — Pág. 58
## alimentarse

### Ámbito Personal 9.
Hablas de tu dieta.
- **Competencia léxica:** los alimentos.
- **Competencia gramatical:** el género, el número y los artículos definidos.
- **Competencia funcional:** expresar gustos y hablar de la frecuencia.
- **Competencia sociolingüística:** el tapeo y el uso de los diminutivos.
- **Competencia fonética y ortográfica:** el acento en la última sílaba.

### Ámbito Público 10.
Organizas una fiesta en casa.
- **Competencia léxica:** los números hasta 1000.
- **Competencia sociolingüística:** los pesos y las medidas.
- **Competencia funcional:** expresar gustos y opiniones.
- **Competencia gramatical:** el verbo *parecer* en Presente.
- **Competencia fonética y ortográfica:** el acento escrito en la última y en la penúltima sílaba.

### Ámbito Profesional 11.
Organizas una comida de empresa.
- **Competencia sociolingüística:** las formas de comer.
- **Competencia léxica:** los platos de comida.
- **Competencia funcional:** manejarse en un restaurante.
- **Competencia gramatical:** el artículo indefinido.
- **Competencia fonética y ortográfica:** las letras *ce, zeta* y *cu,* y los sonidos /k/ y /θ/.

### Cultura hispánica
La gastronomía hispana.
- La buena cocina hispana.
- La gastronomía española y las denominaciones de origen.
- La comida y los horarios.

### Ámbito Académico 12.
Portfolio: evalúa tus conocimientos.
Laboratorio de Lengua: refuerza tu aprendizaje.

# Módulo 4

## ubicarse en la calle

### Ámbito Personal 13.

Hablas de tu entorno.
- **Competencia léxica:** la ciudad.
- **Competencia gramatical:** *hay / está-n*, *mucho* y *muy*.
- **Competencia funcional:** describir un barrio.
- **Competencia fonética y ortográfica:** la variante rioplatense.
- **Competencia sociolingüística:** la plaza del pueblo.

### Ámbito Público 14.

Indicas un itinerario turístico por tu ciudad.
- **Competencia funcional:** preguntar por una dirección e informar.
- **Competencia léxica:** los establecimientos públicos y comerciales.
- **Competencia gramatical:** los verbos irregulares *ir*, *seguir*, *hacer* y las preposiciones con medios de transporte.
- **Competencia sociolingüística:** las fórmulas de cortesía en España e Hispanoamérica.
- **Competencia fonética y ortográfica:** sonido [y] y sus grafías (y) y (ll).

### Ámbito Profesional 15.

Te ubicas en un centro comercial.
- **Competencia gramatical:** los números ordinales.
- **Competencia sociolingüística:** llamar la atención y dar información.
- **Competencia léxica:** los establecimientos comerciales y profesionales.
- **Competencia funcional:** situar los lugares según la distancia.
- **Competencia fonética y ortográfica:** el acento en la antepenúltima sílaba.

### Cultura hispánica

De Madrid al cielo.
- Un paseo por Madrid.
- Madrid, Madrid.
- Cuatro barrios de Madrid.

### Ámbito Académico 16.

Portfolio: evalúa tus conocimientos.
Laboratorio de Lengua: refuerza tu aprendizaje.

# Módulo 5

## hablar de acciones cotidianas

### Ámbito Personal 17.

Escribes un correo electrónico para describir un día de vacaciones.
- **Competencia léxica:** los verbos de acciones cotidianas y las partes del día.
- **Competencia gramatical:** los verbos irregulares con diptongo E>IE, O>UE y los reflexivos en presente.
- **Competencia funcional:** hablar de la frecuencia.
- **Competencia fonética y ortográfica:** el sonido [g] y sus grafías (g), (gu).
- **Competencia sociolingüística:** las fiestas patronales.

### Ámbito Público 18.

Explicas a un amigo lo que haces a diario.
- **Competencia sociolingüística:** los horarios comerciales.
- **Competencia funcional:** preguntar e informar sobre la hora.
- **Competencia léxica:** los días de la semana, los meses del año y las estaciones.
- **Competencia gramatical:** las preposiciones con expresiones de tiempo.
- **Competencia fonética y ortográfica:** los sonidos [x] y [g] y sus grafías (j) y (g).

### Ámbito Profesional 19.

Redactas un cartel de anuncio de un evento.
- **Competencia léxica:** una feria.
- **Competencia funcional:** concertar una cita.
- **Competencia gramatical:** los pronombres personales sin y con preposiciones.
- **Competencia sociolingüística:** las formas de saludo.
- **Competencia fonética y ortográfica:** diptongos IE y UE y la hache.

### Cultura hispánica

Fiestas en España y en México.
- Las Fallas.
- La Noche de San Juan.
- La Fiesta de los Muertos en México.

### Ámbito Académico 20.

Portfolio: evalúa tus conocimientos.
Laboratorio de Lengua: refuerza tu aprendizaje.

# Módulo 6

## hablar de planes y proyectos

### Ámbito Personal 21.

Quedas con amigos.
- **Competencia funcional:** quedar.
- **Competencia gramatical:** *ir a* + infinitivo, *pensar* + infinitivo, *querer* + infinitivo.
- **Competencia léxica:** el ocio.
- **Competencia sociolingüística:** quedar y excusarse.
- **Competencia fonética y ortográfica:** la acentuación de los monosílabos.

### Ámbito Público 22.

Te informas y das información sobre destinos turísticos.
- **Competencia léxica:** los atractivos turísticos.
- **Competencia funcional:** comparar.
- **Competencia gramatical:** las estructuras comparativas.
- **Competencia sociolingüística:** los españoles y las vacaciones.
- **Competencia fonética y ortográfica:** la *eme*, la *ene* y la *eñe*.

### Ámbito Profesional 23.

Hablas por teléfono y conciertas una cita.
- **Competencia léxica:** el teléfono.
- **Competencia funcional:** hablar por teléfono.
- **Competencia sociolingüística:** pautas para una conversación telefónica.
- **Competencia gramatical:** *estar* + gerundio, *acabar de* + infinitivo.
- **Competencia fonética y ortográfica:** los sonidos [r] y [r̄] y las grafías (r) y (rr).

### Cultura hispánica

El español y la música.
- Tu estilo de música.
- Tango, salsa y flamenco.
- Por sevillanas.

### Ámbito Académico 24.

Portfolio: evalúa tus conocimientos.
Laboratorio de Lengua: refuerza tu aprendizaje.

# Módulo 1

## Ámbito Personal

**Acción**

Rellenas el formulario de entrada a un país.
- **Competencia léxica:** los datos personales.
- **Competencia gramatical:** presente de *ser* y *llamarse*, pronombres interrogativos (1), la negación.
- **Competencia funcional:** preguntar e informar sobre el nombre y el origen.
- **Competencia fonética y ortográfica:** el abecedario, deletrear.
- **Competencia sociolingüística:** los dos apellidos.

## Ámbito Público

**Acción**

Haces la reserva de una habitación en un hotel.
- **Competencia léxica:** los números del 1 al 10.
- **Competencia fonética y ortográfica:** los números.
- **Competencia funcional:** dar datos personales en un hotel.
- **Competencia gramatical:** presente de *tener* y los pronombres interrogativos (2).
- **Competencia sociolingüística:** los saludos y las despedidas formales e informales.

## Ámbito Profesional

**Acción**

Confeccionas tu propia tarjeta de visita para presentarte formalmente en español.
- **Competencia léxica:** la profesión u ocupación y la dirección.
- **Competencia funcional:** hablar de la profesión u ocupación.
- **Competencia gramatical:** verbos regulares en presente: *-ar, -er, -ir*.
- **Competencia sociolingüística:** *tú* o *usted*.
- **Competencia fonética y ortográfica:** la acentuación de las palabras.

## Cultura hispánica

Los países y los hispanos.
- Hispanos famosos.
- ¿Dónde se habla español?
- La importancia del español.

## Ámbito Académico

Portfolio: evalúa tus conocimientos.
Laboratorio de Lengua: refuerza tu aprendizaje.

# presentarse

**UNIÓN EUROPEA**

**ESPAÑA**

**PASAPORTE**

ESPAÑA

**PASAPORTE·**
**PASSPORT**

Tipo/Type  Código/Code
P.          ESP

PASAPORTE NO./PASSPORT NO./
PASSEPORT NO

Apellidos/Surname/Nom (1)
CERROLAZA
GILI

AC708476

Nombre/Given Names/Prénoms (2)
OSCAR

Nacionalidad/Nationality/Nationalité (6)
ESPAÑOLA

Sexo/Sex/Sexe (5)
H

Fecha de nacimiento/Date of birth/Date de naissance (3)
30-03-1964

Lugar de nacimiento/Place of birth/Lieu de naissance (4)
MADRID (MADRID)

Id.No. (7)
A5209159200

Fecha de expedición/Date of issue/
Date de délivrance (9)
30-08-2001

Oficina Expedidora (8)
28391R6P1

Fecha de caducidad/Date of expiry/
Date d'expiration (10)
30-08-2011

Firma del titular/Holder's signature/
Signature du titulaire (11)

P<ESPCERROLAZA
AC708476<<7ESP6

**≺edelsa**
GRUPO DIDASCALIA, S.A.

ÓSCAR CERROLAZA GILI
*Responsable de Investigación Didáctica*

Plaza Ciudad de Salta, 3 - 28043 Madrid (España)
Tel.: 914 165 511 - Fax: 914 165 411
http://www.edelsa.es - E-mail: edelsa@edelsa.es

España

NOMBRE
OSCAR
PRIMER AP
CERR
SEGUNDO
GILI

EXPED. 23-09-1996 VAL. 22-09-2006

51367046-L           Ministerio del Interior

# Ámbito Personal

## Acción
### Rellenas el formulario de entrada a un país.

**Vamos a aprender a:**
presentarnos en español.

Observa este documento
y marca las palabras que
están en español.

## 1

**Competencia léxica:** los datos personales.

## Nombre y apellidos.

**a.** Relaciona las palabras con los datos.

a. MADRID (MADRID)

b. CERROLAZA GILI

c. H

d. OSCAR

e. AC708476

f. ESPAÑOLA

g. (firma)

h. 30-03-1964

| | |
|---|---|
| 1. Nombre | d. |
| 2. Apellidos | b. |
| 3. Número de pasaporte | e. |
| 4. Lugar de nacimiento | a. |
| 5. Sexo | c. |
| 6. Firma | g. |
| 7. Nacionalidad | f. |
| 8. Fecha de nacimiento | h. |

## ¿De dónde eres?

**b.** Relaciona los países con el adjetivo.

1. b, 2. c, 3. f, 4. e, 5. g, 6. d, 7. h, 8. a, 9. j, 10. i.

1. España
2. Estados Unidos
3. Italia
4. Grecia
5. Marruecos
6. Francia
7. México
8. Argentina
9. Canadá
10. Brasil

a. argentino, argentina
b. español, española
c. estadounidense
d. francés, francesa
e. griego, griega
f. italiano, italiana
g. marroquí
h. mexicano, mexicana
i. brasileño, brasileña
j. canadiense

## IV CONGRESO DE HISPANISTAS

ESPAÑA    BRASIL    CANADÁ    ITA

# Solicitas un pasaporte.

**c.** Completa ahora esta solicitud de pasaporte con tus datos.

## Embajada de España

FOTO

MINISTERIO DE ASUNTOS
EXTERIORES Y COOPERACIÓN

### Solicitud de Pasaporte

Las zonas sombreadas se rellenarán por el Consulado

| | | |
|---|---|---|
| Nombre | | |
| Primer apellido | | |
| Segundo apellido | | |
| Fecha Nacimiento | | |
| País nacimiento | | |
| Sexo (Hombre/Mujer) | Teléfono | |
| Nombre del padre | Nombre de la madre | |
| Domicilio residencia | | |
| Localidad residencia | País residencia | |
| N.º Pasaporte | | |

Firma titular (No debe salirse del recuadro)

**2**

**Competencia gramatical:** presente de *ser* y *llamarse*, pronombres interrogativos (1), la negación.

# Conociendo a otras personas.

**a.** Relaciona estos diálogos con los datos.

1. ¿Cómo te llamas? (Yo) me llamo…
2. ¿De dónde eres? (Soy) de…
3. ¿Cuál es tu primer apellido? Es…

a. NACIONALIDAD   b. APELLIDO   c. NOMBRE

## Tú y yo.

**b.** Observa.

### Pronombres sujeto

Yo
Tú
Él, ella, usted
Nosotros, nosotras
Vosotros, vosotras
Ellos, ellas, ustedes

El uso de los pronombres sujeto
en español no es obligatorio.

## ¿Soy o eres?

**c.** Completa el cuadro.

| Ser | Llamarse |
|---|---|
| Soy | Me llamo |
| Eres | Te llamas |
| Es | Se llama |
| Somos | Nos llamamos |
| Sois | Os llamáis |
| Son | Se llaman |

## ¿Cómo se dice?

**d.** Relaciona la pregunta con la respuesta.

1. Francisco.

2. De Buenos Aires.

3. Sí, soy yo.

¿Cómo te llamas? a.

¿De dónde eres? b.

c. ¿Jorge González?

### La afirmación / la negación

Sí. / No.
Sí, soy yo.
No, no soy yo.

---

## 3

**Competencia funcional:** preguntar e informar sobre el nombre y el origen.

## Estos son los tres autores del libro.

**a.** Escucha los diálogos y escribe el número correspondiente.

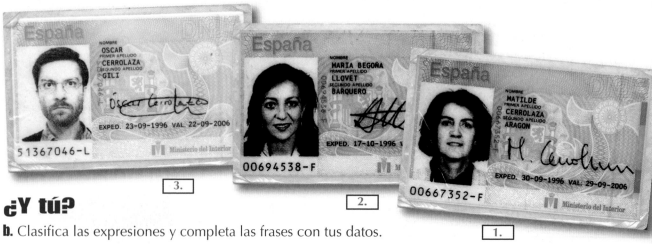

3.

2.

1.

## ¿Y tú?

**b.** Clasifica las expresiones y completa las frases con tus datos.

1. ¿Cómo te llamas?

2. Soy de.................

3. ¡Hola!

4. Me llamo.................

5. ¿De dónde eres?

6. ¿Qué tal?

| Saludar | El nombre | Origen / nacionalidad |
|---------|-----------|----------------------|
| ¡Hola! | ¿Cómo te llamas? | Soy de... |
| ¿Qué tal? | Me llamo... | ¿De dónde eres? |
| | | |

# Hacer nuevos amigos.

**c.** Pregunta a tu compañero.

¿Cómo te llamas?

(Yo) me llamo...

¿De dónde eres?

(Soy) de...

**4**

**Competencia fonética y ortográfica:** el abecedario, deletrear.

## ¿Cómo se pronuncia?

**a.** Escucha el alfabeto español.

## Perdón, ¿puede repetir?

**b.** Escucha y escribe los nombres.

1. Guillermo
2. Charo
3. Íñigo
4. Beatriz
5. Jorge
6. Verónica

# Abecedario

| | |
|---|---|
| A, a | A de América |
| B, b | Be de Brasil |
| C, c | Ce de Canadá |
| Ch, ch | Che de Chile |
| D, d | De de Dinamarca |
| E, e | E de Ecuador |
| F, f | Efe de Francia |
| G, g | Ge de Grecia |
| H, h | Hache de Honduras |
| I, i | I de Italia |
| J, j | Jota de Japón |
| K, k | Ka de Kuwait |
| L, l | Ele de Luxemburgo |
| Ll, ll | Elle de Antillas |
| M, m | Eme de México |
| N, n | Ene de Nicaragua |
| Ñ, ñ | Eñe de España |
| O, o | O de Oslo |
| P, p | Pe de Perú |
| Q, q | Cu de Quito |
| R, r | Erre de Rusia |
| S, s | Ese de Salvador |
| T, t | Te de Túnez |
| U, u | U de Uruguay |
| V, v | Uve de Venezuela |
| W, w | Uve doble de Washington |
| X, x | Equis de Xochicalco |
| Y, y | I griega de Paraguay |
| Z, z | Zeta de Zaragoza |

## ¿Tienes correo electrónico?

**c.** Pregunta a tus compañeros y haz la lista de la clase.

Mi correo electrónico es ocerrolaza@yahoo.es

¿Cómo se escribe?

O, ce, e, erre, erre, o, ele, a, zeta, a, arroba, i griega, a hache, o, o, punto, e, ese.

# La familia de las autoras.

**a.** Observa, lee las preguntas y marca la respuesta.

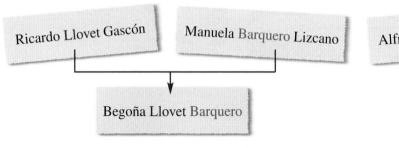

Ricardo Llovet Gascón — Manuela Barquero Lizcano

Alfredo Cerrolaza Asenjo — Josefina Aragón Cáceres

→ Begoña Llovet Barquero

→ Matilde Cerrolaza Aragón

1. ¿Cuántos apellidos tienen los españoles?    1 [   ]   2 [ X ]

2. ¿Cuál es el primer apellido de Begoña?    Llovet [ X ] Barquero [   ]

3. ¿Y el de su padre?    Llovet [ X ] Barquero [   ]

4. ¿Cómo se llama su madre?    Manuela Llovet [   ] Manuela Barquero [ X ]

5. ¿Quién se llama Cerrolaza?    Matilde y su madre [   ] Matilde y su padre [ X ]

# Esta es la familia del autor.

**b.** Completa con sus datos.

José Ángel Cerrolaza Asenjo — Montserrat Gili Maluquer

→ Óscar <u>Cerrolaza</u>    <u>Gili</u>

# Eres español.

**c.** Escribe tu nombre y el de tu familia. Después imagina que eres español.

El alumno debe comprender que, para España, debe inventarse dos apellidos.

**En tu país**        **En España**

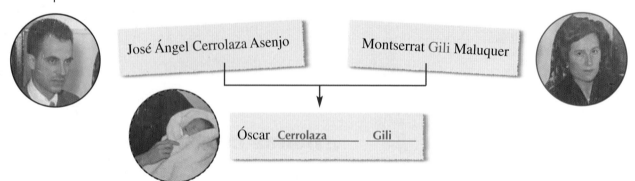

# Acción

## Rellenas el formulario de entrada a un país.

Al viajar a algunos países tienes que rellenar un formulario.
Complétalo con tus datos.

CARTA INTERNACIONAL DE EMBARQUE  DESEMBARQUE
INTERNATIONAL EMBARKATION  DISEMBARKATION CARD

بطاقة عالمية الوصول أو المغادرة

E S P A Ñ A

MINISTERIO DEL INTERIOR  DIRECCION GENERAL DE LA POLICIA

AR –305848

ENTRADA / ARRIVAL / ARRIVÉE / بطاقة دخول

En letras mayúsculas/In capital letters/En lettres capitaux/ يرجى إملاء البطاقة بأحرف كبيرة وواضحة

*Apellidos / Surname / Nom / اللقب (إسم الأب و العائلة)

*Nombre / Given names / Prenom / الإسم الشخصي

*Fecha de nacimiento / Date of birth / Date de naissance / تاريخ الولادة

*Lugar de nacimiento / Place of birth / Lieu de naissance / مكان الولادة

*Nacionalidad / Nationality / Nacionalité / الجنسية

*Dirección en España / Address in Spain / Adress en Espagne / العنوان في إسبانيا (Calle y n°) / (No. and street) / (No. et rue) / (إسم و رقم الشارع إسم المنطقة)

*Ciudad / City / Ville / إسم المدينة

*Pasaporte n° / Passport No. / Passeport no. / رقم جواز السفر

*Ciudad de embarco / Embarkation City / Ville d'embarquement / إسم المدينة التي غادرتها

*Vuelo n° / Flight No. / Vol No. / رقم الرحلة  Barco / Ship / Bateau / إسم المركب

*Fecha / Date / Date / بتاريخ

D.G.P.  D 159

# Ámbito Público

## Acción Haces la reserva de una habitación en un hotel.

**Vamos a aprender a:** manejarnos en un hotel.

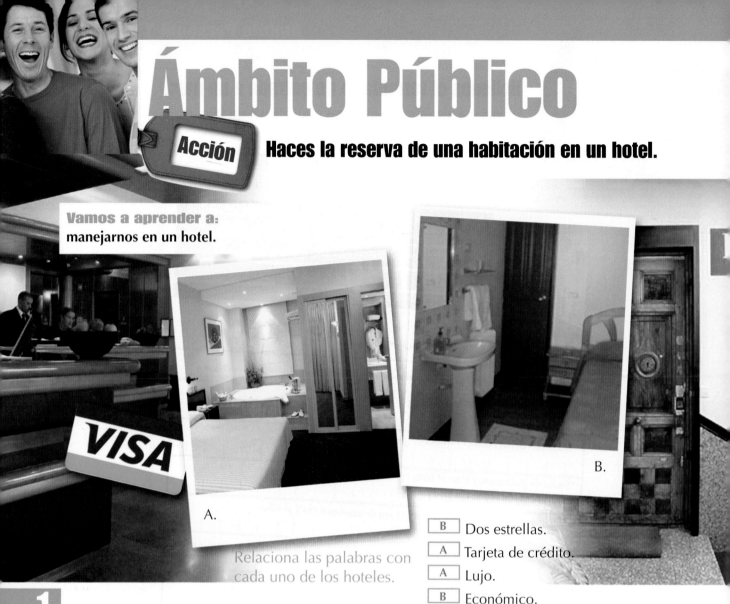

A.

B.

Relaciona las palabras con cada uno de los hoteles.

| B | Dos estrellas. |
| A | Tarjeta de crédito. |
| A | Lujo. |
| B | Económico. |

## 1

**Competencia léxica:** los números del 1 al 10.

### Las llaves del hotel.

**a.** Primero observa, después escucha y marca las llaves de las que hablan.

 nueve · X
 dos
 diez · X
 cuatro · X
 siete

 seis
 uno
 ocho
 tres · X
 cinco · X

# Mi carné de identidad.

**b.** Indica tu número de pasaporte o carné de identidad.

El carné de identidad se llama **DNI**: Documento Nacional de Identidad.

*Mi número de carné de identidad es: cinco, uno, tres, seis, siete, cero, cuatro, seis, letra ele.*

51367046-L

---

**2** **Competencia fonética y ortográfica: los números.**

## ¿Qué número es?

**a.** Escucha y escribe los números.

1. ....3....  3. ....4....  5. ....1....
2. ....5....  4. ....9....  6. ....10....

## ¿Cómo se escriben?

**b.** Lee estos números y escríbelos.

1. (9) Nueve    3. (6) Seis    5. (4) Cuatro
2. (1) uno      4. (7) Siete   6. (8) Ocho

---

**3** **Competencia funcional: dar datos personales en un hotel.**

## Haces una reserva.

**a.** Observa esta hoja de registro, escucha y complétala.

# HOTEL COSTA SOÑADA

Fecha de entrada: 8 de agosto   Fecha de salida: 10 de agosto

Nombre: Mauricio

Apellidos: Quintana Juárez

Dirección: C/ Machado, 6   Código postal: 40002   Ciudad: Segovia

País: España

Número de pasaporte: 55. 678. 098

# ¿Y cómo se hace?

**b.** Relaciona cada frase con el documento adecuado.

a.

b.

**HOTEL COSTA SOÑADA - HABITACIONES**

1  2  3  4  5

1. ¿Tienen habitaciones libres?

2. ¿A nombre de quién?

3. Una habitación doble / sencilla.

4. Para dos noches.

d. **SEMANA 1**

X  X

L M X J V S D

c.

Mauricio Quintana Juárez

C/ Machado, 6 - 40 002 Segovia

# ¿Dónde vives?

**c.** Pregunta a tus compañeros dónde viven y el teléfono: anótalo.

## La dirección

- calle → C/
- avenida → Avda.
- plaza → Pza.
- paseo → P.º

FAX

*Hans, ¿dónde vives?*

*En la calle Goya número cuatro, en Madrid.*

**CALLE DE GOYA**

# En la recepción.

**d.** Imagina un diálogo entre un viajero y un recepcionista.

**HOTEL COSTA SOÑADA**

Fecha de entrada:

Nombre:                  Fecha de salida:

Apellidos:

Dirección:

País:          Código postal:          Ciudad:

Número de pasaporte:

HOTEL COSTA SOÑADA

**Competencia gramatical:** el verbo *tener* y los pronombres interrogativos (2).

# ¿A qué situación corresponde?

**a.** Observa las imágenes, escucha el diálogo y marca la situación.

a.

X

b.

# Forma mini-diálogos.

**b.** Relaciona.    1. b, 2. c, 3. a, 4. d.

1. Tengo una habitación reservada.
2. ¿Tiene una habitación libre?
3. Su pasaporte, por favor.
4. Una doble, por favor.

a. Aquí tiene.
b. ¿A nombre de quién?
c. Sí, no hay problema. ¿Tiene tarjeta de crédito?
d. ¿Para cuántas noches?

# Tengo, tienes...

**c.** Primero completa el cuadro, luego los diálogos.

**Tener**

Tengo ......
Tienes ......
Tiene
Tenemos
Tenéis
Tienen ......

1. - ¿ Tienen ... habitaciones libres?
   - ¿Para cuántas noches?
2. - Tengo ...... una habitación reservada.
   - ¿A nombre de quién?
3. Mi mujer y yo tenemos. una habitación reservada.
4. Perdón, ¿...tiene... usted reservada una habitación?
5. - Su pasaporte, por favor.
   - Aquí tiene ...... .
6. - Yo no tengo..... habitación.
   - Yo sí.

# Conocer gente.

**d.** Completa los diálogos con el interrogativo adecuado.

**Los interrogativos**

Las frases interrogativas llevan ¿?

¿Cómo?
¿Cuál? (2)
¿De dónde?
¿Dónde?
¿Qué?

1. - Hola, ¿....qué.... tal?
   - Hola.
2. - ¿ Cómo te llamas?
   - Ricardo.
3. - ¿...Cuál... es tu apellido?
   - Jiménez, con jota.
4. - ¿...De dónde... eres?
   - De Chile, de Valparaíso.
5. - ¿....Dónde.... vives?
   - En la calle Mayor, en Barcelona.
6. - ¿....Cuál.... es tu número de teléfono?
   - El 93 445 60 34.

## Saludarse en español.

**a.** Observa las imágenes, lee los diálogos y relaciónalos.

1.   2.   3.   4.

a. • ¡Hola!      b. • Adiós.      c. • Hola, buenos días.      d. • Adiós, hasta mañana.
   • ¡Hola! ¿Qué tal?                    • Buenos días.                • Hasta mañana.

## Saludarse y despedirse.

**b.** Clasifica los saludos y las despedidas.

|         | Saludos | Despedidas |
|---------|---------|------------|
| Formal  | Hola, buenos días.<br>Buenos días. | Adiós, hasta mañana.<br>Hasta mañana. |
| Informal | ¡Hola! ¿Qué tal? | Adiós. |

## ¿Cuándo usar cada saludo?

**c.** Observa las situaciones.

Según el momento del día, marca lo que se dice.

1. Se dice "Buenos días": [ X ] por la mañana [ ] por la tarde [ ] todo el día.

2. Se dice "Buenas tardes": [ ] antes de comer [ X ] después de comer.

3. Se dice "Buenas noches": [ ] al final del trabajo [ ] antes de cenar [ X ] después de cenar.

## ¿Saludos o despedidas?

**d.** ¿Qué dices en cada situación?

Hola, ¿qué tal?      ¡Adiós!      ¡Hola! (Buenos días).      Adiós, hasta mañana.

1.   2.   3.   4.

# Acción

## Haces la reserva de una habitación en un hotel.

Para viajar, en muchas ocasiones, hay que reservar antes las habitaciones de hotel. Observa esta página web y complétala.

---

Hotel Gaudí

◄ ► C + http://www.hotelgaudi.es/esp/index.asp

Q▾ hotel gaudi

Extensis – F...op Plug-ins    Apple España    .Mac    Amazon    eBay    Yahoo!    Noticias ▼

# Hotel Gaudí ***

# RESERVAS DE HABITACIONES

## 1 Ingrese sus datos

DNI/Pasaporte del huésped: * [_____]

Nombre y Apellidos del huésped: * [____] [____] [____]

País: * [ESPAÑA ▾]    Provincia: * [– Elija provincia – ▾]    Correo Electrónico: * [_____]

Tlf. de Contacto: * [____]    Tlf. Móvil: [____]    Fax (opcional): [____]

Observaciones para el hotel:

Factura: *    ● A su nombre  ○ A nombre de empresa

☐ Cama matrimonio   ☐ Camas separadas
☐ Cuna para niños    ☐ Garaje

Fecha de entrada [    21/02/07    ]

Nota: Sujeto a disponibilidad.

Fecha de salida [____]

Número de habitaciones [_____]

Número de personas por habitación [____]

☑ He leido y acepto las Condiciones de Contratación

Su IP está siendo registrada por motivos de seguridad.

# Ámbito Profesional

**Acción** Confeccionas tu propia tarjeta de visita para presentarte formalmente en español.

## Vamos a aprender a:

**presentarnos formalmente en español.**

Observa e identifica esta información en la tarjeta:
- El nombre de la empresa.
- La dirección.
- El número de teléfono.
- El correo electrónico.
- El puesto de trabajo.
- La página web de la empresa.

**edelsa**
GRUPO DIDASCALIA, S.A.

**ÓSCAR CERROLAZA GILI**
*Responsable de Investigación Didáctica*

Plaza Ciudad de Salta, 3 - 28043 Madrid (España)
Tel.: 914 165 511 - Fax: 914 165 411
http://www.edelsa.es - E-mail: edelsa@edelsa.es

**1**

**Competencia léxica:** la profesión u ocupación y la dirección.

## Y tú, ¿qué haces?

**a.** Asocia las tarjetas con la profesión adecuada.

**1.**
Eduardo Bonilla Sanz
Medicina general

Clínica La Paz
C/ Postas, 15
28014 Madrid - 91 478 98 56

**2.**
RAFAEL GARCÍA GIL
FONTANERÍA
C/ del Agua, 14, 1º A - 29001 Málaga
Tel.: 952 257008

**3.**
Carolina García Gonzalez
Programas informáticos
Avda. Los Amantes, 2
44012 Teruel
digitalia@usuarioslicros.com

**4.**
Restaurante
Los Arcos
C/ Ferrocarril, 3
09003 Burgos
losarcos@segoviatour.es

**5.**
Pilar Justo Muñoz
Policía científica
Comisaría de Alcorcón
Cta. Madrid S/n 28925 Alcorcón (Madrid)
91 8971476

**6.**
Jaime Blanco Aguirre
Estudiante
Plaza Menor, 4
02001 Albacete 923657313

**7.**
ISABEL IZQUIERDO LÓPEZ
Inglés y francés
CENTRO DE IDIOMAS
Avda. Universidad 830
México D.F. - iizquierdo@edu.mx

**8.**
TERESA HERNÁNDEZ BRUGUER
Análisis clínicos
Unidad Genética
C/ 63 D, nº 24-31,

**9.**
Alicia Burguilla Sanz
Clases de Guitarra y piano
Barrio de Palermo
Buenos Aires
4776-7001

**10.**
MODAS YÁÑEZ
GRAN VÍA 56 - 08080 BARCELONA
modasyañez@hotmail.com

**11.**
Asunción Galindo Zorro
ABOGADA
C/ Sótero del Río, 541. of 7
Santiago de Chile - 56-2-6621011

**12.**
Iñaqui Esnaola Ortiz
Periodista
Paseo Iruña, 75 - 5º 2 - 48004 BILBAO

abogado/a.
a. 11

estudiante.
b. 6

biólogo/a.
c. 8

informático/a.
d. 3

dependiente/a.
e. 10

periodista.
f. 12

médico/a.
g. 1

músico/a.
h. 9

profesor/a.
i. 7

fontanero/a.
j. 2

policía.
k. 5

camarero/a.
l. 4

# ¿Quién es quién?

**b.** Observa el cuadro y explica las profesiones anteriores.

**OCUPACIÓN**

Es...
**Trabaja de...** en (un hospital, un bar, un restaurante...)
**Estudia...**
**Toca...** (música, piano, guitarra...)

*Estudio Psicología en la universidad.*

*Soy médico, trabajo en un hospital.*

**2**

**Competencia funcional:** hablar de la profesión u ocupación.

## Para informarte de la profesión.

**a.** Observa.

*Y tú, ¿qué haces?*

*Soy estudiante*

*Pues yo soy profesor. Trabajo en una escuela.*

**PROFESIONES**

¿Tú qué haces?
¿A qué te dedicas?
¿A qué se dedica usted?

| **Yo soy** | médica/o |
| | camarero/a |
| | ... |

**Trabajo en un hospital**
**Estudio en la universidad**

| **Me dedico a** | programar |
| | la investigación |
| | ... |

## Renovar los datos.

**b.** En un banco, escucha este diálogo y rellena el formulario con los nuevos datos de esta persona.

**Formulario cliente**

**BBVA**

Nombre y apellidos: **Serafín Hernández Pérez**

Dirección: **C/ Pablo Picasso, 3**

Código postal: **28200**          Ciudad: **San Lorenzo de El Escorial**

Profesión: **Médico**

Teléfono: **91 714 25 34**

## ¿Estudias o trabajas?

**c.** Di tu profesión (real o imaginaria). Después pregunta a tus compañeros.

*¿A qué os dedicáis?*

*Yo soy astronauta*

*Y yo soy bombero.*

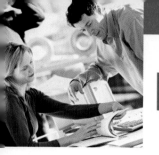

# Él, tú y yo estudiamos.

**a.** Completa el esquema.

| TRABAJ -AR | VEND -ER | VIV -IR |
|---|---|---|
| Trabaj-**o** | Vend-o | Viv-o |
| Trabaj-**as** | Vend -**es** | Viv-es |
| Trabaj-**a** | Vend-e | Viv -**e** |
| Trabaj -**amos** | Vend -**emos** | Viv -**imos** |
| Trabaj -**áis** | Vend -**éis** | Viv -**ís** |
| Trabaj -**an** | Vend -**en** | Viv -**en** |

## ¿Qué hacen?

**b.** Relaciona y completa las frases con uno de los verbos en la forma adecuada.

aprender
curar
enseñar
escribir
investigar
tocar
trabajar
vender

1. Un biólogo investiga / g.
2. Las camareras trabajan / e.
3. Un dependiente vende / h.
4. Vosotros sois estudiantes y aprendéis / d.
5. Una médica cura / f.
6. Los músicos tocan / b.
7. Un periodista escribe / a.
8. Yo soy profesor y enseño / c.

a. artículos y noticias.
b. en una orquesta.
c. español a mis estudiantes.
d. español en clase.
e. en un restaurante o un bar.
f. enfermos.
g. en un laboratorio.
h. ropa de moda.

## ¿A quién preguntas?

**c.** Asocia las frases a las imágenes.

1. ¿Trabajáis en un banco?
2. ¿Hablas idiomas?
3. ¿Escribe en español?
4. ¿Trabajan en un banco?
5. ¿Trabajas en un banco?
6. ¿Escribes en español?

7. ¿Hablan idiomas?
8. ¿Habláis idiomas?
9. ¿Escriben en español?
10. ¿Escribís en español?
11. ¿Habla idiomas?
12. ¿Trabaja en un banco?

Usted

Vosotros

Ustedes

Tú

Tú: 2, 5, 6. Vosotros: 1, 8, 10.

Usted: 3, 11, 12. Ustedes: 4, 7, 9.

## Ahora tú.

**d.** Forma frases con estos verbos.

> vivir escribir ser hablar llamarse
> trabajar dedicarse vender

**4** **Competencia sociolingüística:** *tú o usted.*

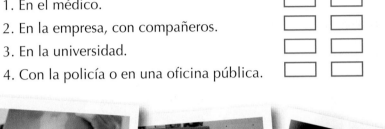

### ¿Cómo es en tu país?

**a.** Marca si en estas situaciones se usa normalmente *tú* o *usted*.

|  | tú (informal) | usted (formal) |
|---|---|---|
| 1. En el médico. | ☐ | ☐ |
| 2. En la empresa, con compañeros. | ☐ | ☐ |
| 3. En la universidad. | ☐ | ☐ |
| 4. Con la policía o en una oficina pública. | ☐ | ☐ |

### ¿Y en España?

**b.** Lee este texto y subraya las diferencias con tu país.

# ¿TÚ o USTED?
## Esa es la cuestión.

En España utilizamos TÚ: con familiares, amigos, niños y jóvenes; en la universidad entre estudiantes; en una empresa entre compañeros. También en tiendas y bares donde compras o vas frecuentemente. Utilizamos USTED: con personas mayores; con una autoridad (oficinas del Gobierno, bancos, policía...), en hospitales y con médicos. También entre empresas en el primer contacto.

## ¿Qué tienes que hacer?

**c.** Después de leer el texto anterior, ¿cómo hablas con estas personas, de TÚ o de USTED?

 **¿USTED?**

 **¿TÚ?**

a. tú
b. tú
c. usted
d. usted
e. usted
f. tú

---

**5** **Competencia fonética y ortográfica:** la acentuación de las palabras.

## ¿Cómo se pronuncia?

**a.** Escucha y marca la sílaba fuerte (acentuada).

1. abogado
2. biólogo
3. informático
4. médico
5. fontanero
6. músico
7. doctor
8. estudiante
9. camarero

## La sílaba acentuada puede ser...

**b.** Coloca cada palabra en la columna adecuada.

| la última | la penúltima | la antepenúltima |
|---|---|---|
| *profesor*<br>doctor | *periodista*<br>abogado<br>fontanero<br>estudiante<br>camarero | *psicólogo*<br>biólogo<br>informático<br>médico<br>músico |

# Acción

**Confeccionas tu propia tarjeta de visita para presentarte formalmente en español.**

Para presentarte formalmente necesitas una tarjeta.
Haz tu propia tarjeta de visita.

Nombre

Apellido(s)

Si el alumno elige ser español, se le exigirán dos apellidos.

Ocupación o profesión

Calle

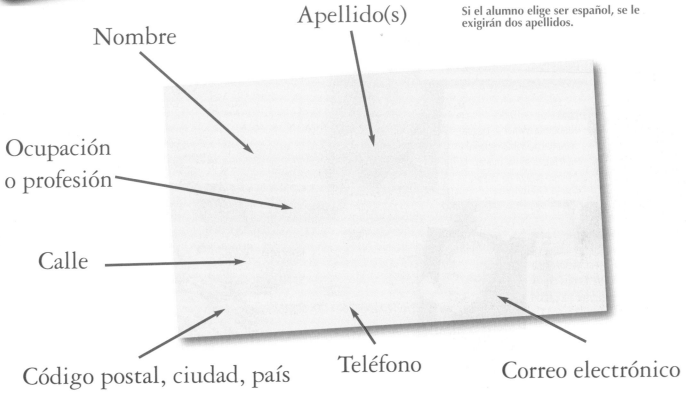

Código postal, ciudad, país

Teléfono

Correo electrónico

Selecciona una de las siguientes situaciones y preséntate formalmente.

1. Para trabajar.

2. Para estudiar en una universidad extranjera.

3. Para buscar un trabajo y estudiar a la vez.

# Los países y los hispanos

## 1 Hispanos famosos.

**a.** Lee los textos y marca en el mapa el país de donde son y el país donde viven.
¿Cuáles son los personajes más famosos de tu cultura? ¿De dónde son?, ¿qué hacen?, ¿dónde viven?

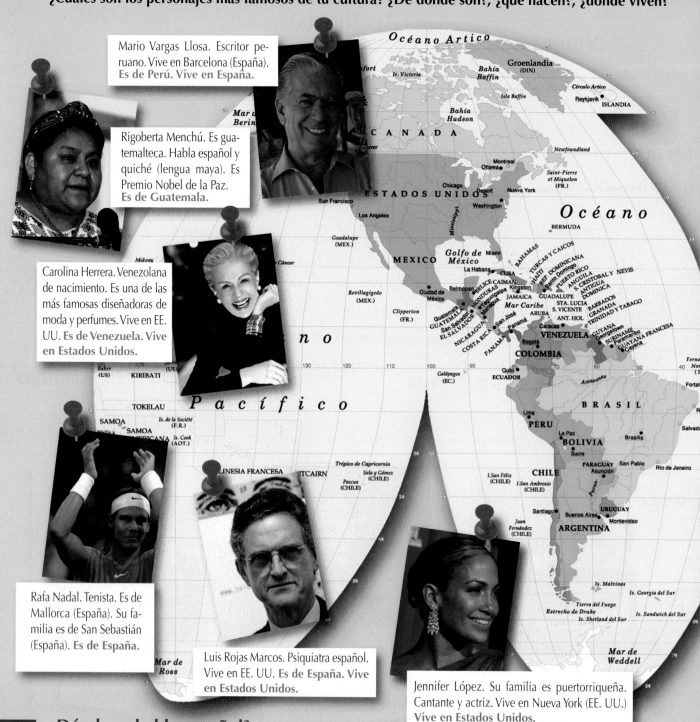

Mario Vargas Llosa. Escritor peruano. Vive en Barcelona (España). **Es de Perú. Vive en España.**

Rigoberta Menchú. Es guatemalteca. Habla español y quiché (lengua maya). Es Premio Nobel de la Paz. **Es de Guatemala.**

Carolina Herrera. Venezolana de nacimiento. Es una de las más famosas diseñadoras de moda y perfumes. Vive en EE. UU. **Es de Venezuela. Vive en Estados Unidos.**

Rafa Nadal. Tenista. Es de Mallorca (España). Su familia es de San Sebastián (España). **Es de España.**

Luis Rojas Marcos. Psiquiatra español. Vive en EE. UU. **Es de España. Vive en Estados Unidos.**

Jennifer López. Su familia es puertorriqueña. Cantante y actriz. Vive en Nueva York (EE. UU.) **Vive en Estados Unidos.**

## 2 ¿Dónde se habla español?

**a.** ¿Conoces los países en los que se habla español?
**El español es lengua oficial en 21 países. Localízalos en el mapa:**
Argentina, Bolivia, Chile, Colombia, Costa Rica, Cuba, Ecuador, El Salvador, España, Guatemala, Guinea Ecuatorial, Honduras, México, Nicaragua, Panamá, Paraguay, Perú, Puerto Rico, República Dominicana, Uruguay, Venezuela.

# Cultura hispánica

Tu lengua

## La importancia del español.

a. Lee estos datos y relaciónalos con un país.

## El español en el mundo

- Aproximadamente un 30% de los ejecutivos brasileños hablan español con fluidez. **Brasil**
- Un millón de personas habla español en Filipinas. **Filipinas.**
- 3,1 millones de europeos estudian español. Solo en España hay más de 1.700 cursos de español para extranjeros. **España.**
- La música latina ocupa el 4,5% del mercado estadounidense. Shakira, de Colombia, es actualmente la cantante más popular. **Estados unidos, Colombia.**
- El español es la cuarta lengua más hablada del planeta, después del chino, el hindi y el inglés. 400 millones de personas hablan español en el mundo, el 10% está en EE. UU. **E.E.U.U.**
- México es el país de habla española más grande, con 105,3 millones de habitantes. También se hablan otras lenguas, pero el 80% de la población es bilingüe. **México.**

*Datos adaptados de los anuarios del Instituto Cervantes*

# Ámbito Académico

## Portfolio: evalúa tus conocimientos.

**Después de hacer el módulo 1**

Fecha: ............................................

### Comunicación
- Puedo saludar y despedirme.
Escribe las expresiones:

- Puedo decir y preguntar el nombre, el origen o la nacionalidad.
Escribe las expresiones:

- Puedo hacer una reserva en un hotel.
Escribe las expresiones:

- Puedo preguntar y hablar de la profesión o la ocupación.
Escribe las expresiones:

### Gramática
- Sé usar los interrogativos: *cómo, cuál, dónde, de dónde y qué.*
Escribe algunos ejemplos:

- Sé utilizar los verbos *llamarse, ser* y *tener* en Presente.
Escribe algunos ejemplos:

- Sé utilizar los verbos regulares en Presente: *-ar, -er, -ir.*
Escribe algunos ejemplos:

### Vocabulario
- Conozco los nombres de algunos países y las nacionalidades.
Escribe las palabras que recuerdas:

- Conozco los números del 0 al 10.
Escribe los números que recuerdas:

- Conozco el vocabulario útil para dar datos personales.
Escribe las palabras que recuerdas:

- Conozco los nombres de algunas profesiones.
Escribe las palabras que recuerdas:

**Nivel alcanzado**

Insuficiente   Suficiente   Bueno   Muy bueno

* Si necesitas más ejercicios ve al punto 1 del Laboratorio de Lengua.

* Si necesitas más ejercicios ve al punto 2 del Laboratorio de Lengua.

* Si necesitas más ejercicios ve al punto 3 del Laboratorio de Lengua.

* Si necesitas más ejercicios ve a los puntos 2 y 7 del Laboratorio de Lengua.

* Si necesitas más ejercicios ve al punto 4 del Laboratorio de Lengua.

* Si necesitas más ejercicios ve al punto 5 del Laboratorio de Lengua.

* Si necesitas más ejercicios ve al punto 5 del Laboratorio de Lengua.

* Si necesitas más ejercicios ve al punto 6 del Laboratorio de Lengua.

* Si necesitas más ejercicios ve al punto 2.c del Laboratorio de Lengua.

* Si necesitas más ejercicios ve al punto 2 del Laboratorio de Lengua.

* Si necesitas más ejercicios ve al punto 7 del Laboratorio de Lengua.

# LABORATORIO DE LENGUA

## Comunicación

### 1. Saludos y despedidas.

a. Relaciona estos saludos y despedidas con las situaciones.

En español para despedirnos, podemos decir "buenos días".

1. Adiós, hasta mañana.    a.

2. Hola, buenos días.    b.

3. Adiós, buenos días.    c.

4. Buenas tardes, ¿el Sr....?    d.

a.

b.

c.

d.

### b. Escucha y responde al saludo.

1. ¡Hola! ..........................................................

2. Hasta mañana. ..........................................................

3. Hola, buenas tardes. ..........................................................

### 2. Información personal.

a. Responde a las preguntas.

* Hola, ¿cómo te llamas?
* ..........................................................
* ¿Y tu apellido?
* ..........................................................
* Perdón, ¿cómo se escribe?
* ..........................................................
* ¡Ah! Y, ¿de dónde eres?
* ..........................................................
* Y, ¿qué haces?
* ..........................................................

### b. Observa esta tarjeta de visita y explícala.

**Marta Aguinarga López**
*Decoradora de interiores*

Avda. Ilustración, 9 - 05026 Albacete

TEL.: 967 55 11 82
marguinarga@casaconestilo.com

Se llama Marta ( y de apellidos) Aguinarga López. ..........

Es decoradora. Vive en Albacete, ..........

en la avenida de la Ilustración, número, 9. ..........

Su teléfono es 967.55.11.82 ..........

### c. Escribe con letras el número de teléfono.

nueve, seis, siete, cinco, cinco, uno, uno, ocho, dos. ...............................................

## En un hotel.

**Tu CD**

**a. Observa las dos imágenes, escucha los diálogos y numéralas.**

2

**b. Marca ahora la respuesta adecuada.**

1. En el primer diálogo
   - [X] tiene una habitación reservada.
   - [ ] busca una habitación.

2. La habitación es
   - [X] sencilla.
   - [ ] doble.

3. En el segundo diálogo
   - [ ] tiene una habitación reservada.
   - [X] busca una habitación.

4. La habitación es
   - [ ] sencilla.
   - [X] doble.

5. Es para
   - [ ] una noche
   - [X] dos noches.

1

### c. Completa los diálogos.

- ….Buenos días………. ¿….Tienen…. habitaciones libres?
- ¿Una habitación doble?
- Sí, para dos noches, por favor.
- Muy bien. Su …pasaporte…., por favor.

- Buenos días, ………tengo………. una habitación …..reservada…… .
- ¿A ………nombre………. de quién, por favor?
- De Augusto Fernández.
- Ah, sí. Una …habitación… sencilla.

# Gramática

## 4. Los interrogativos.
### a. Relaciona.

1. ¿Cómo te llamas?        a. Bien, gracias.
2. ¿De dónde eres?         b. Pe, u, i, ge.
3. ¿Cuál es tu apellido?   c. De Barcelona.
4. ¿Cómo se escribe?       d. Soy médico.
5. ¿Qué haces?             e. Vicente.
6. ¿Qué tal?               f. En un hospital.
7. ¿Dónde vives?           g. En Tarragona.
8. ¿Dónde trabajas?        h. Puig.

### b. Completa el diálogo con las preguntas adecuadas.

- Hola, buenos días. Soy Amalia Buendía. Y usted, ¿ …………cómo se llama………… ?
- Jerónimo, Jerónimo Llorente.
- Usted no es de aquí, ¿verdad? ¿…………De dónde es…………?
- De Valencia, pero ahora vivo aquí.
- Y, ¿………………qué hace………………?
- Soy arquitecto.

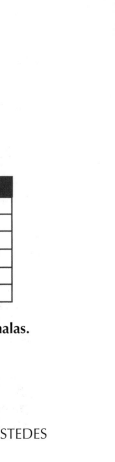

## 5. Los verbos.

**a. Subraya la forma verbal correcta.**

1. - Mira, esta es mi secretaria. Se *llamo* / *llama* Valeria Rodríguez.
   - Mucho gusto.
2. - ¿*Eres* / *Es* usted el señor Armentia?
   - No, no. Yo *soy* / *es* Paco Vergara. El señor Armentia *eres* / *es* aquel.
3. - Marisa y yo *trabajamos* / *trabajan* en un banco.
   - Ah, ¿sí? Yo también *trabajo* / *trabajamos* en un banco.
4. - Vosotros no *sois* / *son* españoles, ¿no?
   - No, no. *Somos* / *Son* venezolanos, pero ahora *vivimos* / *viven* aquí.
5. - ¿Y tú?, ¿*estudias* / *estudian* o *trabajas* / *trabajan*?
   - Pues, *trabajo* / *trabajamos* en una oficina y *estudio* / *estudiamos* en la universidad.

**b. Conjuga estos verbos.**

|                | CANTAR   | LEER    | ABRIR    |
|----------------|----------|---------|----------|
| Yo             | Canto    | Leo     | Abro     |
| Tú             | Cantas   | Lees    | Abres    |
| Usted, él, ella | Canta   | Lee     | Abre     |
| Nosotros/as    | Cantamos | Leemos  | Abrimos  |
| Vosotros/as    | Cantáis  | Leéis   | Abrís    |
| Uds., ellos/as | Cantan   | Leen    | Abren    |

**c. En estas series hay una forma verbal diferente. Localízala.**

1. Canta, lee, viaja, viven, escribe
2. Soy, miro, tenemos, hablo
3. Escribís, viven, tienen, suben
4. Somos, tienen, es, cantáis
5. Cantan, hablamos, vivimos, trabajan

**d. ¿Cómo son las series anteriores? Relaciónalas.**

☐4 Son verbos irregulares.
☐5 Son verbos tipo –AR.
☐1 Son verbos en la forma Él, ELLA, USTED.
☐3 Son verbos en la forma ELLOS, ELLAS, USTEDES
☐2 Son verbos en la forma YO.

# Vocabulario

## 6. Las nacionalidades.

**a. Observa el mapamundi de las págs. 26-27, escucha el nombre de las nacionalidades y marca los países.** alemán, peruano, español, francés, indio, chino, canadiense, polaco, marroquí, mexicano, brasileño, portugués, italiano, ruso, estadounidense, turco, egipcio, salvadoreño, cubano, holandés, uruguayo, japonés, israelí, argentino, austriaco.

## 7. Las profesiones.

**a. Lee las descripciones y di la profesión.**

**b. Describe una profesión.**

1. Trabaja en un periódico. Se dedica a informar y a escribir noticias. Es periodista.
2. Se dedica a cuidar enfermos. Trabaja en un hospital o en una clínica. Es médico.
3. Trabaja en un laboratorio y se dedica a investigar. Es biólogo.
4. Trabaja en tiendas de ropa, de comida. Es dependiente.
5. Da clases en una escuela o en la universidad. Es profesor.
6. Trabaja con ordenadores. Se dedica a programar. Es informático.
7. No trabaja. Estudia en la universidad o en una escuela. Es estudiante.
8. Es un artista. Se dedica a la música. Es músico.

# Módulo 2

## Ámbito Personal

**Acción**

Realizas y explicas tu árbol genealógico.
- **Competencia léxica:** la familia.
- **Competencia fonética y ortográfica:** la entonación de la frase.
- **Competencia funcional:** describir el físico.
- **Competencia sociolingüística:** los nombres familiares.
- **Competencia gramatical:** los adjetivos posesivos.

## Ámbito Público

**Acción**

Escribes un anuncio para buscar amigos.
- **Competencia léxica:** los adjetivos de carácter.
- **Competencia gramatical:** el verbo *gustar* en presente.
- **Competencia funcional:** describir el carácter.
- **Competencia sociolingüística:** la cortesía.
- **Competencia fonética y ortográfica:** el acento en la penúltima sílaba.

## Ámbito Profesional

**Acción**

Describes una empresa.
- **Competencia léxica:** los puestos de trabajo.
- **Competencia fonética y ortográfica:** las palabras terminadas en vocal, *−n* o *−s* que no se acentúan en la penúltima sílaba.
- **Competencia gramatical:** los demostrativos.
- **Competencia sociolingüística:** los tratamientos de persona.
- **Competencia funcional:** presentar formalmente a otras personas.

## Cultura hispánica

La familia.
- La familia en tu país.
- La familia en España.
- Las principales fiestas familiares.

## Ámbito Académico

Portfolio: evalúa tus conocimientos.
Laboratorio de Lengua: refuerza tu aprendizaje.

# hablar de otras personas

INĒ

15 de mayo:
Día internacional
de la familia

Instituto Nacional de Estadística

...acion...

MUSEO NACIONAL
DEL **PRADO**

...8 años viv...
...ómico. A...
...r indepen...
...iene ese d...

...es el de fam...
...s sin hijos, e...

*Las Meninas* de Velázquez
Arte español y europeo
desde la Edad Media
hasta el siglo XX

...y Austria, tiene el mayor nú-
...viven juntos abuelos, padres
...o de la vivienda y la costum-
...s a residencias especiales.

# Ámbito Personal

**Acción** Realizas y explicas tu árbol genealógico.

**Vamos a aprender a:**
hablar de la familia y describir personas.

¿Conoces a la Familia Real española?: observa el árbol genealógico de la Familia Real, lee el texto y responde con verdadero (V) o falso (F).

Don Juan Carlos | Doña Sofía

Doña Elena | Don Jaime | Doña Cristina | Don Iñaki | Don Felipe | Doña Letizia

Don Felipe Juan Froilán
Doña Victoria Federica

Don Juan Valentín
Don Pablo Nicolás
Don Miguel
Doña Irene

Doña Leonor
(Heredera de la Corona)
Doña Sofía

*Los padres del príncipe Felipe, futuro rey de España, son don Juan Carlos y doña Sofía. Su madre, doña Sofía, es griega. Tiene dos hermanas: doña Elena y doña Cristina; las dos están casadas, doña Elena con don Jaime y doña Cristina con don Iñaki. Su mujer se llama doña Letizia. Tienen dos hijas, doña Leonor y doña Sofía\*, cuatro sobrinos y dos sobrinas. Leonor y Sofía tienen dos tías y dos tíos.*

*\*En la primera edición del libro del alumno doña Sofía no había nacido por lo que en el texto figura que tienen una hija y no dos.*

### La cortesía

**Don** y **doña** + nombre expresan respeto.

|  | V | F |
|---|---|---|
| 1. Felipe es hijo del rey Juan Carlos. | X | |
| 2. El marido de su hermana Cristina se llama Jaime. | | X |
| 3. La madre de Victoria Federica es Elena. | X | |
| 4. Juan Valentín es sobrino de Jaime y Elena. | X | |
| 5. Iñaki no tiene hijos. | | X |
| 6. Pablo Nicolás y Miguel son hermanos. | X | |
| 7. Los Reyes tienen siete nietos.* | | X |

*\*En la primera edición del libro del alumno doña Sofía no había nacido por lo que en el texto figura que tienen una hija y no dos.*

# 1 Competencia léxica: la familia.

## Doña Leonor y la Familia Real.

**a.** A partir del árbol genealógico explica la relación familiar de doña Leonor con los otros miembros de la familia.

> Don Juan Carlos es el abuelo de doña Leonor.

> Doña Leonor es la nieta de don Juan Carlos y doña Sofía.

**La familia**

Los abuelos: el abuelo y la abuela
Los nietos: el nieto y la nieta
Los padres: el padre y la madre
Los hijos: el hijo y la hija
Los tíos: el tío y la tía
Los sobrinos: el sobrino y la sobrina
Los primos: el primo y la prima

*Presentación de Doña Leonor*

## El marido de mi madre.

**b.** Completa las frases con la persona adecuada.

> abuelo/a, nieto/a, padre / madre, hijo/a, marido / mujer, tío/a, sobrino/a, primo/a.

1. El marido de mi madre es mi ....padre.....
2. Si yo soy tu marido, tú eres mi .....mujer....
3. Los padres de mi padre son mis ...abuelos...
4. Mi hermano tiene un hijo, que es mi ...sobrino....

5. Y los hijos de mis tíos son mis ....primos....
6. La hermana de mi padre es mi ......tía......
7. Mi primo es el hijo de mis ......tíos......
8. Los hijos de mis hijos son mis .....nietos....

## ¿Estás casado?

**c.** Observa los ejemplos y completa el cuadro.

> ¿Estás casado / a?

> No, pero tengo novio / a.

> ¿Y tienes hijos / as?

> Sí, tengo una hija.

> ¿Tienes hermanos?

**Estar**

....Estoy....
....Estás....
....Está....
Estamos
....Estáis....
Están

**SITUACIÓN FAMILIAR**

¿Estás casado/a?
Sí. / No, estoy soltero/a.
Tengo novio/a.
Tengo un/a hijo/a / dos hijos/as.
¿Tienes hermanos/as?
Sí, tengo tres hermanos. / No, soy hijo/a único/a.

## ¿Cómo suena?

 10

**a.** Escucha y marca lo que oyes.

| | | | | | |
|---|---|---|---|---|---|
| 1. ¿Estás casado? | [X] | Estás casado. | [ ] | ¡Estás casado! | [ ] |
| 2. ¿Tienes hijos? | [ ] | Tienes hijos. | [ ] | ¡Tienes hijos! | [X] |
| 3. ¿Este es tu hijo? | [X] | Este es tu hijo. | [ ] | ¡Este es tu hijo! | [ ] |
| 4. ¿Juan no tiene novia? | [ ] | Juan no tiene novia. | [X] | ¡Juan no tiene novia! | [ ] |

 11

## ¡A puntuar!

**b.** Escucha estas frases y, según la entonación pon **.** , **¡!** o **¿?**.

> **La interrogación y la exclamación**
>
> Las frases interrogativas llevan **¿** al principio y **?** al final.
>
> Las frases exclamativas llevan **¡** al principio y **!** al final.

1. ¿Se llama Alberto?

2. ¡Tienes dos hijos!

3. ¿Juan no tiene novia?

4. Vive solo.

5. ¡No tenéis hijos!

6. Es Rodrigo López Manresa.

## Retrato de hispanos famosos.

**a.** Estos son algunos hispanos famosos. Lee la descripción e identifica al personaje.

Juan Echanove
a.

Shakira
b.

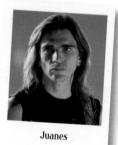
Juanes
c.

Gabriel García Márquez
d.

Don Felipe
e.

Penélope Cruz
f.

1. [Gabriel García Márquez] Es escritor. Tiene bigote y tiene el pelo blanco. Lleva gafas.

2. [Penélope Cruz] Es actriz. Tiene el pelo muy moreno. Es delgada.

3. [Shakira] Es cantante. Tiene el pelo rizado y rubio. Es un poco baja.

4. [Don Felipe] Es miembro de la familia real. Es muy alto, castaño y lleva el pelo corto.

5. [Juanes] Es cantante. Tiene el pelo largo y castaño.

6. [Juan Echanove] Es actor, es bastante gordo y casi calvo.

## Tu personaje.

**b.** Piensa en un personaje (cantante, artista, político...) y descríbelo. ¿Cómo es?

> **¿CÓMO ES?**
>
> Es...
> Tiene el pelo...
> Tiene | barba, gafas...
> Lleva |

# La foto de familia.

**c.** Observa y relaciona un rasgo con cada miembro de la familia.

> *Es alto, tiene el pelo blanco, lleva gafas y tiene barba.*

**Descripción**

alto/a - bajo/a
gordo/a - flaco/a
rubio/a - castaño/a - moreno/a
pelo largo - corto - rizado - liso
calvo
gafas, barba, bigote

## La familia de Asunción.

**d.** Escucha el diálogo y escribe el nombre de cada persona y su relación con Asunción.

Begoña
La mujer de José

Pilar
Madre

María Teresa
Hija pequeña

José
Hermano

Paco
Marido

Ana
Hija mayor

## ¿Cómo es Asunción?

**e.** Descríbela.

---

**4**

**Competencia sociolingüística:** los nombres familiares.

## Paco y Francisco.

**a.** En español algunos nombres tienen dos formas, una oficial y otra familiar. Relaciónalos.

| | |
|---|---|
| 1. Francisco | a. Charo |
| 2. María | b. Lola |
| 3. Manuel | c. Maite |
| 4. Dolores | d. Maruja |
| 5. Ignacio | e. Paco |
| 6. José | f. Pepe |
| 7. Rosario | g. Nacho |
| 8. María Teresa | h. Manolo |

## ¿Hay nombres familiares en tu país?

**b.** Explícalos.

## 5 Competencia gramatical: los adjetivos posesivos.

### Estas son mis hijas.

**a.** Observa estas frases del diálogo anterior y subraya el posesivo.

1. Es <u>mi</u> familia. Mira, esta es <u>mi</u> madre. Se llama Pilar.
2. Estas son <u>mis</u> hijas: María Teresa y Ana.
3. ¿Y este es <u>tu</u> hermano?
4. No, ese es <u>mi</u> marido. Se llama Paco.
5. <u>Mi</u> hermano es este alto de pelo blanco.
6. Y esta de pelo castaño es <u>su</u> mujer, Begoña.

## Tu hija y tu hijo son mis hijos.

**b.** Observa y completa el cuadro.

Mi hijo y mi hija = *Mis hijos*

Tu padre y tu madre = *Tus padres*

Su hermano y su hermana
= *Sus hermanos*

Tus hijos y mis hijos
= *Nuestros hijos*

Tu primo y su prima
= *Vuestros primos*

Su hermano (de él) y su hermana
(de ella) = *sus hermanos*

| Posesivos | | | | |
|---|---|---|---|---|
| | Singular | | Plural | |
| | **Masculino** | **Femenino** | **Masculino** | **Femenino** |
| Yo | Mi | | Mis | |
| Tú | Tu | | Tus | |
| El, ella, usted | Su | | Sus | |
| Nosotros/as | Nuestro | Nuestra | Nuestros | Nuestras |
| Vosotros/as | Vuestro | Vuestra | Vuestros | Vuestras |
| Ellos, ellas, ustedes | Su | | Sus | |

## ¿Cómo es tu padre?

**c.** Forma frases utilizando el posesivo correspondiente.

1. (Yo) - padre - bigote - gafas — *Mi padre tiene bigote y gafas.*
2. (Ella) - hermanos - simpáticos — <u>Sus hermanos son simpáticos.</u>
3. (Él) - amigo - Barcelona — <u>Su amigo es de Barcelona.</u>
4. (Tú) - hijo - pequeño — <u>Tu hijo es pequeño.</u>
5. (María) - madre - japonesa — <u>Su madre es japonesa.</u>
6. (Yo) - hermanas - gemelas — <u>Mis hermanos son gemelos.</u>
7. (Ellos) - madre - alta — <u>Su madre es alta.</u>
8. (Nosotras) - hijos - rubios — <u>Nuestros hijos son rubios.</u>
9. (Vosotros) - mujeres - españolas — <u>Vuestras mujeres son españolas.</u>
10. (Ustedes) - primos - argentinos — <u>Sus primos son argentinos.</u>

## Los parecidos.

**d.** Piensa en un famoso parecido a ti. ¿En qué os parecéis?

| Parecerse | |
|---|---|
| Me parezco | |
| Te pareces | |
| Se parece | a ...... { en los ojos, |
| Nos parecemos | el pelo... |
| Os parecéis | |
| Se parecen | |

*Me parezco a Antonio Banderas en los ojos y en el pelo.*

# Acción

## Realizas y explicas tu árbol genealógico.

Para los hispanos la familia es muy importante y hablan mucho de ella. Seguro que te preguntan por tu familia. Preséntala. Primero tienes que hacer un árbol genealógico, buscar una foto o hacer un dibujo. Después piensa en las relaciones de parentesco. Añade los rasgos físicos de cada miembro de tu familia. ¿A quién te pareces?

Abuelo materno    Abuela materna          Abuelo paterno          Abuela paterna

Madre                          Padre

Hermana                    Yo                    Hermano

*Me parezco a...*

# Ámbito Público

**Acción** · **Escribes un anuncio para buscar amigos.**

**Vamos a aprender a:**
**describir la personalidad.**

**a.** Observa estos textos. ¿Dónde los puedes encontrar?

| X | En un periódico. |
| | En una revista de deporte. |
| X | En anuncios de la escuela. |
| | En una revista científica. |
| | En el supermercado. |

> Chico con sentido del humor. Me gusta el deporte. Busco amigos en la ciudad.
>
> a.

> Chica tímida, amable y sencilla busca compañero. Me gusta leer, ir al cine y al teatro.
>
> b.

**b.** ¿Qué tipo de información dan?

| | Buscan trabajo. |
| X | Buscan amigos. |
| | Buscan piso. |

> Hombre de 40 años, trabajador, sincero, simpático, busca mujer sensible, inteligente y atractiva para relación estable.
>
> c.

**c.** Léelos y marca las palabras que conoces.
**d.** Asocia cada anuncio con la foto correspondiente.

Es una persona:

 1.  b.
 2.  a.
 3.  c.

Busca:

 I.  a.
 II.  b.
 III.  c.

## 1

**Competencia léxica: los adjetivos de carácter.**

### ¿Cómo es él o ella?

**a.** Relaciona los contarios.

1. amable
2. inteligente
3. sencillo/a
4. simpático/a
5. sincero/a
6. tímido/a
7. trabajador/-a
8. sensible

a. antipático/a
b. complicado/a
c. estúpido/a
d. extravertido/a
e. grosero/a
f. frío/a
g. mentiroso/a
h. vago/a

### ¿Masculino o femenino?

**b.** Completa la regla.

> **Género y número**
>
> - Los adjetivos terminados en **–o** y en **–or** forman el femenino en ...a y ora...
> - Los terminados en ...e... no cambian.
> - Los adjetivos en plural terminan en ...s...

### Y tú, ¿cómo eres?

**c.** Elige tres adjetivos y descríbete.

40

## 2 Competencia gramatical: el verbo *gustar* en presente.

# Los gustos.

**a.** Observa y completa el cuadro.

| Gustar | |
|---|---|
| Me gusta | |
| ..Te gusta.. | el fútbol |
| Le gusta | la música |
| Nos gusta | leer |
| Os gusta | |
| Les gusta | |

*Yo soy muy deportista. Me gusta el fútbol y el golf. Y a ti, ¿te gustan?*

*No, no me gustan mucho. Me gusta la música, leer, ir al cine…, pero el fútbol no me gusta.*

*¿Os gusta la música clásica?*

*Sí, a mi mujer y a mí nos gusta mucho la ópera.*

*¿Le gusta el libro, Sr. Martín?*

*Sí, sí. Me gusta mucho.*

## ¿Te gusta el arte?

**b.** Responde a este cuestionario.

1. ¿Te gusta el arte?  [+++] Mucho  [++] Bastante  [+] Un poco  [-] Nada

2. ¿Qué estilo te gusta más?
   [ ] La pintura clásica      [ ] La pintura contemporánea
   [ ] La pintura realista     [ ] La pintura abstracta

Lee estas informaciones y elige el cuadro que más te gusta.

**Museo Nacional Centro de Arte Reina Sofía**

*Citrons* de Barceló

Arte contemporáneo
Exposición permanente de los pintores del siglo XX.
Exposiciones temporales de pintores actuales.

MUSEO PICASSO DE BARCELONA

*Picasso*

*Las Meninas* de Picasso

Obras de Picasso cubistas y surrealistas

MUSEO NACIONAL DEL **PRADO**

*Las Meninas* de Velázquez
Arte español y europeo desde la Edad Media hasta el siglo XX

FUNDACIÓN DE ARTE JOAN MIRÓ

Todas las épocas y estilos del gran pintor mallorquín.

¿Por qué? Marca una respuesta o escribe una propia.

[ ] Es más creativo.       [ ] Es más moderno.
[ ] Es más interesante.    [ ] Es más divertido.
[ ] Es más realista.       [ ] Es más interesante.
[ ] Es más bonito.         [ ] Es más ……………

# ¿A ti te gusta?

**c.** Relaciona las personas con los pronombres.

| | | |
|---|---|---|
| 1. Yo | a. - nos | 7. - A ellos/as, ustedes |
| 2. Tú | b. - les | 8. - A nosotros/as |
| 3. Él, ella, usted | c. - me | 9. - A mí |
| 4. Nosotros/as | d. - te | 10.- A él, ella, usted |
| 5. Vosotros/as | e. - os | 11.- A vosotros/as |
| 6. Ellos, ellas, ustedes | f. - le | 12.- A ti |

# ¿A quién le gusta el mismo cuadro?

**d.** Habla con tus compañeros.

A mí me gusta más... porque es...

Pues a mí también.

A mí no. A mí me gusta más...

A mí...

A mí también / A mí tampoco
A mí sí / A mí no

## 3

**Competencia funcional:** describir el carácter.

# Encuentra tu pareja

**a.** Estas personas buscan pareja.
Lee las descripciones y haz las parejas.

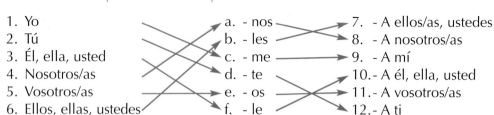

Nombre: José Ventura López.
Profesión: funcionario.
Aficiones: el deporte, la música pop.
Carácter: simpático, deportista, un poco vago.

Nombre: Alba Ramírez Sanjuán.
Profesión: profesora.
Aficiones: el tenis, la música pop.
Carácter: formal, activa, seria.

Nombre: Francisco Casado Armentia.
Profesión: policía.
Aficiones: coleccionar sellos, leer, el fútbol.
Carácter: tímido, independiente, trabajador.

Nombre: Sonia Martínez Escribá.
Profesión: estudiante de doctorado.
Aficiones: la literatura, el cine, estudiar.
Carácter: amable, paciente, sociable.

Nombre: Alejandro Puig Regaz.
Profesión: bibliotecario.
Aficiones: leer, la música clásica, charlar.
Carácter: serio, tranquilo, formal.

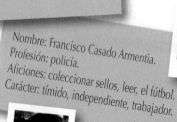

Nombre: María Velasco Soller.
Profesión: dependienta.
Aficiones: leer, el cine, dar paseos.
Carácter: amable, sencilla, tranquila.

# En la agencia matrimonial

**b.** Escucha el diálogo. ¿Hacen las mismas parejas que tú?

# Él y ella

**c.** Escucha otra vez y explica por qué hacen esas parejas.

La pareja 1 son ...Alejandro...... y .Sonia.........., porque él es muy formal...... y ella es amable.......

La pareja 2 son ..José.......... y .Alba............, porque él es deportista........ y ella es deportista.......

La pareja 3 son ...Francisco...... y María..........., porque él es complicado...... y ella es sencilla..........

# Es muy trabajador.

**d.** Observa.

# La cara es el espejo del alma.

**e.** Lee las siguientes descripciones y di en una frase cómo son los personajes. Después, relaciona los rasgos físicos con el carácter.

Es provocador, observador, buena persona y muy comunicativo.

**Pedro Almodóvar, director de cine.**

Tiene el pelo hacia arriba y revuelto: provocador y polémico.
Los ojos redondos y grandes: es bastante desconfiado y muy observador.
Las orejas un poco grandes: es buena persona.
La nariz muy grande: comunicativo y sensible.
La boca bastante ancha: es muy comunicativo y sencillo.

Es fuerte, leal, segura de sí misma y racional.

**Doña Letizia, princesa de España.**

Tiene la cara larga: muy fuerte y firme en sus ideas.
Los ojos grandes y vivos: un carácter fuerte.
Su pelo liso: leal.
Su nariz recta y fina: segura de sí misma.
La boca fina: adaptable y racional.

**La cara**

**pelo**

**oreja**

**ojo**

**nariz**

**boca**

1. boca ancha
2. cara larga
3. boca fina
4. nariz muy grande
5. nariz recta y fina
6. ojos grandes y vivos
7. ojos redondos y grandes
8. orejas grandes
9. pelo hacia arriba y revuelto
10. pelo liso

a. provocador y polémico
b. desconfiado y observador
c. adaptable y racional
d. buena persona
e. comunicativo y sencillo
f. comunicativo y sensible
g. fuerte y firme en sus ideas
h. leal
i. seguro de sí mismo
j. un carácter fuerte

1. e, 2. g, 3. c, 4. f, 5. i, 6. j, 7. b, 8. d, 9. a, 10. h.

# Conócete a ti mismo.

**f.** Describe tu carácter según la forma de tu cara.

*Como tengo la nariz grande, soy sensible y comunicativo.*

## ¿Cómo ser cortés?

**a.** Lee el texto.

> Ser cortés es muy importante. Decir "por favor" cuando pides o preguntas algo, "gracias" cuando te dan algo o "perdón" cuando cometes un error. Además, a veces, es bueno no decir las cosas directamente si quieres ser cortés. En vez de utilizar adjetivos negativos, es mejor decir "un poco", "algo" o "no es muy" + un adjetivo positivo.

## Es muy...

**b.** Busca lo equivalente.

1. Es gordo.
2. Es muy bajo.
3. Es bastante antipático.
4. Es vago.
5. Es egoísta.
6. Es muy raro.

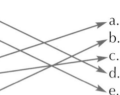

a. Es algo antipático.
b. Es un poco egoísta.
c. Es bastante vago.
d. Es un poco gordo.
e. No es muy alto.
f. No es muy normal.

## Sé cortés

**c.** Di lo mismo siendo más cortés.

1. Es inflexible.          Es un poco inflexible. / No es muy flexible. . . . . . . .
2. Es feo.                 Es un poco feo. / No es muy guapo. . . . . . . . . . . . . . . .
3. Es muy delgado.         Es bastante delgado. / No es muy gordo. . . . . . . . . . . .
4. No es inteligente.      Es un poco estúpido / No es muy inteligente. . . . . . . . .
5. Es muy pequeño.         Es bastante pequeño. / No es muy grande. . . . . . . . . .
6. Es muy serio y aburrido. Es algo serio y aburrido. / No es muy divertido. . . . . . .

## ¿Cómo es la regla?

**a.** Lee el texto.

> **El acento en la penúltima sílaba**
>
> Las palabras terminadas en vocal, **–n** o **–s** tienen la sílaba fuerte en la penúltima (ejemplo: *perezoso*). Si no es así, llevan escrito un acento (tilde). Ejemplo: *simpático*.

## ¿Y cómo se pronuncian?

**b.** Marca la sílaba fuerte (acentuada). Después, escucha y comprueba.

1. am**a**ble
2. extrov**e**rtido
3. intel**i**gente
4. gros**e**ro
5. senc**i**llo
6. mentir**o**so
7. sens**i**ble
8. v**a**go
9. complic**a**do
10. serio

## ¿Dónde se escribe el acento en estas palabras?

**c.** Escucha ahora estas palabras que terminan en vocal. Marca la sílaba fuerte y escribe el acento.

1. simpático
2. tímido
3. estúpido
4. música
5. escéptico
6. egocéntrico

# Acción

## Escribes un anuncio para buscar amigos.

Para hacer amigos españoles, puedes hacer un anuncio. Observa este anuncio de relaciones personales y escribe uno con tu personalidad y tus gustos. ¿Qué tipo de relación buscas? ¿Cómo tiene que ser la persona?

**La persona**

**Su descripción**

**¿Qué busca?**

**Contacto**

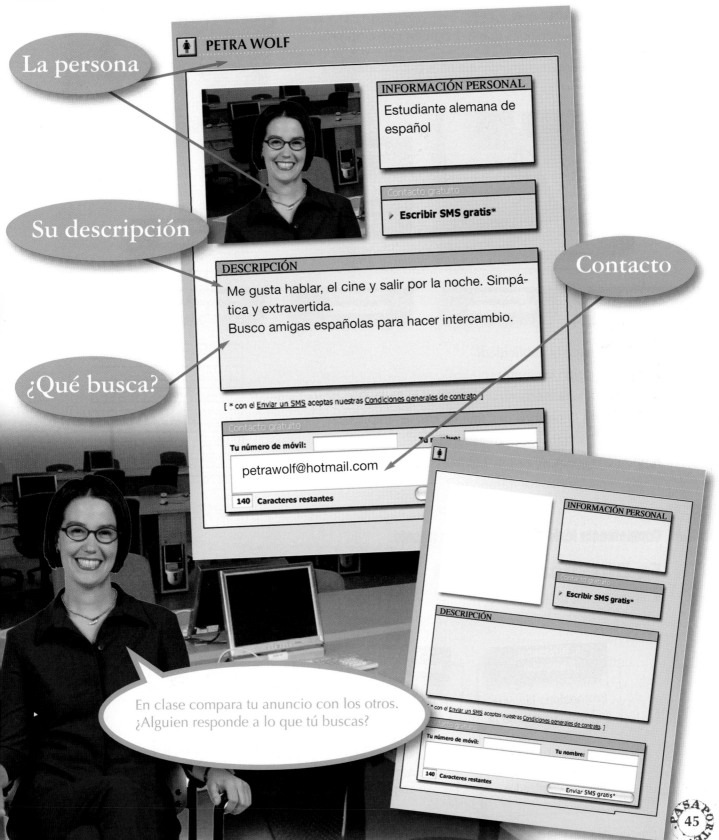

👤 **PETRA WOLF**

**INFORMACIÓN PERSONAL**

Estudiante alemana de español

Contacto gratuito

➢ **Escribir SMS gratis\***

**DESCRIPCIÓN**

Me gusta hablar, el cine y salir por la noche. Simpática y extravertida.
Busco amigas españolas para hacer intercambio.

[ \* con el Enviar un SMS aceptas nuestras Condiciones generales de contrato. ]

Contacto gratuito

**Tu número de móvil:**          Tu nombre:

petrawolf@hotmail.com

**140   Caracteres restantes**

**INFORMACIÓN PERSONAL**

Contacto gratuito

➢ **Escribir SMS gratis\***

**DESCRIPCIÓN**

\* con el Enviar un SMS aceptas nuestras Condiciones generales de contrato. ]

Contacto gratuito

**Tu número de móvil:**          **Tu nombre:**

**140   Caracteres restantes**

Enviar SMS gratis\*

En clase compara tu anuncio con los otros. ¿Alguien responde a lo que tú buscas?

# Ámbito Profesional

**Acción** **Describes una empresa.**

**Vamos a aprender a:**

identificar a las personas que trabajan en una empresa.

Observa este organigrama de una empresa y responde a las preguntas.

**Presidente/a**

**Director/a General**

**Secretario/a de Dirección**

| Director/a Comercial | Director/a de Marketing | Director/a Financiero/a | Director/a de Recursos Humanos | Director/a de Logística |
|---|---|---|---|---|

1. ¿Quién hace la publicidad?

2. ¿Quién dirige la empresa?

3. ¿Quién ayuda a organizar su trabajo al / a la Director/a General?

4. ¿Quién es la persona que trabaja con los impuestos?

5. ¿Quién contrata a los empleados?

6. ¿Quién es el responsable del trato con los clientes?

7. ¿Quién organiza los transportes?

El Director de Marketing

El Director General

El Secretario de Dirección

El Director Financiero

El Dir. de Recursos Humanos

El Director Comercial

El Director de Logística

## 1

**Competencia léxica: los puestos de trabajo.**

## Es Directora General

**a.** En cada una de estas descripciones de puestos de trabajo hay una actividad que no es correcta. Identifícala.

**1. Director/a Comercial**

Promociona la venta de los productos de la empresa, hace acuerdos comerciales, contrata nuevos émpleados.

**2. Director/a de Recursos Humanos**

Hace la publicidad de la empresa, contrata nuevos empleados, planifica las vacaciones de los empleados.

**3. Secretario/a de Dirección**

Ayuda al Director General, controla la agenda del Director General, supervisa al Director General.

**4. Director/a General**

Programa y arregla los ordenadores, dirige la empresa, supervisa a los directores de los departamentos.

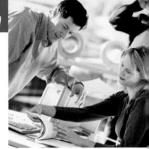

# ¿A qué se dedica?

**b.** Piensa en uno de los puestos del organigrama anterior y describe qué hace. Tus compañeros adivinan quién es.

## 2 Competencia fonética y ortográfica: las palabras en vocal, -n o -s que no se acentúan en la penúltima sílaba.

### El acento gráfico.

**a.** Recuerda la regla, escucha y escribe el acento (tilde) en caso necesario.

**Palabras terminadas en vocal**

Las palabras terminadas en vocal, **-n** o **-s** se acentúan en la penúltima sílaba, excepto si tienen acento escrito (tilde).

1. dirección
2. administración
3. recursos
4. humanos
5. finanzas
6. informática
7. empresa
8. señora
9. logística
10. departamento

## 3 Competencia gramatical: los demostrativos.

### Yolanda Ruiz es nueva en la empresa.

**a.** Observa este organigrama y la imagen. Escucha el diálogo e identifica quién es quién.

RECURSOS HUMANOS  FINANZAS

Director/a General

Dpto. Comercial
Sra. Pilar Sánchez

Dpto. Financiero
Sr. Enrique Casado

Dpto. Recursos Humanos
Sr. Ramírez

Dpto. Informática
Sr. Arturo Hernández

Secretaria

## ¿Este, ese o aquel?

 **b.** Escucha otra vez y completa.

- Le voy a enseñar la empresa. Este.. es el Sr. Ramírez, director de Recursos Humanos. Y .esa... señora de gafas es su secretaria. Aquel es de Informática, Arturo Hernández.
- ¿Quién, el rubio?
- No, ..ese. es Enrique, de Finanzas. Arturo es aquel de bigote.
- Ah, ya.
- .Esta. es su compañera del departamento comercial: Pilar Sánchez. Pilar, te presento a Yolanda Ruiz, nuestra nueva colaboradora.
- Mucho gusto.
- Encantada.
- Pilar es muy trabajadora y muy eficaz.

### Los demostrativos

| | |
|---|---|
| | **Este / esta**<br>**Estos / estas** |
| | **Ese / esa**<br>**Esos / esas** |
| | **Aquel / aquella**<br>**Aquellos / aquellas** |

## Identificar personas

 **c.** Observa la ilustración y los cuadros, escucha los diálogos y complétalos.

### Identificar a alguien

| El / la | | rubio/a, moreno/a |
|---|---|---|
| Ese /a | **+** | de gafas |
| Aquel / aquella | | que tiene gafas |

CÉSAR
DIR. RECURSOS HUMANOS

CELIA
ADMINISTRADORA

ALEJANDRO
DIRECTOR GENERAL

GEMMA
SECRETARIA DE
DIRECCIÓN

IRENE
COMERCIAL

MIGUEL
MARKETING

1. • ¿Quién es Irene, esta de pelo rubio?
   • No, <u>esta es Gema</u>, la Secretaria de Dirección. Irene es aquella de .....<u>pelo moreno</u>...... .

2. • Este de gafas es César, ¿no?
   • No, este es..<u>el director general.</u>, se llama Alejandro. César es .......<u>ese</u>....... castaño.

3. • ¿Quién es aquel que está con Irene?
   • Es <u>Miguel, de Marketing.</u>

4. • ¿Quién es Celia?
   • .....<u>Esa que está con César.</u>

5. • ¿Quién es el Director de Recursos Humanos?
   • .....<u>Es ese, César.</u>

6. • ¿Quién es Alejandro?
   • .....<u>Es este, el director general.</u>

7. • ¿Quién es el jefe de Irene?
   • .....<u>Es aquel, Miguel.</u>

8. • ¿Quién es el administrador?
   • .....<u>Es Celia, es administradora.</u>

**4**

**Competencia sociolingüística: los tratamientos de persona.**

# Doña, Señor y Doctora.

**a.** Relaciona las siglas con el título.

> **Respeto**
>
> **Don/Doña, Señor/Señora** y **Doctor/Doctora** son formas de respeto

1. Dr. / Dra. — a. *Don / Doña* + nombre de la persona
2. D. / Dña. — b. *Doctor/-a* + apellido del médico
3. Sr. / Sra. — c. *Señor/-a* + apellido de la persona

# ¿Quién es?

**b.** Completa los datos de estas personas con la forma de respeto correcta. Después explica quiénes son.

..........<u>Doctora</u>... Martínez, pediatra en hospital El Niño Jesús.

> *Esta es la doctora Martínez.*
> *Trabaja en el hospital El Niño Jesús.*

..........<u>Don</u>.... Paco González, informático en IBM.

> Este es don Paco González, es informático en IBM.

..........<u>Señora</u>. Bermúdez, abogada en una consultoría.

> Esta es la señora Bermúdez, es abogada. Trabaja en una consultoría.

..........<u>Doña</u>... Julia Gil, ama de casa.

> Esta es doña Julia Gil, es ama de casa.

..........<u>Doctor</u>. Juan Bermúdez, dentista, clínica privada.

> Este es el doctor Juan Bermúdez, es dentista. Trabaja en una clínica privada.

# Te presento a...

**a.** Observa los diálogos y completa el cuadro.

| | Dirigirse a la persona | Presentar a otra persona | Saludar | Reaccionar |
|---|---|---|---|---|
| **Informal** | Mira | Este/a es... | Hola, ¿qué tal? | Hola. |
| **Formal** | Señor/-a | Este/a es el/la señor/a... | Mucho gusto | Encantado/a. |

## Ahora tú.

**b.** Imagina que trabajas en una empresa. Elige un puesto de trabajo y haz una tarjeta. Habla con tus compañeros y simula presentarlos.

Sr. ....................., le presento a ........................ .

### PRESENTACIONES

Cuando hablas con una persona no se utiliza **el** o **la** con *señor* o *señora*.
Para presentarlos, sí.
- *Señora García, le presento a la señora Pérez.*
- *Encantada.*

## Describes una empresa.

En muchas conversaciones con colegas, clientes o amigos vas a hablar de tu empresa. A continuación te presentamos dos modelos de organigramas de empresas. Obsérvalos.

| Dirección |
| --- |
| Jefatura de Producción |
| Supervisión |
| Trabajadores |

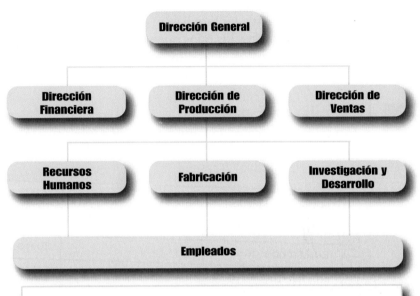

**Dirección General**

| Dirección Financiera | Dirección de Producción | Dirección de Ventas |
| --- | --- | --- |
| Recursos Humanos | Fabricación | Investigación y Desarrollo |

**Empleados**

**Organigrama monofuncional:**
esta empresa solo realiza una actividad, por ejemplo, en la construcción de casas.

**Organigrama piramidal:**
la empresa hace varias actividades y la Dirección General supervisa el trabajo de varios departamentos.

Piensa en la empresa en la que trabajas o en una que conoces (real o imaginaria). ¿Qué tipo de organigrama tiene? Rellena uno de los organigramas con los datos de la empresa o haz uno diferente.

Explícalo y describe a uno de los empleados.

Descripción de personas

# La familia

**1** La familia en tu país.

**a. ¿Cómo son las familias en tu país? Contesta con tu compañero a estas preguntas.**

¿A qué edad se casan normalmente los hombres y las mujeres?
¿Cuántos hijos tienen las familias?
¿Viven con sus padres los hijos que ya trabajan?
¿Viven los abuelos con la familia?
¿Sabes cuál es el índice de natalidad?

**2** La familia en España.

**a. Lee estos datos sobre la familia en España e infórmate.**

| | | |
|---|---|---|
| 1. | Índice de natalidad | 1,26, el más bajo del mundo |
| 2. | Población mayor de 60 años | 44% en 2050, el más alto del mundo |
| 3. | Edad media de matrimonio | 30 los hombres, 28 las mujeres |
| 4. | Número medio de personas en cada hogar | 2,9 (en la Unión Europea el promedio es 2,57) |
| 5. | Modelo familiar predominante | 48,6% de hogares formados por pareja con hijos, el más alto de Europa |
| 6. | Hijos de 25 a 34 años que viven con los padres | 37,7%, el más alto de Europa |
| 7. | Convivencia de tres generaciones | Igual que Italia, Grecia, Portugal y Austria |

Datos adaptados de INE (06/2004).

**b. Lee ahora estas informaciones del Instituto Nacional de Estadística. Relaciónalas con los datos anteriores.**

Boletín informativo del Instituto Nacional de Estadística

**15** **de mayo**
**Día Internacional de la Familia**

15 de mayo:
Día internacional
de la familia

6. El 37,7% de los jóvenes de hasta 34 años vive con sus padres. Uno de los motivos es económico. Actualmente se necesitan 1.000 euros para vivir independientemente, pero solo un 10% de los jóvenes tiene ese dinero.

5. El modelo familiar más extendido es el de familias con hijos (uno o más) el 48,6%, seguido de hogares unipersonales 20%, y de parejas sin hijos, el 18%. Hay pocas familias numerosas (tres hijos o más).

7. España, tiene un gran número de familias en las que viven juntos abuelos, padres e hijos. El motivo es el precio de la vivienda y la importancia de la familia.

Datos adaptados de INE (06/2004).

# Cultura hispánica

**c. Observa estas fotos de familias. Ordénalas de más a menos frecuentes en España. Después escribe un texto sobre la familia en España.**

4.

1.

3.

2.

## Las principales fiestas familiares.

**a. La familia es muy importante en España. Sus miembros hacen muchas actividades juntos. Observa las fotos, lee los textos y asócialos.**

1. e, 2. d, 3. c, 4. b, 5. a.

a.

c.

b.

El 24 de diciembre es una fiesta familiar. Padres, hermanos, tíos, abuelos y primos se reúnen para cenar juntos: es la Nochebuena.

2.

Muchas familias pasan las vacaciones juntos: abuelos, padres e hijos se van a la playa o a la montaña a descansar.

3.

El 6 de enero es el día de los Reyes Magos. Todos los niños de la familia reciben regalos de los abuelos, padres y tíos. También los mayores tienen regalos.

4.

El día del cumpleaños de un miembro de la familia hay una fiesta.

1.

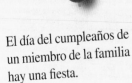

d.

e.

El domingo es también un día muy familiar. Se sale a tomar un aperitivo antes de comer y luego, en casa o a veces en un restaurante, se come una paella o algo especial.

5.

**b. ¿Cómo son las fiestas familiares en tu país?**

# Ámbito Académico

**Portfolio: evalúa tus conocimientos de español.**

**Después de hacer el módulo 2**

Fecha: ..................................

## Comunicación
- Puedo presentar a otras personas y reaccionar a una presentación.
Escribe las expresiones:

- Puedo preguntar e identificar a otras personas.
Escribe las expresiones:

- Puedo describir físicamente a otras personas.
Escribe las expresiones:

- Puedo describir el carácter de otras personas.
Escribe las expresiones:

## Gramática
- Sé usar los adjetivos posesivos.
Escribe algunos ejemplos:

- Sé utilizar el verbo *gustar* en Presente.
Escribe algunos ejemplos:

- Sé utilizar los demostrativos.
Escribe algunos ejemplos:

## Vocabulario
- Conozco los nombres de los miembros de una familia.
Escribe las palabras que recuerdas:

- Conozco los adjetivos de descripción física.
Escribe los adjetivos que recuerdas:

- Conozco los adjetivos de descripción de carácter.
Escribe los adjetivos que recuerdas:

- Conozco los nombres de algunos puestos de trabajo.
Escribe las palabras que recuerdas:

### Nivel alcanzado

| Insuficiente | Suficiente | Bueno | Muy bueno |
|---|---|---|---|
| ☐ | ☐ | ☐ | ☐ |

* Si necesitas más ejercicios ve al punto 1 del Laboratorio de Lengua.

| ☐ | ☐ | ☐ | ☐ |

* Si necesitas más ejercicios ve al punto 2 del Laboratorio de Lengua.

| ☐ | ☐ | ☐ | ☐ |

* Si necesitas más ejercicios ve al punto 3 del Laboratorio de Lengua.

| ☐ | ☐ | ☐ | ☐ |

* Si necesitas más ejercicios ve a los puntos 2 y 3 del Laboratorio de Lengua.

| ☐ | ☐ | ☐ | ☐ |

* Si necesitas más ejercicios ve al punto 4 del Laboratorio de Lengua.

| ☐ | ☐ | ☐ | ☐ |

* Si necesitas más ejercicios ve al punto 5 del Laboratorio de Lengua.

| ☐ | ☐ | ☐ | ☐ |

* Si necesitas más ejercicios ve al punto 6 del Laboratorio de Lengua.

| ☐ | ☐ | ☐ | ☐ |

* Si necesitas más ejercicios ve al punto 7 del Laboratorio de Lengua.

| ☐ | ☐ | ☐ | ☐ |

* Si necesitas más ejercicios ve al punto 3 del Laboratorio de Lengua.

| ☐ | ☐ | ☐ | ☐ |

* Si necesitas más ejercicios ve al punto 3 del Laboratorio de Lengua.

| ☐ | ☐ | ☐ | ☐ |

* Si necesitas más ejercicios ve al punto 8 del Laboratorio de Lengua.

# LABORATORIO DE LENGUA

## Comunicación

### 1. Presentar a otras personas.

**a. Lee los diálogos y marca la opción correcta.**

1. - *El / Ø* señor Aguado, le presento a *la / Ø* señora Jiménez.
   - Mucho gusto.
2. - Mira, Mario, este es *don / el señor* Aparicio.
   - Hola, buenos días.
3. - Enrique, *le / te* presento al *doctor / señor* Vázquez, es mi médico.
   - Mucho gusto.
4. - *La / Ø* doña Pili, *le / te* presento a mi primo Vicente.
   - Hola, ¿cómo está?
5. - *El / Ø don / señor* Mateo, *le / te* presento a *la / Ø doña / señora* García.
   - Mucho gusto, señora García.
   - *Encantado / Encantada*.

**b. Completa los diálogos.**

1. - Mira, te presento a mi primo Jorge.
   - Hola, ¿qué tal?......................................

2. - Buenos días, mire, le presento a don Paco Arévalo.
   - Encantado/a...................................................

3. - Le presento a la señora Gómez..........................
   - Mucho gusto, señora Gómez.

4. - Mira, te presento a un compañero de clase.
   - ¿Qué tal?
   - Hola......................................................

### 2. Identificar a otras personas.

**a. Jesús está en la fiesta de Javier. Observa la ilustración, escucha el diálogo y escribe los nombres de las personas.**

**b. Maruja y Teresa están hablando de Jesús y Javier. Imagina el diálogo.**

# 3. Describir a otras personas por su aspecto físico o su carácter.

5
Tu CD

**a. Escucha e identifica a las personas.
Después relaciona los adjetivos con las personas.**

Manuel
2. 6.

Eduardo
1. 7. 11. 12.

Mercedes
5. 8. 9. 12.

Lucía
3. 4. 10.

a.
b.
c.
d.

| | |
|---|---|
| 1. bajo/a | 7. tímido/a |
| 2. alto/a | 8. gordo/a |
| 3. moreno/a | 9. rubio/a |
| 4. amable | 10. hablador/-a |
| 5. inteligente | 11. serio/a |
| 6. simpático/a | 12. trabajador/-a |

## b. Observa.

Es muy alto      Es bastante alto      No es muy alto      Es bajo.

## c. Describe a una de estas personas. Tu compañero tiene que adivinar quién es.

a.      b.      c.      d.

# Gramática

## 4. Los adjetivos posesivos.

**a. Completa el esquema.**

| | Singular | Plural |
|---|---|---|
| Yo | Mi | Mis |
| Tú | Tu | Tus |
| Usted, él, ella | Su | Sus |
| Nosotros/as | Nuestro, nuestra | Nuestros, nuestras |
| Vosotros/as | Vuestro, vuestra | Vuestros, vuestras |
| Ustedes, ellos, ellas | Su | Sus |

## b. Relaciona.

1. Este es el hijo de Tomás y Elena.
2. Estas son Ana y Elena.
3. Ella y yo somos hermanos.
4. Ese chico es muy guapo.

a. ¿Es tu novio?
b. Es mi hermana.
c. Es su hijo.
d. Son mis hijas.

### 5. El verbo *gustar*.

**a. Completa el cuadro.**

| GUSTAR | | | |
|---|---|---|---|
| (A mí) | me | | |
| (A tí) | te | | el circo |
| (A él, ella, usted) | le | gusta | la música |
| (A nosotros/as) | nos | | leer |
| (A vosotros/as) | os | | |
| (A ellos, ellas, ustedes) | les | | |

**b. Marca la opción correcta.**

1. - Oye, Laura, ¿a *ti* / *tú te* / *le* gusta el fútbol?
   - Sí, mucho.

2. - A mí me gusta *el* / *Ø* teatro clásico.
   - Ah, ¿sí? A *mí* / *yo* también.

3. - A nosotras nos *gusta* / *gustamos* mucho el deporte.
   - A nosotras no. Nos gusta más el cine.

4. - ¿*Nos* / *Os* gusta la música *heavy*?
   - A mí no, pero, *a* / *Ø* Paco sí, mucho.

5. - *A* / *Ø* vosotros no *les* / *os* gusta el golf, ¿no?
   - Sí. *Os* / *Nos* gusta mucho.

6. - ¿*Le* / *Les* gusta a ustedes el flamenco?
   - A mi mujer *me* / *le* gusta mucho, pero a mí no.

### 6. Los adjetivos demostrativos.

**a. Escribe el adjetivo demostrativo correspondiente debajo de las ilustraciones.**

Cerca     Lejos

............ *esa* mujer     *aquella*... mujer

**Esta** mujer

## Vocabulario

### 7. La familia.

**a. Adivina de quién habla.**

1. Mi hija está casada, su ..*marido*.. es abogado.
2. Yo tengo tres y el mayor ya tiene una niña, mi nieta. ............*Hijos*............
3. Como mi madre tiene dos hermanos y están casados, yo tengo cuatro. ............*Tíos*............
4. Ellos son muy mayores. Son los padres de mi padre. ............*Abuelos*............
5. Yo soy su ...*mujer*..., pero tengo mis apellidos, como todas las españolas.
6. Se llaman Javier y Daniel y son los hijos de mi hermano Carlos. ............*Sobrinos*............
7. Ella tiene los mismos apellidos que yo. ............*Hermana*............
8. Tengo tres hijos que tienen seis hijos: son mis ............*nietos*............

### 8. Los puestos de trabajo.

**a. Escucha y marca el puesto de trabajo que se describe.**

CD

- ☐ Secretario
- ☐1 Director General
- ☐ Informático
- ☐2 Director Financiero
- ☐3 Vendedor
- ☐ Director de Recursos Humanos

**b. Describe ahora un puesto.**

# Módulo 3

## Ámbito Personal

**Acción**

Hablas de tu dieta.
- **Competencia léxica:** los alimentos.
- **Competencia gramatical:** el género, el número y los artículos definidos.
- **Competencia funcional:** expresar gustos y hablar de la frecuencia.
- **Competencia sociolingüística:** el tapeo y el uso de los diminutivos.
- **Competencia fonética y ortográfica:** el acento en la última sílaba.

## Ámbito Público

**Acción**

Organizas una fiesta en casa.
- **Competencia léxica:** los números hasta 1000.
- **Competencia sociolingüística:** los pesos y las medidas.
- **Competencia funcional:** expresar gustos y opiniones.
- **Competencia gramatical:** el verbo *parecer* en Presente.
- **Competencia fonética y ortográfica:** el acento escrito en la última y en la penúltima sílaba.

## Ámbito Profesional

**Acción**

Organizas una comida de empresa.
- **Competencia sociolingüística:** las formas de comer.
- **Competencia léxica:** los platos de comida.
- **Competencia funcional:** manejarse en un restaurante.
- **Competencia gramatical:** el artículo indefinido.
- **Competencia fonética y ortográfica:** las letras *ce, zeta* y *cu,* y los sonidos /k/ y /θ/.

## Cultura hispánica

La gastronomía hispana.
- La buena cocina hispana.
- La gastronomía española y las denominaciones de origen.
- La comida y los horarios.

## Ámbito Académico

Portfolio: evalúa tus conocimientos.
Laboratorio de Lengua: refuerza tu aprendizaje.

# alimentarse

## RESTAURANTE
# CREATRIZ

### PARA EMPEZAR:
TRES TAPITAS SALADAS

### PRIMEROS:
- VERDURAS A LA PLANCHA
- GAZPACHO CON MELÓN
- CANELONES

### SEGUNDOS A ELEGIR:
- POLLO CON ARROZ AL CURRY
- ZARZUELA DE MARISCO

### POSTRES:
- DULCE DE MELOCOTÓN
- TARTA DE CHOCOLATE CON CEREZAS

### PARA TERMINAR:
TRES TAPITAS DULCES

### PRECIO POR PERSONA: 60 EUROS
(7% IVA NO INCLUIDO)

# Ámbito Personal

**Acción**  **Hablas de tu dieta**

**Vamos a aprender a:**
**hablar de la comida.**

Este es un cartel para promocionar los alimentos españoles. Identifica estas palabras.

- Aceite de oliva
- Jamón ibérico
- Queso
- Naranjas
- Espárragos
- Pescado
- Lechuga

Alimentos de España

aceite de oliva
1.

disfrútalos

espárragos
7.

lechuga
2.

queso
6.

naranjas

5.

pescado
4.

3.

Jamón ibérico

**1**

**Competencia léxica: los alimentos.**

## ¿Qué se come en España?

**a.** Observa las imágenes, lee los nombres de la comida y clasifica las palabras en su categoría: fruta, carne, pescado, verdura y lácteos.

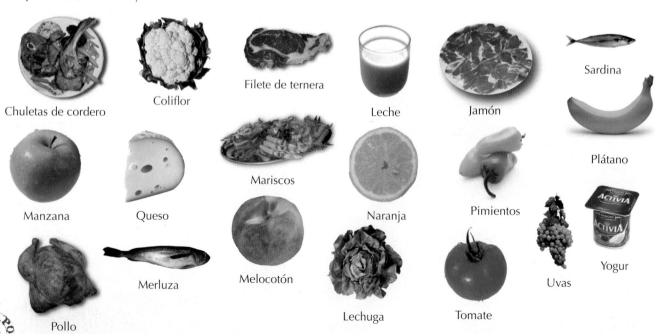

Chuletas de cordero

Coliflor

Filete de ternera

Leche

Jamón

Sardina

Manzana

Queso

Mariscos

Naranja

Pimientos

Plátano

Pollo

Merluza

Melocotón

Lechuga

Tomate

Uvas

Yogur

sardina    merluza    mariscos

pollo    chuletas de cordero    **pescado**    pimientos

filete de ternera    coliflor    lechuga

**carne**    **verdura**

jamón    tomate

naranja    **Alimentos**

manzana    melocotón    leche    queso    yogur

**fruta**    **lácteos**

plátano    uvas

# ¿Qué desayunan los españoles?

**b.** Esto es lo que hay en un foro. Asocia las intervenciones con las fotos.

Yo normalmente desayuno un zumo de naranja, pan tostado con mermelada y un café. Generalmente a eso de las 11 de la mañana tomo otro café.
e.

1.

En Andalucía tomamos una tostada de pan con ajo y aceite de oliva y un buen café.
d.

2.

Los españoles no damos importancia al desayuno. Hay una gran parte de la población que desayuna un simple café con leche y luego, si el trabajo se lo permite, sale a media mañana a tomar otro café con un bocadillo de jamón.
b.

3.

Hoy desayuno un café con galletas, pero mi desayuno favorito es tomar un café con cruasanes.
a.

Yo soy extranjero y me gusta España porque a media mañana se para y se desayuna otra vez, normalmente tortilla española (de patatas y huevo) con un riquísimo café con leche.
f.

4.

Lo normal es un café con leche y algo dulce, galletas o un bollo. Y como desayuno de un día de fiesta, chocolate con churros.
c.

5.

a.

b.

c.

d.

e.

f.

Adaptado de http://es.answers.yahoo.com/question

# El pincho de media mañana.

**c.** Muchos españoles toman un segundo desayuno a media mañana. Entre las fotos de la actividad anterior, hay dos de lo que toman a esa hora. ¿Cuáles son?

**b.** Un café y un bocadillo de jamón. **f.** Un café y tortilla española.

## Y tú, ¿qué desayunas?

**d.** Explica qué tomas habitualmente.

# 2

**Competencia gramatical:** el género, el número y los artículos definidos.

## Masculino o femenino.

**a.** Observa la regla general, después clasifica las palabras.

> ### El género
> En español la mayoría de las palabras que terminan en **-o** son masculinas y la mayoría de las que terminan en **-a** son femeninas.

> cerdo, chuleta, cordero, fruta, lechuga, manzana, marisco, merluza, naranja, pescado, pimiento, plátano, pollo, queso, sardina, ternera, uva, verdura.

| Masculino | Femenino |
|---|---|
| el cerdo, el cordero, el marisco, el pescado, el pimiento, el plátano, el pollo, el queso. | la chuleta, la fruta, la lechuga, la manzana, la merluza, la naranja, la sardina, la ternera, la uva, la verdura. |

## El artículo definido.

**b.** Observa y completa el cuadro anterior con los siguientes artículos.

| Artículos definidos | | |
|---|---|---|
| | **Masculino** | **Femenino** |
| Singular | el | la |
| Plural | los | las |

> No todas las palabras terminan en **–o** o en **–a**. Es importante aprender las palabras con su artículo para poder conocer su género.
> Ejemplos: *la carne, la coliflor, el filete, el jamón, la leche, el melocotón, el tomate, el yogur…*

# 3

**Competencia funcional:** expresar gustos y hablar de la frecuencia.

## ¿Qué les gusta comer?

**a.** Beatriz está de vacaciones con su familia argentina. Escucha y marca los alimentos de los que hablan.

- [X] las verduras.
- [ ] el pescado.
- [X] la fruta.
- [ ] las uvas.
- [X] los melocotones.
- [X] la carne.
- [X] los pimientos.
- [ ] los lácteos.
- [X] el cerdo.

PASAPORTE

62

## ¿Verdadero o falso?

**b.** Escucha otra vez y contesta con verdadero (V) o falso (F).

|   | V | F |
|---|---|---|
| 1. A Beatriz no le gustan las verduras. |  | X |
| 2. Beatriz tiene alergia a los frutos secos. | X |  |
| 3. En Argentina no hay melocotones. |  | X |
| 4. A Roberto le gusta mucho la carne. |  | X |
| 5. A la tía no le gusta nada la carne, es vegetariana. |  | X |
| 6. En la familia no comen cerdo por la religión de la tía. | X |  |

## A mí me gusta mucho.

**c.** Observa.

### El verbo *gustar* con pronombres

| | | | | |
|---|---|---|---|---|
| A mí | me | | muchísimo | el pescado |
| A ti | te | | mucho | la carne |
| A él, ella, usted | le | gusta(n) | bastante | comer pescado |
| A nosotros/as | nos | | un poco | los mariscos |
| A vosotros/as | os | | * nada | las verduras |
| A ellos/as, ustedes | les | | | |

\* A mí *no* me gusta *nada* el pescado.

## ¿A quién le gusta qué?

**d.** Relaciona los hábitos de comida con los personajes y completa con *gusta* o *gustan*.

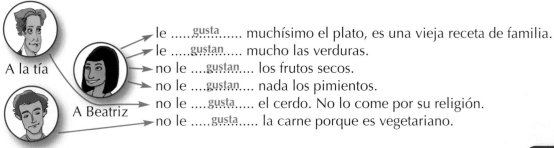

A la tía

A Beatriz

A Roberto

le .....gusta...... muchísimo el plato, es una vieja receta de familia.
le .....gustan..... mucho las verduras.
no le ....gustan.... los frutos secos.
no le ....gustan.... nada los pimientos.
no le ....gusta..... el cerdo. No lo come por su religión.
no le .....gusta...... la carne porque es vegetariano.

## Hablan de sus gustos

**e.** Lee estos diálogos y complétalos con el verbo *gustar* y los pronombres adecuados.

### Frecuencia

Generalmente
Todos los días
Muchas veces
Casi nunca
Nunca

- Nosotros comemos mucha verdura, todos los días un plato, por lo menos. A mi marido y a mí .nos gusta. mucho, pero casi no comemos carne, no .nos gusta. nada.
- Uy, pues nosotros generalmente siempre comemos carne de segundo. A mí .me gusta. muchísimo las chuletas de cordero.
- Pues no son muy sanas, tienen mucha grasa. ¿No .te gusta... el pollo?, es más sano.
- No, no mucho.
- Yo casi nunca como pescado. Es que a mis hijas no .les gusta.. mucho.
- ¿No? Pues a nosotros .nos gusta. mucho. Muchas veces cenamos pescado. A mis hijos no .les gustan. las verduras.
- Es normal, a muchos niños no .les gustan. las verduras.

## En un bar de Madrid.

**a.** Observa los diálogos y anota en el papel lo que toman.

> En España, es costumbre tomar algo con amigos: refrescos y tapas.

2 refrescos
1 ración de jamón
1 ración de gambas

- ¿Tomamos algo?
- Sí, muy bien.
- ¿Qué te apetece?
- Un refresco.
- ¿Y algo de comer?
- Un poquito de jamón y unas gambitas.
- Muy bien. Camarero, por favor, nos pone dos refrescos, una de jamón y unas gambitas.

## Una de jamón y unas gambitas.

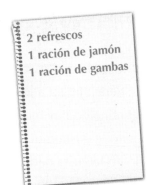

**b.** Lee el texto e infórmate. Después forma los diminutivos.

> En España es muy frecuente *tapear* o *picar*, es decir, ir a un bar a tomar una bebida y algo de comer: tapas o raciones. Cuando una persona del grupo propone una tapa es frecuente utilizar el diminutivo (¿*unas gambitas*?). Así los otros aceptan más facilmente.

| | |
|---|---|
| Una ración de patatas | Unas patatitas |
| Unas aceitunas | Unas aceitunitas |
| Una ración de chorizo | Un choricito |
| Una ración de queso | Un quesito |

### Los diminutivos

| | |
|---|---|
| gamba | gambita |
| jamón | jamoncito |

## ¿Qué vas a tomar?

**c.** Imagina un diálogo. Tú y tu amigo vais a picar algo. Observa la lista de tapas de este bar y haz el diálogo.

**CASA VICENTE**
RESTAURANTE

| | |
|---|---|
| Ensaladilla rusa | Patatas alioli |
| Tortilla española | Mejillones al vapor |
| Gambas a la plancha | Jamón serrano |
| Boquerones en vinagre | Calamares fritos |
| Patatas bravas | Queso manchego |

*Taberna madrileña.*

| | |
|---|---|
| Ensaladillita | Mejilloncitos |
| Tortillita | Jamoncito |
| Gambitas | Calamarcitos |
| Boqueroncitos | Quesito |
| Patatitas | |

## ¿Cómo es la regla?

**a.** Lee este texto.

> Todas las palabras terminadas en consonante, excepto –n o –s, llevan el acento en la última sílaba, excepto si tienen un acento escrito (tilde).

## Acento tónico y acento gráfico.

20

**b.** Escucha estas palabras, sepáralas en sílabas y marca dónde está el acento tónico. Después escribe el acento gráfico si es necesario.

| | | | |
|---|---|---|---|
| 1. coliflor | 4. yogur | 7. melocotón | 10. salud |
| 2. azúcar | 5. arroz | 8. jamón | 11. perejil |
| 3. calabacin | 6. cordero | 9. lácteo | 12. café |

## Acción

### Hablas de tu dieta.

Para viajar a otros países es importante saber decir lo que te gusta y lo que no te gusta comer. También es importante poder explicarlo.

España se caracteriza por la dieta mediterránea.

# Dieta mediterránea

La dieta (lo que se come normalmente) mediterránea es muy sana: se compone de mucha fruta, verdura, legumbres, pescado, y se cocina con aceite de oliva. Es muy variada: frutas como naranjas, melocotones, uvas; verduras como judías, pimientos, tomates, lechuga; legumbres como garbanzos, lentejas; muchos pescados y varias carnes (de vaca, cerdo, cordero...).

- Relaciona las palabras con las imágenes.

1. Carne de cerdo   b.
2. Merluza   h.
3. Aceite de oliva   f.
4. Pan   g.
5. Carne de ternera   c.
6. Lechuga   a.
7. Manzana   d.
8. Limón   e.

a.  b.  c.  d.  e.  f.  g.  h.

- ¿Y en tu país? Explica cómo es la dieta de tu país: ¿qué se come normalmente?
- Ahora, explica a tu compañero cómo es tu dieta, qué te gusta y qué no te gusta comer.

**CAUSAS**

(No) como...   por...
          por mi salud.
          por mi religión.
          porque estoy a dieta.
          porque tengo alergia.
          porque no me gusta.

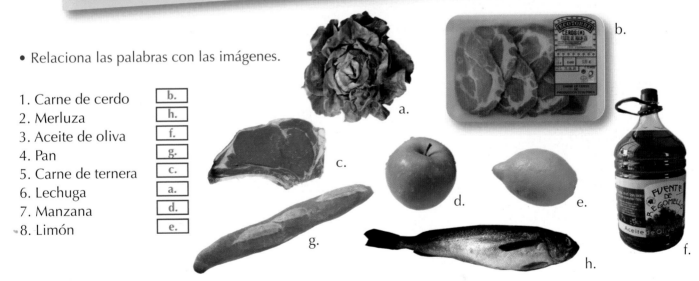

# Ámbito Público

**Acción** **Organizas una fiesta en casa.**

**Vamos a aprender a:**
**hacer la compra.**

¿Qué es este texto?

- ☐ Una cuenta del restaurante.
- ☐ Una lista de la compra.
- ☒ Un tique de un supermercado.
- ☐ Un anuncio de promociones.

Subraya los precios, los productos y los envases.

***SUPERMERCADO LA TORRE***

| | |
|---|---|
| 2 kg naranja zumo | 4,50 |
| 6 latas sardinas | 1,99 |
| 1 pollo | 3,36 |
| 6 yogures Danone | 1,27 |
| 4 ART. TOT. Comp. | 11,12 |

Le atendió: Sonia

**1**

**Competencia léxica: los números hasta 1000.**

## La vida en euros.

**a.** Observa los números y completa el cuadro.

- dieciocho
- uno
- diecisiete
- diecinueve
- veintiuno
- veintidós
- noventa
- sesenta
- cuatrocientos
- trescientos
- ochocientos
- seiscientos
- tres
- cuarenta
- quince

**Los números**

| | | | | | | | |
|---|---|---|---|---|---|---|---|
| | | 10 | diez | 20 | veinte | | |
| 1 | ...uno.... | 11 | once | 21 | veintiuno | 100 | cien |
| 2 | dos | 12 | doce | 22 | veintidós | 200 | doscientos |
| 3 | ...tres... | 13 | trece | 30 | treinta | 300 | trescientos |
| 4 | cuatro | 14 | catorce | 40 | cuarenta | 400 | cuatrocientos |
| 5 | cinco | 15 | ..quince.. | 50 | cincuenta | 500 | quinientos |
| 6 | seis | 16 | dieciséis | 60 | sesenta.. | 600 | seiscientos |
| 7 | siete | 17 | diecisiete | 70 | setenta | 700 | setecientos |
| 8 | ocho | 18 | dieciocho | 80 | ochenta | 800 | ochocientos |
| 9 | nueve | 19 | diecinueve | 90 | noventa.. | 900 | novecientos |
| | | | | | | 1000 | mil |

## Perdón, ¿puedes repetir?

**b.** Escucha y subraya en la tabla anterior los precios que oigas.

18, 22, 15, 50, 500, 60, 700, 2, 12.

# Pagar con cheque.

**c.** Rellena estos cheques.

1. 234    Doscientos treinta y cuatro
2. 417    cuatrocientos diecisiete .......
3. 911    noveçientos once .............
4. 545    quinientos cuarenta y cinco..
5. 1613   mil seiscientos trece .........
6. 3431   Tres mil cuatrocientos treinta y uno

| | Entidad | Oficina | D. C. | Núm. de Cuenta |
|---|---|---|---|---|
| CCC | 038 | 151 | 7 2 | 600000 |
| IBAN | S6 | 038 | 515 | 60 0000 30 |

CAJA MADRID

AVDA. PARTENON, 10
MADRID-28042

Páguese por este cheque a
Euros     EUR    234    €

Doscientos treinta y cuatro

Nº   7.272.043.5   4201 1    de    de
     La fecha debe consignarse en letra    Firma
EDELSA GRUPO DIDASCALIA, S.A.

Para facilitar su tratamiento mecanizado se ruega no doblar este documento

⑆727 043⑈203 ⑈ 515⑇ 0000030 ⑈ 201⑆

# Paella para seis.

**d.** Lee los ingredientes para hacer esta paella. Observa los precios, anota el precio de cada ingrediente y calcula cuánto cuesta.

Paella para seis personas

500 gr de arroz    0,60
½ kg de pollo en trozos    2,26
1 kg de mejillones    3,02
¼ kg de chirlas    2,41
¼ kg de gambas    1,74
¼ kg de merluza    3,23
200 gr de tomate    0,41
¼ kg de judías verdes    0,79
Un poco de aceite de oliva, sal y azafrán

14,46 €

# Dia %   Los mejores precios

| PRODUCTOS | UNIDADES | PRECIOS |
|---|---|---|
| Ternera | kg | 13,39 |
| Cordero | kg | 9,63 |
| Cerdo | kg | 5,77 |
| Pollo fresco | kg | 4,52 |
| Conejo | kg | 6,01 |
| Merluza | kg | 12,90 |
| Pescadilla | kg | 16,49 |
| Sardinas | kg | 3,38 |
| Gambas | kg | 6,95 |
| Gallos | kg | 11,78 |
| Trucha | kg | 4,51 |
| Salmón | kg | 9,21 |
| Chirla | kg | 9,66 |
| Arroz | kg | 1,20 |
| Aceite de oliva | litro | 4,10 |

| PRODUCTOS | UNIDADES | PRECIOS |
|---|---|---|
| Mejillón | kg | 3,02 |
| Huevos | docena | 1,21 |
| Patata | kg | 0,80 |
| Calabacín | kg | 1,45 |
| Cebolla | kg | 0,97 |
| Judías verdes | kg | 3,14 |
| Lechuga | unidad | 0,88 |
| Pimiento verde | kg | 2,17 |
| Tomate | kg | 2,06 |
| Zanahoria | kg | 0,96 |
| Limón | kg | 1,32 |
| Manzana | kg | 1,60 |
| Naranja | kg | 1,27 |
| Pera | kg | 1,52 |

# Y tu receta favorita, ¿cuánto cuesta?

**e.** Piensa en tu plato favorito, anota los ingredientes y calcula el precio.

## 2 Competencia sociolingüística: los pesos y las medidas.

# La lista de la compra.

**22** **a.** Fabiola llama al supermercado para encargar la compra.
Escucha la conversación y haz la lista.

**LISTA DE LA COMPRA**

**ALIMENTACIÓN**

CARNE __1 pollo__

PESCADO _____

EMBUTIDOS __250 gr. jamón serrano__

CONGELADOS _____

CONSERVAS __1 lata de sardinas__

VERDURAS __1/2 Kg. de tomates,__
**2 pimientos rojos** __2Kg. de naranjas__
FRUTAS

LEGUMBRES _____

HUEVOS
LECHE
MANTEQUILLA
QUESO __250 gr. de queso manchego__
YOGURES __6 yogures naturales__
ACEITE
VINAGRE
SAL
ARROZ
AZÚCAR
HARINA
ESPECIAS
APERITIVOS
PASTA __un paquete de espaguetis__
PAN __una barra__
PAN DE MOLDE
PAN RALLADO
CEREALES
DULCES
CHOCOLATE
GALLETAS

# ¿Es igual en tu país?

**b.** Marca si se hace igual en tu país o no. Si es diferente, explícalo.

|  | igual | diferente |  |
|---|---|---|---|
| 1. En el mundo hispano la fruta, la verdura y la carne se compran por kilos. | ☐ | ☐ | ............... |
| 2. El pescado grande y el pollo se compran por unidades o partes. | ☐ | ☐ | ............... |
| 3. El pescado pequeño se compra por kilos. | ☐ | ☐ | ............... |
| 4. Las conservas (sardinas, atún...) se compran en latas. | ☐ | ☐ | ............... |
| 5. Normalmente el pan se compra en barras. | ☐ | ☐ | ............... |

## 3 Competencia funcional: expresar gustos y opiniones.

# ¿Qué pueden comprar?

**23** **a.** Jorge y Carmen reciben hoy invitados y no tienen mucho dinero. Escucha el diálogo y anota la lista de la compra y los precios.

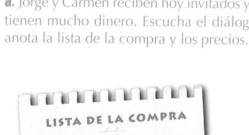

**LISTA DE LA COMPRA**

| Merluza | 12,90 |
|---|---|
| Lata guisantes | 0,60 |
| 1 botella de aceite de oliva | 4,10 |
| 1 kg tomates | 2,06 |
| 1 pepino | 0,20 |
| 1 pimiento | 0,50 |
| 1/2 kg cebollas | 0,48 |
| Ajo | 0,60 |
|  | 21,44 € |

## Es o no es.

**b.** Escribe el contrario.

- Si es grande, no es ...pequeño...........
- Si es bueno, no es ...malo..............
- Si es barato, no es ...caro.............
- Si es sano, no es ...insano...........

**4**

**Competencia gramatical:** el verbo *parecer* en Presente.

## Gustar y parecer.

**a.** Observa y completa.

- ¿Te .....gusta..... el pescado?
- Sí, me .....gusta..... mucho. Me ....parece..... muy rico y muy sano. ¿Y a ti?
- No, no me .....gusta..... mucho. Me .....gusta..... más la carne. Me ....parece.... más rica.
- ¿Qué te ...parecen.... estos filetes?
- Son muy caros, ¿no? Mejor compramos una pizza.
- No me ....gustan.... las pizzas de supermercado.
- Y el pollo, ¿te .....gusta..... el pollo?
- No, pero me ....parece.... barato.

## ¿Qué te parece?

**b.** Observa y completa el cuadro.

| | | | | |
|---|---|---|---|---|
| | | **El verbo *parecer* con pronombres** | | |
| A mí | me | | bueno(s) | el ................. |
| A ti | te | | malo(s) | la .................. |
| A él, ella, usted | le | parece (n) | interesante(s) | comer pescado |
| A nosotros/as | nos | | sano(s) | |
| A vosotros/as | os | | .... | los .................. |
| A ellos/as, ustedes | les | | | las ................... |

## Me parece muy sabrosa.

**c.** Completa con el verbo *gustar* o *parecer* y con los pronombres en la forma correcta.

1. • ¿Te gusta........ la comida china?
   • Sí, me gusta....... mucho. Me parece..... muy sabrosa. ¿Y a ti?
   • A mí, no. No me gusta....... mucho.
2. • ¿Qué? ¿Te gusta......... este plato?
   • No, no me gusta....... mucho. Está un poco salado.
3. • ¿A ti y a Pilar os gusta........ la carne?
   • No, no nos gusta...... mucho. No nos parece.... muy sana. Preferimos el pescado.
4. • Vamos a comer en ese restaurante mexicano. A mis padres les gusta........ mucho y, además, a mí me parece.... bastante barato.
   • Bueno, pero yo no quiero quesadillas, no me gustan...... .

## Y tú, ¿qué opinas?

**d.** Relaciona estas comidas con un adjetivo. Después forma frases como en el ejemplo.

1. Carne de cerdo
2. Merluza
3. Pimientos rojos
4. Coliflor
5. Chuletas de cordero
6. Plátano

a. Grasa
b. Sabrosa
c. Fuerte(s)
d. Sosa
e. Sana
f. Rico

**Respuestas posibles:**

1. b, 2. e, 3. c, 4. d, 5. a, 6. f.

*A mí el cordero me gusta. Me parece muy rico.*

........................................................
........................................................
........................................................
........................................................
........................................................

## 5

**Competencia fonética y ortográfica:** el acento escrito en la última y en la penúltima sílaba.

## ¿Cuándo se escribe el acento?

**a.** Recuerda la regla.

> La mayoría de las palabras españolas se acentúan en la penúltima sílaba. Normalmente son las palabras terminadas en vocal, **-n** o **-s**. Las terminadas en consonante diferente a **-n** o **-s** se acentúan en la última sílaba. Si no es así, llevan el acento escrito.

## Ahora tú.

**b.** Lee estas palabras, sepáralas en sílabas y marca el acento según la regla. Después escucha y comprueba. Si no cumplen la regla, escribe el acento gráfico.

1. además
2. cerdo
3. melocotón

4. caro
5. fácil
6. precio

7. catorce
8. jamón
9. sardina

10. después
11. lápiz
12. veintidós

# Acción

## Organizas una fiesta en casa.

Organizar una fiesta e invitar a amigos no siempre es fácil: tienes que pensar en qué les gusta a tus amigos y qué te gusta a ti, cuánto dinero tienes y qué puedes preparar.

a. Habla con tus compañeros y elige las tapas.
b. Haz una lista de los ingredientes que necesitas.
c. Haz la lista de la compra.

### TE SUGERIMOS ESTAS TAPAS.

- Gambas al ajillo:
(gambas y ajo)

- Calamares fritos:
(calamares y harina)

- Pulpo a la gallega:
(pulpo y pimentón)

- Ensaladilla rusa:
(patata, guisante, zanahoria, huevo, aceitunas, atún y mayonesa)

- Albóndigas:
(carne picada y salsa)

- Croquetas:
(harina, leche, jamón, huevo y pan rallado)

- "Pan Tumaca":
(pan, tomate y ajo)

- Tortilla de patatas:
(patata, huevo, cebolla)

LISTA DE LA COMPRA
..../..../....
ALIMENTACIÓN

CARNE_____
PESCADO_____
EMBUTIDOS_____
CONGELADOS_____
CONSERVAS_____
VERDURAS_____
FRUTAS_____
LEGUMBRES_____
HUEVOS_____
LECHE_____
MANTEQUILLA_____
QUESO_____
YOGURES_____
ACEITE_____
VINAGRE_____
SAL_____
ARROZ_____
AZÚCAR_____
HARINA_____
ESPECIAS_____
APERITIVOS_____
**PASTA**_____
PAN_____
PAN DE MOLDE_____
PAN RALLADO_____
CEREALES_____
DULCES_____
CHOCOLATE_____
GALLETAS_____

# Ámbito Profesional

**Acción** — Organizas una comida de empresa.

**Vamos a aprender a:**
manejarnos en un restaurante.

Lee e identifica:
- Cuatro platos de verdura.
- Tres de pescado.
- Dos de carne.

## Restaurante Casa Sánchez

**Primer plato**

pescado — Canelones
verdura — Sopa de pescado
        Pisto manchego
        Fabada asturiana
verdura — Alcachofas rellenas
verdura — Pimientos de piquillo
verdura — Menestra de verduras
pescado — Cóctel de gambas
verdura — Ensalada mixta

**Segundo plato**

Zarzuela de marisco — pescado
Merluza a la marinera — pescado
Bacalao al pil pil — pescado
Asado de ternera — carne
Entrecot de buey — carne
Cordero asado (de encargo) — carne
Paella (de encargo)

**Postre**

Flan casero con nata
Helado
Natillas
Fruta

### Restaurante Casa Sánchez

**Raciones**

Jamón ibérico
Tortilla española
Chorizo
Queso manchego
Verduras a la plancha
Pimientos del padrón

**MENÚ DEL DÍA**
A elegir un primero, un segundo,
un postre, pan y bebida.
**25 € + IVA**

---

**1**

**Competencia sociolingüística:** las formas de comer.

## En el restaurante y en casa.

**25** **a.** Observa la carta y marca las opciones correctas. Después escucha y comprueba.

1. En España normalmente se come...
☐ un plato y un postre   ☒ dos platos y un postre   ☐ un plato o un postre

2. De primer plato se come normalmente...
☐ pescado   ☒ pasta   ☒ verduras   ☐ un postre   ☒ legumbres   ☒ sopa

3. De segundo se come normalmente...
☒ pescado   ☐ pasta   ☐ verduras   ☒ carne   ☐ legumbres   ☐ sopa

# ¿Qué se come?

**b.** Clasifica los platos.

> cordero asado, espaguetis, filete, fruta, helado de fresa, menestra de verduras, pescado en salsa, pollo asado, paella, tarta de chocolate, judías blancas con chorizo, sopa de tomate, sopa de verdura, tarta de manzana, lentejas, judías verdes.

| Primer plato | Segundo plato | Plato único | Postre |
|---|---|---|---|
| Espaguetis, menestra de verduras, judías blancas con chorizo, sopa de tomate, sopa de verduras, lentejas, judías verdes. | filete, pescado en salsa, pollo asado. | Cordero asado, paella. | fruta, helado de fresa, tarta de chocolate, tarta de manzana. |

# De primero...

**c.** Relaciona las expresiones con el tipo de plato.

1. De primero        a. Dulces, helados, fruta o café.
2. Para picar         b. Raciones para compartir.
3. De segundo        c. Solo un plato.
4. Plato único        d. Entrada: verduras, sopa…
5. De postre          e. Plato principal.

# ¿Es igual en tu país?

**d.** Explica cómo es en tu país normalmente: cuántos platos se comen, qué se come en cada uno, etc.

> *En mi país el queso se toma de postre, no de entrada. Además…*

## 2 Competencia léxica: los platos de comida.

# ¿Qué es menestra?

**a.** Relaciona los nombres de los platos con su descripción y con su imagen.

1. b, 2. f, 3. d, 4. e, 5. c, 6. a.

```
[ 5 ] 1. canelones
[ 1 ] 2. pisto manchego
[ 2 ] 3. alcachofas rellenas
[ 4 ] 4. menestra de verduras
[ 6 ] 5. zarzuela de marisco
[ 3 ] 6. cordero asado
```

a. una carne al horno con salsa
b. una pasta rellena de carne, atún o verduras
c. un plato de pescados con salsa
d. una verdura rellena de carne o de otras verduras
e. unas verduras cocidas
f. unas verduras fritas con salsa de tomate

¿Qué es *menestra*?
Es un plato de verduras.

¿Qué lleva el *pisto*?
Lleva cebolla, calabacín, pimiento y una salsa de tomate.

1.

2.

3.

4.

5.

6.

## Pidiendo la comida.

 **b.** Escucha y escribe los platos que piden.

|  | De primero... | De segundo... | De postre... |
|---|---|---|---|
| Hombre | sopa de pescado | entrecot | café |
| Mujer | pisto | asado de ternera | café |

## ¿Y tu plato favorito?

**c.** Di un plato que te gusta mucho y explica qué lleva.

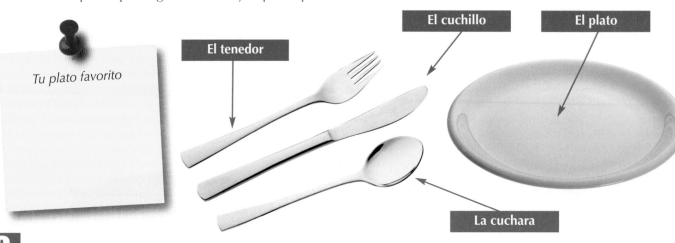

Tu plato favorito

El cuchillo

El plato

El tenedor

La cuchara

## 3

**Competencia funcional:** manejarse en un restaurante.

## En un restaurante.

 **a.** Escucha otra vez el diálogo y ordena las viñetas.

3.

Dos cafés, por favor.

4.

La cuenta, por favor.

2.

Por favor, un poco de pan.

1.

## ¿Cómo pedir?

**b.** Observa.

**PAGAR**

¿Cuánto es?
La cuenta, por favor.

**PEDIR EN UN RESTAURANTE**

Para mí...
De primero...
De segundo...
De postre...
Para beber...

**PREGUNTAR POR UN PLATO**

¿Qué es...?
¿Qué es eso?    Es un plato de... (carne, pescado...)
¿Qué lleva?     Lleva (carne, pescado, verduras...)

# ¿Qué es eso?

**c.** Lee este diálogo y di si las frases son verdaderas o falsas.

> - En España hay unas bebidas muy buenas. A mí me gusta mucho la horchata.
> - ¿La horchata? **¿Qué es eso?**
> - Es un zumo de chufas, agua y azúcar.
> - ¿Chufas? **¿Qué es eso?**
> - Uy, las chufas son un fruto seco. Es como una patata muy pequeña y dulce. Solo hay en España.
> - ¿Y qué más hay?
> - Pues zumos, granizados, refrescos…
> - ¿Granizados? **¿Y eso qué es?**
> - Es un zumo, normalmente de limón, pero helado, muy frío. También puede ser de café.

**PREGUNTAR POR ALGO**

¿Qué es eso?  Eso es…

|  | V | F |
|---|---|---|
| 1. La horchata es una bebida de zumo de chufa. | X |  |
| 2. Las chufas son patatas grandes. |  | X |
| 3. Las chufas son dulces. | X |  |
| 4. Hay chufas en todo el mundo. |  | X |
| 5. Los granizados son bebidas calientes. |  | X |
| 6. Los granizados pueden ser de limón o café. | X |  |

Dile a tu compañero una bebida o comida típica de tu país y explícale qué es.

## En directo.

**d.** Elige uno de los dos restaurantes y escribe la carta. Después representa con dos compañeros una situación en un restaurante: uno es un camarero y los otros dos son clientes que piden.

Carta

### 4  Competencia gramatical: el artículo indefinido.

## Un café, por favor.

**a.** Observa, lee el cuadro y completa la regla.

*¿Qué va a comer?*

*Yo quiero pescado.*

*Tenemos **una** merluza muy buena.*

*Muy bien, pues **la** merluza y agua, por favor.*

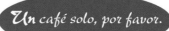

*Un café solo, por favor.*

*Aquí tiene, **el** café solo.*

| Artículos indefinidos | | |
|---|---|---|
| | Masculino | Femenino |
| **Singular** | un | una |
| **Plural** | unos | unas |

Los sustantivos, en general, siempre van con un ........artículo......... .
Se utiliza el artículo ......indefinido...... cuando hablamos por primera vez de algo y el artículo .......definido........ cuando ya es conocido.

## ¿Un café o el café?

**b.** Marca la opción correcta.

1. • *La / una* ensalada y un filete, por favor.
   • ¿Quiere *la / una* ensalada con atún?

2. • ¿Tiene *la / una* carta?
   • Sí, claro. Aquí tiene *la / una* carta de hoy.

3. • Hoy tenemos *los / unos* espaguetis con champiñón y…
   • Pues para mí *los / unos* espaguetis y…

4. • En este restaurante tienen *las / unas* salchichas muy buenas.
   • Pues yo quiero *las / unas* salchichas con ensalada.

### 5  Competencia fonética y ortográfica: las letras *ce, zeta* y *cu* y los sonidos /K/ y /θ/.

## ¿Cómo se escribe?

**a.** Escucha estas palabras y escríbelas.

## ¿Ce, zeta o cu?

**b.** Coloca estas palabras en la columna adecuada según el sonido.

| que, qui | ca, co, cu | za, ce, ci, zo, zu |
|---|---|---|
| queso | comida | zarzuela |
| mantequilla | calamares | cebolla |
| | cuscús | cecina |
| | | garbanzo |

## Organizas una comida de empresa.

A veces hay que organizar comidas de empresa. Aquí tienes tres ofertas de tres restaurantes diferentes.

Presentamos varias situaciones: elige una o describe la tuya propia. Elige el menú más adecuado de entre los tres. ¿Por qué eliges ese?

Trabajas en el departamento de Recursos Humanos. Como todos los años, eres la persona encargada de organizar la comida de Navidad de tu empresa.

Trabajas en una pequeña empresa española. La comida es para firmar un acuerdo comercial con otra empresa extranjera.

Un posible cliente va a visitar tu empresa. Quieres dar una imagen muy buena de ella: dinámica, moderna y de gran innovación. No quieres algo muy tradicional.

## Casa Montero

**Primeros:**

Pimientos del padrón
Jamón ibérico
Queso manchego

**Segundos a elegir:**

Merluza a la marinera
Asado de ternera
Paella (de encargo)

**Postres**

Flan casero con nata
Helados

**Precio por persona
35 euros más 7% de IVA**

## RESTAURANTE CREATRIZ

**PARA EMPEZAR:**
TRES TAPITAS SALADAS

**PRIMEROS:**
• VERDURAS A LA PLANCHA
• GAZPACHO CON MELÓN
• CANELONES

**SEGUNDOS A ELEGIR:**
• POLLO CON ARROZ AL CURRY
• ZARZUELA DE MARISCO

**POSTRE**
• DULCE DE MELOCOTÓN
TARTA DE CHOCOLATE CON CEREZAS

**PARA TERMINAR:**
TRES TAPITAS DULCES

**PRECIO POR PERSONA: 60 EUROS**
(7% IVA NO INCLUIDO)

Don Antonio
Restaurante
Vega de Río Palma
Fuerteventura
Tel. (0034) 928 878 757

**Menú de Navidad**

**Primeros:**
Jamón ibérico
Chorizo ibérico
Langostinos
Salmón

**Segundos a elegir:**
Merluza al horno
Cordero asado

**Postres:**
Turrones variados
Copa de cava

**Precio por persona
65 euros (IVA incluido)**

# La gastronomía hispana

## 1 La buena cocina hispana.

**a.** ¿Conoces alguno de estos platos hispanos? ¿A qué país corresponden?

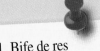

1. Bife de res
2. Empanada criolla
3. Guacamole
4. Paella
5. Tacos de carne
6. Tortilla de patatas

4. Paella
6. Tortilla de patatas

1. Bife de res
2. Empanada criolla

3. Guacamole
5. Tacos de carne

**b.** Mira estas fotos, lee los platos de la actividad anterior y escribe el nombre de cada uno.

a. ......... Bife de res .........

b. ............ Paella ............

c. ......... Tacos de carne .........

d. ....... Tortilla de patatas ......

e. ............ Guacamole ............

f. ......... Empanada criolla .........

**c.** Relaciona la imagen con los ingredientes.

1. Aguacates, jugo de limón, cilantro, cebolla, chile, aceite de oliva, sal y pimienta. **e.**
2. Arroz, pescados y mariscos (gambas, mejillones y chirlas), pollo, tomate, pimiento verde, judías verdes, aceite de oliva, ajo, sal y azafrán. **b.**
3. Buena carne de res (vaca), grasa y sal. **a.**
4. Carne de vaca picada, cebolla, huevos duros, aceitunas verdes, pasas de uvas, pimentón, sal, aceite y masa para empanadas. **f.**
5. Patatas (papas), cebolla, huevos, sal y aceite de oliva. **d.**
6. Tortillas de maíz finas, carne picada, cebolla y salsa de guacamole. **c.**

# Cultura hispánica

## La gastronomía española y las denominaciones de origen.

**a.** Observa el mapa de España, escucha y escribe en cada autonomía sus productos típicos y su plato más conocido.

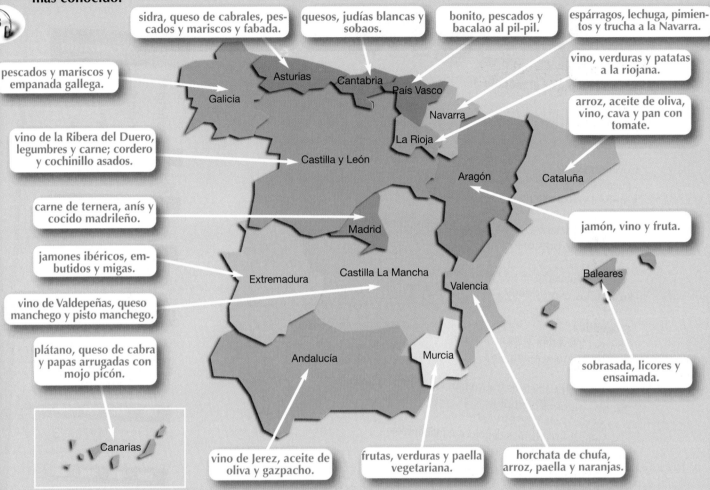

sidra, queso de cabrales, pescados y mariscos y fabada.

quesos, judías blancas y sobaos.

bonito, pescados y bacalao al pil-pil.

espárragos, lechuga, pimientos y trucha a la Navarra.

pescados y mariscos y empanada gallega.

vino, verduras y patatas a la riojana.

arroz, aceite de oliva, vino, cava y pan con tomate.

vino de la Ribera del Duero, legumbres y carne; cordero y cochinillo asados.

carne de ternera, anís y cocido madrileño.

jamón, vino y fruta.

jamones ibéricos, embutidos y migas.

vino de Valdepeñas, queso manchego y pisto manchego.

plátano, queso de cabra y papas arrugadas con mojo picón.

sobrasada, licores y ensaimada.

vino de Jerez, aceite de oliva y gazpacho.

frutas, verduras y paella vegetariana.

horchata de chufa, arroz, paella y naranjas.

*Asturias, Cantabria, País Vasco, Navarra, Galicia, La Rioja, Castilla y León, Aragón, Cataluña, Madrid, Extremadura, Castilla La Mancha, Valencia, Baleares, Andalucía, Murcia, Canarias*

**b.** ¿Cuál es el plato típico de tu país o tu región? Explica cómo es y cuáles son los ingredientes.

## La comida y los horarios.

**a.** Este es el horario de las comidas en España. ¿Es igual en tu país?

**De 7:00 a 9:00**
**Desayuno**

- café
- bollo o churros

**De 11:00 a 12:00**
**2.° Desayuno**

- café
- pincho de tortilla

**De 13:30 a 15:30**
**Almuerzo/comida**

- 2 platos
- 1 postre

**De 17:00 a 18:30**
**Merienda**

- café con tostada
- chocolate con churros

**De 21:00 a 22:30**
**Cena**

- 1 plato
- 1 postre

# Ámbito Académico

**Portfolio: evalúa tus conocimientos de español.**

**Después de hacer el módulo 3**

Fecha: .......................................

| | Insuficiente | Suficiente | Bueno | Muy bueno |
|---|---|---|---|---|
| **Nivel alcanzado** | | | | |

### Comunicación
- Puedo expresar mis gustos.
Escribe las expresiones:

\* Si necesitas más ejercicios ve al punto 1 del Laboratorio de Lengua.

- Puedo preguntar y expresar los gustos y las opiniones de otros.
Escribe las expresiones:

\* Si necesitas más ejercicios ve al punto 1 del Laboratorio de Lengua.

- Puedo manejarme en un restaurante.
Escribe las expresiones:

\* Si necesitas más ejercicios ve al punto 2 del Laboratorio de Lengua.

### Gramática
- Sé usar los verbos *gustar* y *parecer*.
Escribe algunos ejemplos:

\* Si necesitas más ejercicios ve al punto 3 del Laboratorio de Lengua.

- Sé utilizar los adjetivos y adverbios con *gustar* y *parecer*.
Escribe algunos ejemplos:

\* Si necesitas más ejercicios ve al punto 3 del Laboratorio de Lengua.

- Sé utilizar los artículos definidos e indefinidos.
Escribe algunos ejemplos:

\* Si necesitas más ejercicios ve al punto 4 del Laboratorio de Lengua.

### Vocabulario
- Conozco los nombres de algunos alimentos.
Escribe las palabras que recuerdas:

\* Si necesitas más ejercicios ve al punto 2 del Laboratorio de Lengua.

- Conozco los números.
Escribe los números que recuerdas:

\* Si necesitas más ejercicios ve al punto 5 del Laboratorio de Lengua.

- Conozco algunos nombres de platos típicos hispanos.
Escribe las palabras que recuerdas:

\* Si necesitas más ejercicios ve al punto 6 del Laboratorio de Lengua.

# LABORATORIO DE LENGUA

## Comunicación

### 1. Gustos y opiniones.

**a. Verónica y Paco no están de acuerdo. Escucha, marca las respuestas correctas y escribe el motivo.**

La comida japonesa le gusta · [X] a Verónica, · pero no le gusta · [ ] a Verónica, · porque le parece ...mala..
[ ] a Paco, · [X] a Paco,

La comida italiana le gusta · [X] a Verónica, · pero no quiere ir · [X] Verónica, · porque le parece ...aburrido
[X] a Paco, · [ ] Paco,

El cine americano le gusta · [ ] a Verónica, · pero no le gusta · [X] a Verónica, · porque le parece ...poco. interesante
[X] a Paco, · [ ] a Paco,

El cine español le gusta · [X] a Verónica, · pero no le gusta · [ ] a Verónica, · porque le parece ...malo..
[ ] a Paco, · [X] a Paco,

### 2. En el restaurante.

**a. Escucha este diálogo y anota los platos que piden.**

| De primero | De segundo | De postre |
|---|---|---|
| Sopa de pescado<br>Ensalada | Pollo asado<br>Paella | Helado de chocolate<br>Café con leche |

**b. Relaciona.**

1. Para mí, de primero…
2. De segundo…
3. Para beber…
4. De postre…
5. La cuenta, por favor.

a. 9 euros.
b. una cerveza sin alcohol.
c. un helado de fresa.
d. una sopa de verduras.
e. unos calamares.

## Gramática

### 3. *Gustar y parecer.*

**a. Marca la opción correcta.**

1. - A *me / mí* me *gusta / gustan* mucho la tortilla de patata. ¿Y a *ti / tú*?
   - Pues, no mucho, no *me / mi* gusta mucho.
2. - ¿Qué *te / ti* parece este restaurante?
   - La verdad, *me / yo* parece muy caro.
3. - ¿*Te / Ti* gusta *la / una* sopa?
   - Sí, está muy buena, pero *me / yo* parece un poco salada.
4. - ¿Qué te *parece / parecen* los tacos?
   - Riquísimos. Me *gusta / gustan* muchísimo.
5. - *A / Ø* nosotros *nos / Ø* *gusta / gustan* mucho la comida argentina.
   - ¿Sí? Pues *a / Ø* me / *mí* no *me / mí* *gusta / gustan* tanto.

**b. Completa con *gustar* o *parecer* en la forma correcta.**

1. • ¿Os .......gusta........ el gazpacho?
   • Sí, mucho. A mí me .......parece........ muy sano.
   • Sí, a mí también, me .......parece........ muy rico.

2. • ¿Qué te .......parecen........ los espaguetis de María?
   • No me .......gustan........ mucho. Me .......parecen........ muy salados. ¿No?
   • Pues a mí me .......gustan........ .

3. • ¿Qué te .......parece........ la dieta vegetariana?
   • A mí me .......parece........ absurda. Me .......parece........ que es bueno comer de todo. Además, me .......gusta........ mucho la carne.

## 4. Los artículos.
**a. Clasifica estas palabras y escríbelas en el cuadro con su artículo definido.**

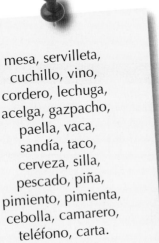

mesa, servilleta, cuchillo, vino, cordero, lechuga, acelga, gazpacho, paella, vaca, sandía, taco, cerveza, silla, pescado, piña, pimiento, pimienta, cebolla, camarero, teléfono, carta.

| Masculinas | Femeninas |
|---|---|
| el cuchillo, el vino, el cordero, el gazpacho, el taco, el pescado, el pimiento, el camarero, el teléfono. | la mesa, la servilleta, la lechuga, la acelga, la paella, la vaca, la sandía, la cerveza, la silla, la piña, la pimienta, la cebolla, la carta. |

**b. Marca la opción correcta.**

1. • Por favor, *el / un* vaso de agua y la cuenta.
   • Sí, aquí tiene *el / un* vaso de agua.

2. • Hoy tenemos *las / unas* alcachofas muy buenas.
   • Pues, *las / unas* alcachofas y, de segundo, chuletas.

3. • Para mí una sopa y de segundo *el / un* filete.
   • ¿*El / un* filete con patatas fritas o con ensalada?

4. • Umm, *la / una* sopa está muy rica.
   • ¿Sí? Pues mi gazpacho, no.

# Vocabulario

## 5. Los números.

### a. Escucha y relaciona los productos con su precio.

1. 1/2 kg queso manchego
2. 2 kg naranjas
3. Bote de tomate
4. Coliflor
5. Pollo
6. Espaguetis
7. Yogures naturales

a. 2,39 €
b. 0,93 €
c. 5,55 €
d. 0,61 €
e. 0,79 €
f. 2,27 €
g. 1,23 €

### b. Observa estos números de la lotería. Escucha y marca los premiados.

### c. Escribe en letras los números no premiados.

- ......Setenta y tres mil novecientos uno.......
- ......Veintiocho mil cuatrocientos treinta y uno.......
- ......Veintitrés mil doscientos setenta.......
- ......Quince mil quinientos cuarenta y uno.......
- ......Cuarenta y tres mil novecientos once.......

## 6. Platos hispanos.

### a. Escucha y marca de qué platos hablan.

3 tortilla de patatas
2 bife con papas
☐ gazpacho
☐ pisto manchego

5 guacamole
4 tacos de pollo
1 paella
☐ empanada criolla

# Módulo 4

## Ámbito Personal

**Acción** Hablas de tu entorno.
- **Competencia léxica:** la ciudad.
- **Competencia gramatical:** *hay / está-n, mucho y muy.*
- **Competencia funcional:** describir un barrio.
- **Competencia fonética y ortográfica:** la variante rioplatense.
- **Competencia sociolingüística:** la plaza del pueblo.

## Ámbito Público

**Acción** Indicas un itinerario turístico por tu ciudad.
- **Competencia funcional:** preguntar por una dirección e informar.
- **Competencia léxica:** los establecimientos públicos y comerciales.
- **Competencia gramatical:** los verbos irregulares *ir, seguir, hacer* y las preposiciones con medios de transporte.
- **Competencia sociolingüística:** las fórmulas de cortesía en España e Hispanoamérica.
- **Competencia fonética y ortográfica:** el sonido [y] y sus grafías (y) y (ll).

## Ámbito Profesional

**Acción** Te ubicas en un centro comercial.
- **Competencia gramatical:** los números ordinales.
- **Competencia sociolingüística:** llamar la atención y dar información.
- **Competencia léxica:** los establecimientos comerciales y profesionales.
- **Competencia funcional:** situar los lugares según la distancia.
- **Competencia fonética y ortográfica:** el acento en la antepenúltima sílaba.

## Cultura hispánica

De Madrid al cielo.
- Un paseo por Madrid.
- Madrid, Madrid.
- Cuatro barrios de Madrid.

## Ámbito Académico

Portfolio: evalúa tus conocimientos.
Laboratorio de Lengua: refuerza tu aprendizaje.

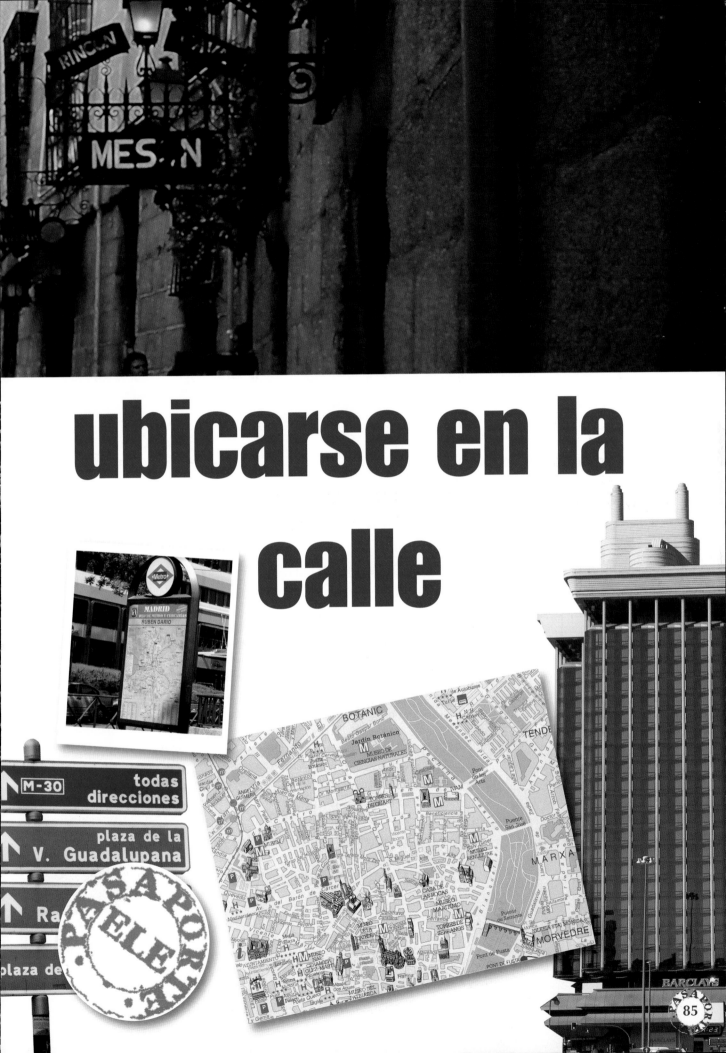

# ubicarse en la calle

# Ámbito Personal

**Acción** **Hablas de tu entorno.**

Jardín botánico

Puentes

**Vamos a aprender a:**
describir una ciudad.

Avda. Guillem
de Castro

Este es el mapa de una parte de la
ciudad de Valencia, en España.
Obsérvalo e identifica los siguientes elementos.

1. Iglesias.          5. Jardín Botánico.
2. Ayuntamiento.     6. Hoteles.
3. Museos.           7. Estaciones de metro.
4. Puentes.          8. Avda. Guillem de Castro.

Ayuntamiento

H. Hoteles     M. Metro     Iglesias     Museos

## 1

**Competencia léxica:** la ciudad.

# Valencia: una ciudad moderna.

**a.** Lee este texto y escribe en la lista las palabras necesarias para describir una ciudad.

Valencia es la capital de la Comunidad
Valenciana, una de las comunidades
autónomas españolas. Está en la costa
1. mediterránea. Es una ciudad lumi-
nosa, moderna y muy dinámica.
El centro histórico tiene bonitas iglesias, como la Basílica de los Desampa-
rados y la Catedral. Sus monumentos
4. más representativos son el Palau de la
Generalitat, la Lonja de Mercaderes,
el Mercado Central y el Palacio del
Marqués de Dos Aguas, sede del Actual Museo Nacional de Cerámica
González Martí. La Ciudad de las
2. Artes y de las Ciencias es una maravi-

lla arquitectónica, está en el antiguo
cauce del río Turia: es un complejo lú-
dico, educativo y tecnológico en el que
hay un acuario con 7400 ejemplares,
un museo de Ciencia y de Arte y un
Observatorio.
Valencia es hoy una ciudad cosmopolita y uno de los centros industriales
más importantes del Mediterráneo.
En sus calles hay mucha vida: locales,
teatros, cines, bares con terrazas y discotecas. Por la noche los valencianos
salen mucho. La temperatura es suave,
y la gastronomía muy rica: la paella es
el plato más conocido. Las fiestas y tra-

diciones se mantienen vivas, como las
Fallas, fiesta del fuego y de la primavera. Las playas están muy cerca, y hay
muchos pueblos turísticos cerca como
Gandía o Sagunto. Estos pueblos están
llenos en verano y en invierno muchas
personas mayores del centro y del
norte de Europa viven allí.
Sus actividades económicas son el comercio y la agricultura, y también el
3. turismo. Actualmente es el tercer centro económico de España después de
Madrid y Barcelona.     5.

Centro histórico.
........iglesias........
.....monumentos.....
........museo.........
........calles........
.......locales........
.......teatros........
........cines.........
........bares.........
......discotecas......
........playas........
pueblos turísticos

# ¿Conoces Valencia?

**b.** Contesta a estas preguntas.

1. ¿Dónde está Valencia?
2. ¿Qué es la Ciudad de las Artes y de las Ciencias y dónde está?
3. ¿Qué actividades económicas hay en la ciudad?
4. ¿Cuáles son sus monumentos más representativos?
5. ¿Qué relación tiene Valencia con Madrid y Barcelona?

Ciudad de las artes y
de las ciencias.

## 2 Competencia gramatical: *hay / está-n, mucho y muy.*

## ¿Hay o está?

**a.** Subraya en el texto anterior las formas *hay, está, están,* y haz una lista de las frases.
Después, coloca los sustantivos del texto en los huecos correspondientes.

| Hay | + | un acuario<br>mucha vida<br>muchos pueblos |
|---|---|---|
| Valencia | + | en la costa mediterránea. |
| La Ciudad de las<br>Artes y de las Ciencias | + | **está** en el antiguo cauce del río<br>Turia. |
| Las playas | + | **están** muy cerca. |
| Estos pueblos | | llenos en verano. |

| Hay | Está |
|---|---|
| **Hay** { + un, una<br>muchos, muchas<br>+ sustantivo | |
| El, la…<br>Nombres }<br>Los, las… | + **está**…<br>+ **están**… |

## ¿Qué hay? ¿Dónde está?

**b.** Mira este mapa y completa:

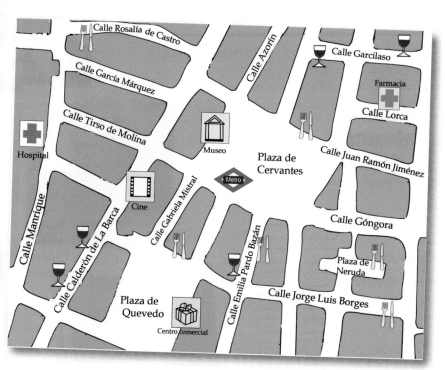

¿Qué hay en esta zona de la ciudad?
Hay un hospital, una una farmacia, un museo, un centro comercial y un cine.
Hay muchos ............... restaurantes y bares.

Escribe dónde están el museo, la farmacia, los bares, el centro comercial y los restaurantes.

*El Museo está en la Plaza de Cervantes.*
1. La farmacia está en la calle Lorca.
2. Los bares están en la calle Garcilaso y en la calle Calderón de la Barca.
3. Los restaurantes están en varias calles.
4. El centro comercial está en la plaza de Quevedo.
5. El cine está en la calle Calderón de la Barca.

## ¿A ti te gusta Valencia?

**c.** Completa el siguiente diálogo con *mucho/s, mucha/s* o *muy.*

- Me gusta ...mucho... Valencia.
- Sí, la verdad es que es una ciudad ...muy.... animada.
- Tenemos .muchos. turistas durante todo el año.
- También viven .muchos. extranjeros aquí, ¿no?
- Sí, les parece una ciudad ...muy... interesante. En la costa viven muchas personas del norte de Europa.

| Mucho / muy | |
|---|---|
| Mucho/s<br>Mucha/s } | + sustantivo |
| **Muy** | + adjetivo |
| verbo | + **Mucho** |

## 3 Competencia funcional: describir un barrio.

### ¿Qué es un barrio?

**a.** Lee el texto y responde a las preguntas.

Para muchos hispanos el barrio es el origen, de donde somos, es nuestra identidad. El barrio es el lugar donde crecemos, donde hacemos nuestros primeros amigos y donde encontramos a nuestro primer amor. Por eso, hay un fuerte sentimiento de ser de un barrio.

Y tú, ¿te sientes de un barrio? ¿De cuál? ¿Crees que es igual en tu país, que el barrio es como la parte colectiva de tu casa?

 **29** Carlos Gardel (en la foto) dedicó un tango a su barrio de los suburbios (Arrabal). Escucha y relaciona los cuatro versos con su significado.

a. Barrio... barrio... que tenés el alma inquieta de un gorrión sentimental.
b. Penas... ruego... Es todo el barrio malevo melodía de arrabal.
c. Viejo... barrio... Perdoná si al evocarte se me pianta un lagrimón,
d. que al rodar en tu empedrao es un beso prolongao que te da mi corazón.

*Melodía de arrabal.*

d. 1. Cuando ando por tus calles, te mando un beso.
a. 2. Tienes mucha vida.
c. 3. Cuando te recuerdo, siento nostalgia.
b. 4. Eres un barrio de los suburbios.

## El barrio de Rosa en Valencia.

 **30** **b.** Rosa, una mujer de Valencia, visita a su amiga Graciela en Buenos Aires. Lee estas frases. Ahora, escucha el diálogo y marca verdadero (V) o falso (F).

|  | V | F |
|---|---|---|
| 1. El barrio de Graciela es muy bonito. | X |  |
| 2. Rosa vive en el centro histórico de Valencia. |  | X |
| 3. En el barrio de Rosa hay muchos cines y teatros. |  | X |
| No dice que hay zona de ocio | | |
| 4. El barrio de Rosa es muy incómodo. |  | X |
| 5. En el barrio de Rosa no hay metro. | X |  |
| 6. En el barrio de Rosa vive gente joven con niños. | X |  |
| 7. El barrio de Rosa es tranquilo. | X |  |

*Mercado Central. Valencia.*

## ¿Cómo es?

**c.** Observa.

**DESCRIBIR**

Es un barrio bonito/feo, grande/pequeño, céntrico/periférico, antiguo/moderno, tranquilo/ruidoso.

*Obelisco. Buenos Aires.*

**PREGUNTAR POR LAS CARACTERÍSTICAS DE ALGO**

¿Cómo es tu barrio? ¿Qué tiene?
¿Qué hay? ¿Dónde está(n)?

**VALORAR**

¡Qué barrio tan bonito! ¡Qué feo!
¡Qué casa tan tranquila! ¡Qué ruidoso!
¡Qué agradable!

# Ruzafa o El Carmen.

**d.** Lee estos textos y responde a las preguntas.

El barrio de Ruzafa o Russafa debe su nombre a la palabra árabe *jardín*. Es uno de los barrios históricos de la ciudad de Valencia. Es multiétnico, aquí los valencianos conviven con una creciente población de origen magrebí, oriental y sudamericano. El barrio es una mezcla de lenguas y culturas que mantienen el respeto mutuo. Es un barrio muy vivo y próximo al centro de la ciudad. Hay muchas actividades culturales y festivas en la calle y numerosos locales de ocio.

El Barrio del Carmen es uno de los barrios del casco histórico de la ciudad de Valencia. Su nombre procede de la iglesia y convento del Carmen, del siglo XIII. Es un barrio muy antiguo y actualmente es espacio de ocio de la población joven de la ciudad: los bares, cafés y tabernas más animados están en el barrio del Carmen. También hay muchos museos, como el IVAM (Instituto Valenciano de Arte Moderno).

¿Cómo es Ruzafa? ¿Cómo es El Carmen? ¿Qué hay en cada uno?

**RUZAFA**

Es un barrio histórico y multiétnico. Es una mezcla de lenguas y culturas. Es un barrio muy vivo y próximo al centro de la ciudad.

Hay muchas actividades culturales y festivas en la calle.

**EL CARMEN**

Es un barrio del casco histórico, muy antiguo. Actualmente es espacio de ocio de la población joven de la ciudad.

Hay bares, cafés y tabernas. Hay muchos museos.

¿Cuál de estos dos barrios de Valencia te gusta más? ¿Por qué?

## 4 | Competencia fonética y ortográfica: la variante rioplatense.

## ¿Suena igual?

**a.** Escucha de nuevo el diálogo entre Rosa, española, y Graciela, argentina, y fíjate en las diferentes pronunciaciones. Ahora escucharás diez frases pronunciadas por una argentina o por una española. Marca con una cruz en la casilla correspondiente.

|  | 1 | 2 | 3 | 4 | 5 | 6 | 7 | 8 | 9 | 10 |
|---|---|---|---|---|---|---|---|---|---|---|
| ARGENTINA | X |  | X | X |  | X |  | X |  |  |
| ESPAÑOLA |  | X |  |  | X |  | X |  | X | X |

## 5 Competencia sociolingüística: la plaza del pueblo.

## La plaza.

**a.** Seguro que conoces algunas plazas de tu ciudad. ¿Qué hay en una plaza? ¿Cómo es? ¿Qué hace la gente en la plaza?

*Plaza de Brunete.*

## Plaza Mayor

**b.** Escucha este texto sobre las plazas españolas y marca los elementos de la lista de los que se habla. Escribe qué se dice de cada uno de ellos.

| X | la plaza .............................................. |
| X | la iglesia ............................................ |
| X | el Ayuntamiento ................................. |
| X | la zona de juegos infantiles ................. |
| | las tiendas ........................................ |

| X | los bancos .......................................... |
| | la parada del autobús ......................... |
| X | la fuente ............................................ |
| X | el mercado .......................................... |
| X | el bar ................................................. |
| | la estación de autobús ........................ |

## ¿Y en tu país?

**c.** ¿Hay las mismas cosas en una plaza? ¿Crees que hay otros lugares que cumplen la función de la plaza en las grandes ciudades actuales? ¿Cuáles?

## Me voy al pueblo

**d.** Lee este texto.

*Chinchilla.*

"Cuando puedo, me voy al pueblo, como muchos españoles. Voy en el autobús que me deja en la misma plaza. Es el pueblo de mis padres, de mis abuelos... porque yo soy de Madrid. En Madrid trabajo, pero en el pueblo nos juntamos todos: la familia y los amigos que vivimos en Madrid. Me gusta la tranquilidad, los buenos alimentos, tomar el aperitivo en los bares de la plaza con mis primos, pasear y por la noche salir con los amigos de toda la vida. En el pueblo están todos mis recuerdos. Además, siempre me traigo a casa algunas cosas de comer que me regalan mis familiares: huevos, patatas o bizcochos caseros. Está todo muy bueno. Soy de Madrid, pero mi pueblo es mi pueblo".

1. ¿Quién crees que está hablando?

| X | Un chico joven. | | Una señora mayor. | | Un niño.

2. ¿Por qué va al pueblo los fines de semana?

| | Porque está cansado/a de la ciudad.

| | Porque no tiene dinero para ir a otro lugar.

| X | Porque quiere mantener el contacto con sus raíces.

3. Escribe tres cosas que hace en la plaza del pueblo. **Se junta con la familia y los amigos. Toma el aperitivo con sus primos. Por la noche sale con sus amigos.**

4. ¿En tu país la gente va también al pueblo los fines de semana? ¿Existe una costumbre parecida?

# Acción

## Hablas de tu entorno.

Seguramente vas a hablar de tu barrio, de tu ciudad o de tu pueblo con hispanos y lo vas a describir. ¿Cómo es tu barrio o tu ciudad? Pregunta a tu compañero y rellena esta ficha con su información.

¿En qué ciudad / pueblo vives?: ..............................................

¿Si es una ciudad, cómo se llama tu barrio?: .........................

¿Dónde está?: ..............................................................................

¿Cómo es?: ...................................................................................

¿Qué hay en tu barrio / ciudad?: Servicios públicos: ..............

comercios:.............................. centros culturales: ......................

polideportivo: .......................... piscina: ...................................

bares: ...................................... cines: .......................................

¿Cómo son las personas de tu barrio?: .....................................

......................................................................................................

¿Está bien comunicado?: ............................................................

......................................................................................................

¿Qué es lo que te gusta / no te gusta de tu barrio o tu ciudad? ¿Tiene algo

especial?: ......................................................................................

......................................................................................................

# Ámbito Público

## Indicas un itinerario turístico por tu ciudad.

**Vamos a aprender a:**
indicar una dirección.

Lee este texto sobre Madrid y escribe el nombre de los edificios históricos.

300 metros

(5) El museo del Prado

(4) La plaza de Cibeles

800 metros

500 metros

(2) La plaza Mayor

100 metros

(3) La Puerta del Sol

(1) El Palacio Real

Museo del Prado
Prado Museum

Jardín Botánico
Botanical Gardens

Casón del Buen Retiro
Buen Retiro Exhibition Hall

Fundación Thyssen
Thyssen Foundation

**Un itinerario por el centro de Madrid: desde el Palacio Real hasta el Museo del Prado a pie.**
(1) El Palacio Real está en la Plaza de Oriente. Enfrente está el Teatro Real y detrás los Jardines de Sabatini.
(2) La Plaza Mayor está cerca, a unos 500 metros. Desde la Plaza Mayor, todo recto por la calle Mayor, se llega a la (3) Puerta del Sol. A 10 minutos está la (4) Plaza de Cibeles. A la derecha de la fuente está el Banco de España, y a la izquierda la Casa de América. No muy lejos, en el Paseo del Prado, está el (5) Museo del Prado.

## 1

**Competencia funcional: preguntar por una dirección e informar.**

## ¿Dónde está?

**a.** Escribe debajo de los dibujos la expresión adecuada.

### Las direcciones

A la derecha
A la izquierda
Todo recto
Al final
Lejos
Cerca
Enfrente
Detrás
En...

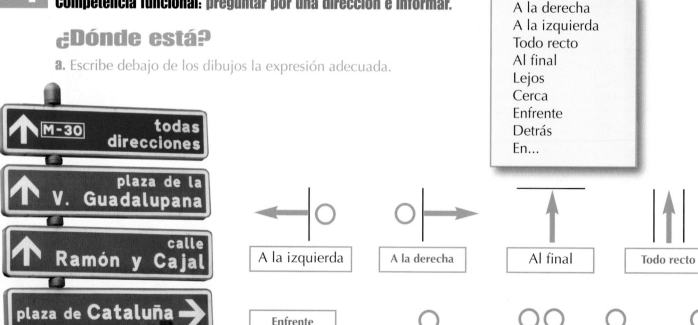

M-30 todas direcciones

plaza de la V. Guadalupana

calle Ramón y Cajal

plaza de Cataluña →

| A la izquierda | A la derecha | Al final | Todo recto |

| Enfrente | | | |

| Detrás | Cerca | Lejos |

# ¿A dónde quieren ir los turistas?

**b.** Lee las preguntas, escucha el diálogo y marca con una cruz.

1. ¿Qué buscan?:

[   ] un supermercado

[ X ] la Plaza Mayor

[   ] la calle Mayor

2. ¿Dónde está?:

[ X ] lejos

[   ] cerca

[   ] a 5 minutos a pie

3. ¿Cómo se va?:

[   ] todo recto

[ X ] por varias calles

4. ¿Por dónde pasa?:

[ X ] por la plaza de Cibeles

[   ] por el parque del Retiro

5. ¿Qué hacen?

[   ] Van directamente

[ X ] Preguntan otra vez

# ¿A dónde vas?

**c.** Completa el esquema.

## PEDIR Y DAR INFORMACIÓN

**Pedir información**

| Usted | Tú |
|---|---|
| Oiga | Oye |
| Por favor | Por favor |
| Perdone / Perdón | Perdona |
| Muchas gracias | Muchas gracias |

¿Hay un/a... por aquí cerca?

¿Dónde está/n el/la/los/las...?

**Dar información**

| Usted | Tú |
|---|---|
| Sigue | /sigues todo recto |
| Toma | /tomas la primera a la derecha |
| Cruza | /cruzas el puente |
| Gira | /giras a la izquierda |
| Va | /vas a la derecha/a la izquierda |

(La farmacia) está lejos / cerca

Primero, sigues todo recto, luego..., después...

O sea, que... / Entonces...

# De vacaciones en Madrid.

**d.** Imagina que estás de vacaciones en Madrid. Pregúntale a tu compañero cómo se va a uno de estos lugares. Luego él te pregunta a ti.

- El Museo del Prado.
- La Puerta de Alcalá.
- Las Cibeles.

Escribe con tu compañero el diálogo y represéntalo delante de la clase.

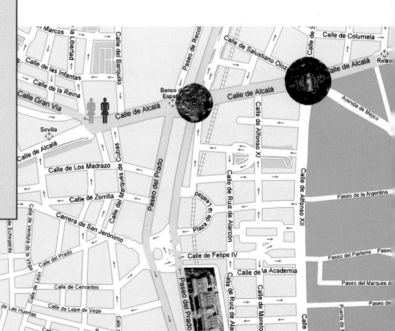

Paseo de La Castellana

Avenida General Perón

...se

za.C. Trias Bertrán

93

## 2 Competencia léxica: los establecimientos públicos y comerciales.

# ¿Dónde hay un estanco?

**a.** Si necesitas hacer estas cosas, ¿a dónde vas? Relaciona.

1. Para comprar aspirinas          a. a la panadería.
2. Para comprar pan                b. a la farmacia.
3. Para comer                      c. al estanco.
4. Para sacar dinero        voy    d. al restaurante.
5. Para comprar sellos             e. al cajero automático.
6. Para comprar comida             f. a la librería.
7. Para comprar libros             g. al supermercado.

1. b, 2. a, 3. d, 4. e, 5. c, 6. g, 7. f

| La contracción del artículo | Para + infinitivo |
|---|---|
| a + el = **al**<br>de + el = **del** | Expresa la finalidad<br>*Trabajo **para ganar** dinero* |

## España está de moda.

**b.** Hay algunos nombres imprescindibles en el comercio español a nivel internacional. ¿Los conoces? ¿A qué se dedican? Relaciona.

a.

b.  LLADRÓ

c. **telepizza®**

d. ZARA

e. CAMPER

d. ☐ Tienda de ropa de precio medio y buen diseño.
c. ☐ Empresa de pizza a domicilio.
e. ☐ Fabricante de zapatos.
a. ☐ Grandes almacenes.
b. ☐ Fabricante de figuras de porcelana.

¿Hay alguna de estas marcas en tu país? ¿Compras en estos establecimientos?

## 3 Competencia gramatical: los verbos irregulares *ir, seguir, hacer* y las preposiciones con medios de transporte.

## Sigues todo recto y....

**a.** Observa y completa el esquema.

| Ir | Seguir | Hacer |
|---|---|---|
| *Voy* | *Sigo* | *Hago* |
| Vas......... | Sigues...... | Haces...... |
| *Va* | *Sigue* | *Hace* |
| Vamos..... | *Seguimos* | *Hacemos* |
| *Vais* | Seguís...... | Hacéis..... |
| Van......... | Siguen..... | Hacen...... |

## ¿Y cómo se va?

**b.** Con tu compañero piensa en 5 lugares cerca de tu escuela de español. Sin decirle nada a tu compañero piensa en uno de los lugares. Él adivina qué lugar es:

*¿Cómo voy a ese lugar?*

*Pues mira, primero sigues todo recto, y después...*

## Los medios de transporte

| | |
|---|---|
| **Ir +** | **en** coche<br>**en** tren<br>**en** metro<br>**en** avión, etc.<br>**a** pie<br>**a** caballo |

# De Madrid a Roma.

**c.** Lee los ejemplos y completa el cuadro con la preposición adecuada.

> *Estas vacaciones voy **a** Italia a ver a unos amigos. Voy **en** coche **de** Madrid **a** Barcelona, **por** Zaragoza. En Barcelona dejo el coche y voy **en** barco **a** Roma.*

El Vaticano.

| ORIGEN → DESTINO | | VÍA | MEDIO |
|---|---|---|---|
| ir **de...** | **a** ... | por | en |

# El viaje de Juan por Extremadura.

**d.** Escribe un pequeño texto sobre el viaje que va a hacer Juan por Extremadura.
Escribe de dónde sale y a dónde va, en qué medio de transporte, y por dónde pasa.

Teatro romano de Mérida.

Dehesa extremeña

Cáceres

Juan va en coche de Madrid a Jaraiz de la Vera y de Jaraiz de la Vera a Hervás en autobús. Desde Hervás a Mérida va en bicicleta y pasa por Cáceres. De Mérida a Badajoz va en tren. De Badajoz a Jaraiz de la Vera va en autobús por Trujillo. En Jaraiz de la Vera, coge su coche y se va a Madrid.

 34 Ahora escucha y comprueba.

**4** **Competencia sociolingüística:** las formulas de cortesía en España e Hispanoaméric

# El concepto de cortesía.

**a.** Relaciona.

Patricia es peruana, Mauricio es colombiano, Liliana es argentina. Los tres coinciden en pensar que los españoles utilizan poco las fórmulas de cortesía, se expresan mucho en imperativo, casi nunca dan las gracias y no suelen pedir disculpas.

En Hispanoamérica se utilizan más frecuentemente estas fórmulas, mientras que en España no se considera maleducado expresar algunas cosas en imperativo y el trato, en general, es más "seco".

1. Para responder al agradecimiento:
2. Cuando te presentan a alguien:
3. Para pedir disculpas:
4. Para entrar en contacto:
5. Para expresar agradecimiento:

a. Gracias, muchas gracias.
b. De nada, no hay de qué.
c. Encantado/a.
d. Perdón, disculpe, lo siento.
e. Oiga, por favor, perdone.

## ¿Es igual en tu cultura?

**b.** Lee estos diálogos y di si en tu cultura las personas se expresan así normalmente. ¿Qué tienes que añadir para ser más cortés?

**En un bar**
• ¿Qué desea?
• Un café con leche.

**En la mesa en familia**
• ¿La sal?
• Toma.

**En un quiosco de prensa**
• ¿Me dice cuánto es?
• Uno veinte.
• Vale. Aquí tiene.
• Gracias.

**En la calle**
• ¿La Puerta del Sol?
• Todo recto.
• Vale, gracias.

**5** **Competencia fonética y ortográfica:** el sonido (y) y sus grafías (y) y (ll).

# La elle y la i griega.

**a.** Lee en voz alta estas palabras:

> calle, llamar, yo, ellos, ayer,
> calle Mayor, suyo, pollo,
> payaso, lluvia, yema, Yolanda.

**La elle y la i griega**

Como ves, la elle (ll) y la i griega (y) sirven para escribir el mismo sonido.

Este sonido varía mucho en diferentes zonas hispanohablantes, especialmente en la manera de hablar llamada "variante rioplatense", que se da en el Río de la Plata (Argentina, Uruguay y Paraguay).

# Variantes

35

**b.** Escucha las palabras de la actividad anterior pronunciadas por una persona rioplatense y por otra española y escríbelas en la columna correspondiente.

| VARIANTE RIOPLATENSE | VARIANTE PENINSULAR |
|---|---|
| calle, yo, ellos, suyo, pollo, yema | llamar, ayer, calle mayor, payaso, lluvia, Yolanda |
| | |

# Acción

## Indicas un itinerario turístico por tu ciudad.

Si vas a recibir a unas personas extranjeras que vienen a tu ciudad, vas a organizarles un itinerario. Diseña uno que se pueda hacer a pie. Incluye los edificios, parques, jardines o cosas interesantes.

Escribe un pequeño texto describiendo tu itinerario y las cosas importantes que contiene, como en el ejemplo de Barcelona.

## BARCELONA

Puerto Olímpico

Estadio Olímpico de Montjuic

Montjuic

Sagrada Familia.

Ramblas

Parque Güell

Mercado de La Boquería

# Ámbito Profesional

**Acción** Te ubicas en un centro comercial.

**Vamos a aprender a:**
leer un directorio.

Observa este directorio y completa con los establecimientos comerciales y profesionales.

## Edificio Las Vidrieras
### DIRECTORIO

**PLANTAS**

- **Primera planta:** abogados
- **Segunda planta:** clínica dental
- **Tercera planta:** agencia de viajes
- **Cuarta planta:** consulta médica
- **Quinta planta:** editorial

- **Sexta planta:** agencia de publicidad
- **Séptima planta:** peluquería
- **Octava planta:** academia informática
- **Novena planta:** estudio de arquitectura
- **Décima planta:** gabinete psicológico

GABINETE PSICOLÓGICO

ESTUDIO DE ARQUITECTURA

ACADEMIA INFORMÁTICA

PELUQUERÍA

AGENCIA DE PUBLICIDAD

EDITORIAL

CONSULTA MÉDICA

AGENCIA DE VIAJES

CLÍNICA DENTAL

ABOGADOS

---

**1**

**Competencia gramatical:** los números ordinales.

## En busca de una oficina.

**a.** Observa el directorio y completa las frases.

1. ¿Qué hay en la última planta? — (Hay) un gabinete psicológico.
2. ¿Dónde está la agencia de publicidad? — (Está) en la sexta planta.
3. ¿Qué hay en la primera planta? — (Hay) unos abogados.
4. En la cuarta planta está... — la consulta médica.
5. ¿Qué hay en la novena planta? — (Hay) un estudio de arquitectura.
6. En la séptima planta está... — la peluquería.
7. En la tercera planta está la... — agencia de viajes.
8. En la planta octava está... — la academia de informática.
9. En la segunda planta está la... — clínica dental.
10. ¿Qué hay en la planta número cinco? — (Hay) una editorial.

## ¿Cómo se escribe?

**b.** Observa el cuadro y completa las frases siguientes.

**ORDINALES**

| | | | |
|---|---|---|---|
| 1.º /1.ª | Primero*/a | 6.º/6.ª | Sexto/a |
| 2.º/2.ª | Segundo/a | 7.º/7.ª | Séptimo/a |
| 3.º/3.ª | Tercero*/a | 8.º/8.ª | Octavo/a |
| 4.º/4.ª | Cuarto/a | 9.º/9.ª | Noveno/a |
| 5.º/5.ª | Quinto/a | 10.º/10.ª | Décimo/a |

\* *primero* y *tercero* seguidos de un sustantivo masculino se transforman en *primer* y *tercer*. Ej: *Primer piso.*

1. ¿Vas a la (1) .primera. planta?
2. Nuestro equipo de fútbol está en (3) ..tercer... lugar.
3. El (1) .primer.. Ministro de Inglaterra es Tony Blair.
4. La zapatería está en el piso (1) .primero. .
5. En la (3) .tercera.. planta está la directora.
6. Soy la (10) .décima. en el maratón.
7. Los seis (1) primeros. clasificados tendrán un premio.
8. Juana y Raquel son las (6) ..sextas... en llegar a la meta.

## 2

**Competencia sociolingüística:** llamar la atención y dar información.

# Pides información.

**a.** Escucha los diálogos y clasifica las expresiones.

- **Perdone**, ¿la agencia de viajes Tursol, por favor?
- **Sí,** en el segundo piso a la derecha.
- ¿Y cómo voy?
- **Mire**, a la izquierda hay un ascensor.
- Gracias.

- **Oye, por favor.**
- **¿Sí?**
- ¿Hay una clínica veterinaria por aquí?
- **Sí, mira**, por aquí, a la derecha.
- Muchas gracias.

|  | informal | formal |
|---|---|---|
| Llamar la atención | Oye, por favor | Perdone |
| Responder a una llamada | ¿Sí? | Sí |
| Dar una explicación | Sí, mira | Mire |
| Agradecer | Muchas gracias* | Gracias* |

*gracias* y *muchas gracias* se utilizan tanto en situaciones formales como informales.

## ¿Oiga, por favor?

**b.** Mira este plano: en cada una de las situaciones estas personas explican cómo llegar a algunos de los lugares de la empresa. Con tu compañero, desarrolla los diálogos.

1. La recepcionista explica a un señor mayor cómo ir a ver al Director General.
2. La señora de la limpieza explica a la chica cómo ir a los servicios.
3. El secretario joven explica al señor mayor cómo ir a hacer fotocopias.
4. El Director explica a un becario joven cómo ir a la cafetería.
5. Una becaria explica a una señora mayor cómo ir al despacho de Dirección de Personal.

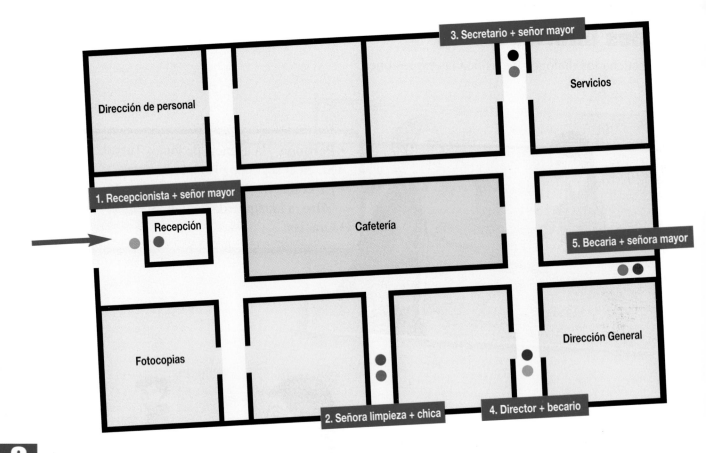

**3**

**Competencia léxica: los establecimientos comerciales y profesionales.**

## En una galería de arte.

**a.** Une cada palabra con su icono correspondiente.

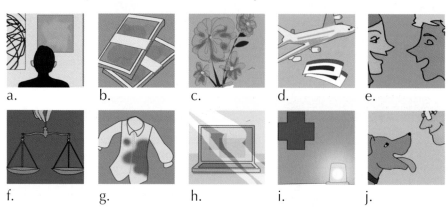

1. Una agencia de viajes **d.**
2. Un banco **b.**
3. Una escuela de idiomas **e.**
4. Una tienda de informática **h.**
5. Un hospital **i.**
6. Una clínica veterinaria **j.**
7. Una tintorería **g.**
8. Un despacho de abogados **f.**
9. Una floristería **c.**
10. Una galería de arte **a.**

# ¿Qué hay en tu calle?

**b.** ¿Qué establecimientos profesionales hay en tu calle o en la calle principal de tu ciudad?

**4**

**Competencia funcional:** situar los lugares según la distancia.

## Aquí, ahí o allí.

**a.** Observa las frases y completa el cuadro.

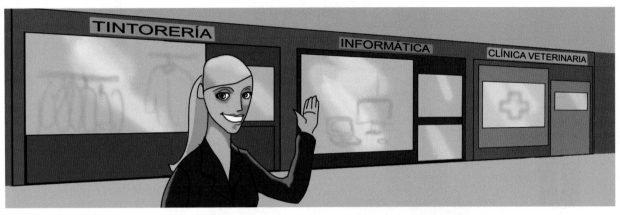

| | |
|---|---|
| **Aquí** está la tintorería. → | **Esta** es la tintorería. |
| **Ahí** está la tienda de informática. → | **Esa** es la tienda de informática. |
| **Allí** está la clínica veterinaria. → | **Aquella** es la clínica veterinaria. |

| muy cerca | a media distancia | lejos |
|---|---|---|
| *Aquí*............... | *Ahí* | *Allí*............... |
| *Este/a* + sustantivo | *Ese/a*............... | *Aquel/-la*........... |

## ¿Cerca o lejos?

**b.** Ayuda a esta persona e indícale dónde están estos establecimientos.

Floristería / Banco / Escuela de idiomas / Galería de arte / Agencia de viajes / Hospital

- Perdone, ¿sabe si hay una escuela de idiomas por aquí cerca?
- Sí, mire, hay una aquí en esta calle.
- ¿Y un banco?
- Sí, mire hay uno aquí.

- Por favor, ¿dónde está el hospital?
- Allí detrás de la plaza.
- ¿Y dónde hay una floristería?
- Ahí en la calle detrás del banco.

- Perdone, ¿está lejos la galería de arte?
- No, está cerca, aquí al final de la calle.
- ¿Y la agencia de viajes está cerca o lejos?
- Está lejos, allí a la derecha al final de la calle.

# ¿A la izquierda o a la derecha?

 **c.** Escucha el diálogo e identifica los establecimientos de este centro comercial.

Librería.  Farmacia.  Estanco.  Agencia de viajes.  Supermercad

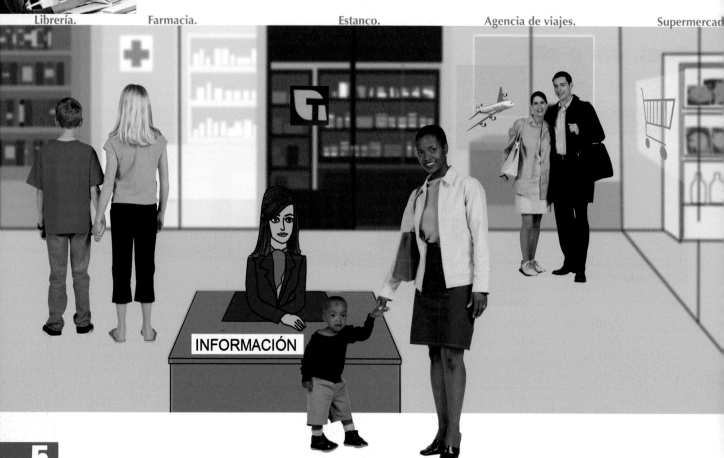

INFORMACIÓN

## 5 Competencia fonética y ortográfica: el acento en la antepenúltima sílaba.

## ¿Dónde está el acento?

 **a.** Escucha estas palabras y escríbelas en la columna correspondiente según el acento tónico.

| la última | la penúltima | la antepenúltima |
|---|---|---|
| – – – ´ | – – ´ – | ´ – – |
| sofá | gato | óptico |
| París | tampoco | rápido |
| color | | mágico |
| Aragón | | |

## La antepenúltima sílaba.

**b.** ¿Conoces más palabras como las de la tercera columna? Escríbelas.

> **La antepenúltima sílaba**
>
> Cuando las palabras tienen el acento tónico en la antepenúltima sílaba, siempre se escribe la tilde. Ejemplo: *simpático*.

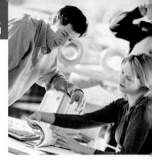

## Te ubicas en un centro comercial.

Quizás si viajas a un país hispanohablante, vas a ir a centros comerciales para hacer tus compras.
Lee este texto. ¿Crees que es verdad?

"El centro comercial, además de su actividad económica, es hoy un espacio de intercambio social y humano. Es, como la plaza del pueblo, un lugar de encuentro. Tiene un horario para los diferentes grupos de personas: familias, adolescentes, jóvenes, mayores, etc. Los comerciantes lo saben y organizan sus ofertas, promociones, exposiciones, para todos estos grupos".

Saber dónde están las cosas en un centro comercial no siempre es fácil. Aquí tienes el plano de un centro comercial. Piensa en las tiendas a las que quieres ir y pregunta en la oficina de información si hay o no hay y dónde están. Tu compañero te explica dónde están.

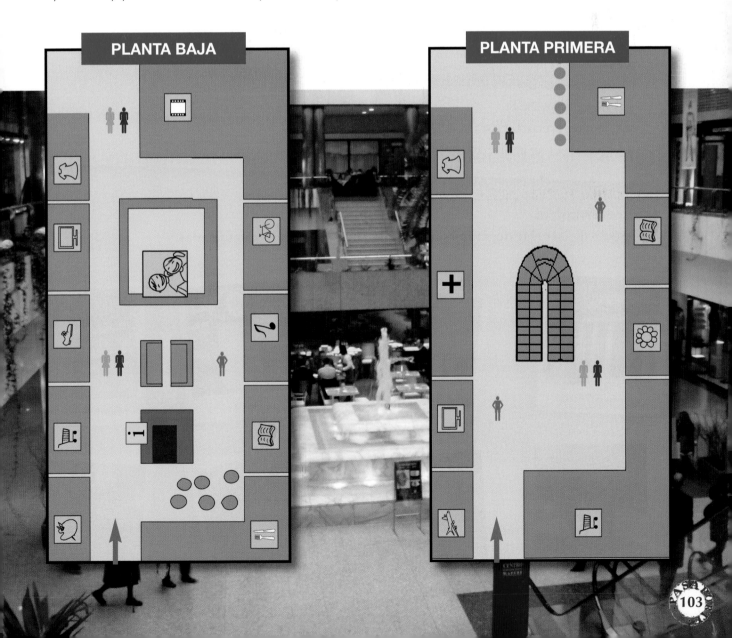

# De Madrid al cielo

## 1 Un paseo por Madrid.
**a. Lee este texto.**

# MADRID

Madrid es una ciudad cosmopolita, acogedora, alegre y multicolor, pero también ruidosa y a veces estresante, por su ritmo rápido. Su población, de aproximadamente 4 millones y medio, es muy variada.

Madrid está en el centro geográfico de España, a 660 metros de altitud: es la ciudad más alta de Europa. Es la capital de España, sede de numerosas empresas e industrias, y tiene una activa vida comercial y cultural.

Madrid tiene una de las mayores pinacotecas de Europa (el Museo del Prado, y otros museos importantes como el Thyssen y el Museo Reina Sofía). También es muy bonito el Palacio Real, que está en la plaza de Oriente. Madrid tiene grandes espacios verdes, como el elegante Parque del Retiro, los Jardines de Sabatini, la Casa de Campo o El Pardo. En el centro de la ciudad están los barrios antiguos. La calle Serrano es una de las calles más elegantes de la capital, con muchas tiendas. Hay miles de bares de tapas, restaurantes donde comer su famoso cocido, más de 200 salas de cine, más de 50 teatros... La música y el arte son protagonistas cada noche.

Puedes llegar a cualquier sitio en una de sus 12 líneas de metro. El estadio de fútbol Santiago Bernabéu del Real Madrid es conocido internacionalmente.

Pero ante todo es importante saber que ninguna otra capital europea tiene un centro urbano con tanta gente por la noche: existe una ley no escrita que prohíbe dormir antes del amanecer.

## 2 Madrid, Madrid.
**a. Después de leer el texto, mira estas fotos de Madrid e intenta identificarlas.**

a.
Museo del Prado

b.
Palacio Real

c.
Metro

d.
Museo Reina Sofía

e.
Parque del Retiro

f.
Estadio Santiago Bernabéu

g.
Cocido

h.
Centro urbano de Madrid

# Cultura hispánica

## Cuatro barrios de Madrid.

**a.** Aquí tienes cuatro barrios de Madrid. Relaciona los textos con las fotos.

### La Latina
Barrio antiguo y popular
Calles estrechas y desordenadas
Muchos bares de tapas y vinos
Vida nocturna
Hermosas iglesias
Gran mercado de alimentos

### Barrio de Salamanca
Barrio de nivel social alto
Estructura urbanística muy ordenada
Comercios lujosos
Hoteles y restaurantes muy buenos
Parque del Retiro

b.

a.

c.

d.

### Paseo del Prado
Viviendas muy caras
Zona de oficinas y ministerios
Zona monumental
Bancos
Museos
Jardín Botánico
Barrio tranquilo

### Lavapiés
Barrio muy popular
Población de ancianos y jóvenes
Vivienda más barata
Integración cultural con inmigrantes
Salas de teatro alternativo
Vida nocturna

**b.** ¿Qué puedes hacer en cada uno de estos barrios? ¿Cuál te gusta más?

☐ Para vivir.
☐ Para comprar.
☐ Para ver arte.
☐ Para salir de noche.
☐ Para comer y beber.

**c.** ¿Conoces diferentes barrios de la capital de tu país? ¿Cómo son?

# Ámbito Académico

**Portfolio: evalúa tus conocimientos de español.**

Portfolio

**Después de hacer el módulo 4**

Fecha: ...............................................................

## Comunicación
- Puedo describir una ciudad o un barrio.
Escribe las expresiones:

- Puedo preguntar o informar a alguien sobre cómo llegar a un lugar.
Escribe las expresiones:

- Puedo situar los lugares según la distancia.
Escribe las expresiones:

## Gramática
- Sé usar *hay, está/n* y *muy / mucho*.
Escribe algunos ejemplos:

- Sé conjugar los verbos irregulares *ir, seguir, hacer* y sé utilizar las preposiciones con medios de transporte.
Escribe algunos ejemplos:

- Sé utilizar los números ordinales hasta el 10.°.
Escríbelos:

## Vocabulario
- Conozco el vocabulario relacionado con la ciudad.
Escribe las palabras que recuerdas:

- Conozco los nombres de los establecimientos públicos.
Escribe los que recuerdas:

- Conozco los nombres de los establecimientos profesionales.
Escribe las palabras que recuerdas:

### Nivel alcanzado

Insuficiente | Suficiente | Bueno | Muy bueno

* Si necesitas más ejercicios ve al punto 1 del Laboratorio de Lengua.

* Si necesitas más ejercicios ve al punto 2 del Laboratorio de Lengua.

* Si necesitas más ejercicios ve al punto 3 del Laboratorio de Lengua.

* Si necesitas más ejercicios ve al punto 4 del Laboratorio de Lengua.

* Si necesitas más ejercicios ve a los puntos 5 y 6 del Laboratorio de Lengua.

* Si necesitas más ejercicios ve al punto 7 del Laboratorio de Lengua.

* Si necesitas más ejercicios ve a los punto 2 y 8 del Laboratorio de Lengua.

* Si necesitas más ejercicios ve al punto 8 del Laboratorio de Lengua.

* Si necesitas más ejercicios ve a los punto 2 y 8 del Laboratorio de Lengua.

# LABORATORIO DE LENGUA
## Comunicación

### 1. Descripción de una ciudad.
**a. Lee estos textos y adivina de qué ciudades hablan.**

París

"Es la capital de un país europeo. Tiene un gran río. Hay muchas tiendas de moda y los restaurantes ofrecen una comida sofisticada. Tiene un barrio judío muy bonito, y también tiene unos museos espectaculares, uno de ellos es el museo de pintura más grande del mundo."

Ciudad de México

"Es una ciudad con muchísima población (8.7 millones), una de las más grandes del mundo. Tiene muchos monumentos, museos, parques y bellas avenidas. Hay también rascacielos junto a edificios de arquitectura colonial. La plaza más famosa se llama El Zócalo."

Barcelona

"Es una ciudad española, junto al mar Mediterráneo. Tiene un barrio antiguo gótico, con calles muy estrechas y otras zonas muy modernas. Tiene una iglesia modernista (la Sagrada Familia) y un parque muy famoso (el Parque Güell), diseñados por Gaudí."

**b. Haz con tu compañero una lista de ciudades que conoces tú y que conoce él. Después, cada uno prepara una descripción por escrito, y el otro adivina de qué ciudad se trata.**

### 2. Preguntar e informar sobre direcciones.
**a. Cada uno marca en un plano.**

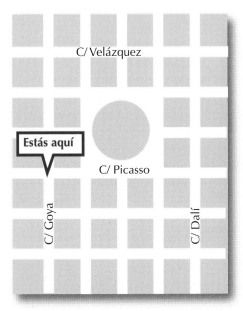

Un supermercado
Un hospital
Una papelería
Un estanco
Una panadería
Un restaurante
Una cafetería

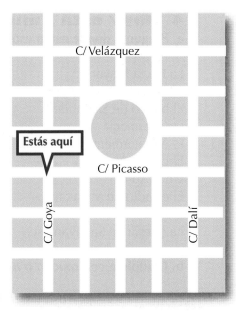

**b. Ahora cada uno pregunta a su compañero por la existencia de esos establecimientos y explica cómo llegar.**

## 3. Situar los lugares según la distancia.

### a. Relaciona.

1. Aquí.
2. Ahí.
3. Allí.

a. Aquellos son los señores García.
b. Esta es la señora Rodríguez.
c. Esos son mis compañeros de trabajo.

### b. ¿Qué responden María, Alberto y Guillermo a estas preguntas?

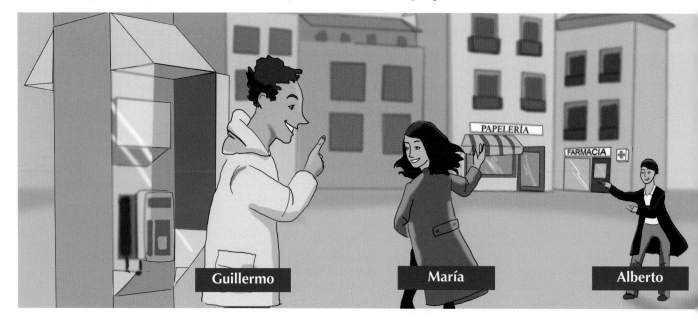

**¿Dónde está la papelería?**
María: Aquí
Alberto: Ahí
Guillermo: Allí

**Dónde está la farmacia?**
María: ....Ahí....
Alberto: ....Aquí....
Guillermo: ....Allí....

**¿Dónde está la cabina?**
María: ....Ahí....
Alberto: ....Allí....
Guillermo: ....Aquí....

## Gramática

## 4. Hay / está / muy / mucho.

### a. Pregunta dónde están estos lugares: utiliza hay o está(n).

| | |
|---|---|
| La Plaza Mayor | ¿Dónde está la Plaza Mayor? |
| Un banco | ¿Dónde hay un banco? |
| El banco de Santander | ¿Dónde está el banco de Santander? |
| Una farmacia | ¿Dónde hay una farmacia? |
| El Ayuntamiento | ¿Dónde está el Ayuntamiento? |
| El centro histórico | ¿Dónde está el centro histórico? |
| Un hospital | ¿Dónde hay un hospital? |
| El estadio de Maracaná | ¿Dónde está el estadio de Maracaná? |
| Un bar | ¿Dónde hay un bar? |
| La iglesia de San Francisco | ¿Dónde está la iglesia de San Francisco? |

### b. Completa con mucho o muy:

Quiero ir a Sevilla. Creo que es una ciudad ....muy.... interesante, con ....muchas.... cosas para ver.
En el centro de Madrid hay ....muchos.... cines: a los madrileños les gusta ....mucho.... ir al cine.

## 5. Verbos irregulares.

**a. Clasifica estos verbos según sean en la forma *tú* o *usted*.**

cruzas  sigue  giras
va  vas  gira  sigues
cruza  caminas
camina  haces  hace

| tú | usted |
|---|---|
| Cruzas, caminas, giras, vas, haces, sigues | Cruza, camina, gira, va, hace, sigue |

**b. Ahora completa.**

|  | CRUZAR | SEGUIR | IR | GIRAR | HACER |
|---|---|---|---|---|---|
| Yo | cruzo | sigo | voy | giro | hago |
| Tú | cruzas | sigues | vas | giras | haces |
| Usted, él, ella | cruza | sigue | va | gira | hace |
| Nosotros/as | cruzamos | seguimos | vamos | giramos | hacemos |
| Vosotros/as | cruzáis | seguís | vais | giráis | hacéis |
| Ustedes,ellos/as | cruzan | siguen | van | giran | hacen |

## 6. Las preposiciones con medios de transporte.

**a. Relaciona.**

1. Yo siempre voy...
2. Por la ciudad normalmente voy…
3. De mi casa...
4. Los fines de semana me gusta ir...
5. Por favor, ¿para ir

a. a la calle Mayor? ¿Se puede ir a pie?
b. a la escuela a pie, está muy cerca.
c. en coche a la montaña y allí dar un buen paseo en bicicleta.
d. al centro solo son diez minutos en autobús.
e. en metro, es más práctico.

1. b, 2. e, 3. d, 4. c, 5. a.

## 7. Los números ordinales.

**a. Escribe en qué lugar se encuentran los regalos de colores.**

*El regalo rojo está en primer lugar.*
*El regalo rosa..............................*

ROJO  AMARILLO  VERDE  AZUL  ROSA  NARANJA

## Vocabulario

El regalo rosa está en quinto lugar. El regalo amarillo está en segundo lugar. El regalo verde está en tercer lugar. El regalo azul está en cuarto lugar. El regalo naranja está en sexto lugar.

## 8. La ciudad y los establecimientos públicos y profesionales.

**a. Aquí tienes los iconos de algunos elementos de una ciudad. Escribe debajo de cada imagen la palabra correspondiente.**

a. la parada de autobús  b. la fuente  c. la piscina  d. el restaurante  e. el colegio  f. el quiosco  g. el supermercado  h. la plaza  i. el metro

j. la calle  k. la librería  l. el hospital  m. el cine  n. la iglesia  o. la farmacia  p. el parque  q. el banco  r. el museo

 **b. Escucha a Mario y marca los elementos de la ciudad que nombra.** h, b, p, n, f, o, q, d, a, e, g, m, c.

# Módulo 5

## Ámbito Personal

Escribes un correo electrónico para describir un día de vacaciones.
- **Competencia léxica:** los verbos de acciones cotidianas y las partes del día.
- **Competencia gramatical:** los verbos irregulares con diptongo E>IE, O>UE y los reflexivos en presente.
- **Competencia funcional:** hablar de la frecuencia.
- **Competencia fonética y ortográfica:** el sonido [g] y sus grafías (g), (gu).
- **Competencia sociolingüística:** las fiestas patronales.

## Ámbito Público

Explicas a un amigo lo que haces a diario.
- **Competencia sociolingüística:** los horarios comerciales.
- **Competencia funcional:** preguntar e informar sobre la hora.
- **Competencia léxica:** los días de la semana, los meses del año y las estaciones.
- **Competencia gramatical:** las preposiciones con expresiones de tiempo.
- **Competencia fonética y ortográfica:** los sonidos [x] y [g] y sus grafías (j) y (g).

## Ámbito Profesional

Redactas un cartel de anuncio de un evento.
- **Competencia léxica:** una feria.
- **Competencia funcional:** concertar una cita.
- **Competencia gramatical:** los pronombres personales sin y con preposiciones.
- **Competencia sociolingüística:** las formas de saludo.
- **Competencia fonética y ortográfica:** diptongos IE y UE y la hache.

## Cultura hispánica

Fiestas en España y en México.
- Las Fallas.
- La Noche de San Juan.
- La Fiesta de los Muertos en México.

## Ámbito Académico

Portfolio: evalúa tus conocimientos.
Laboratorio de Lengua: refuerza tu aprendizaje.

# hablar de acciones
# cotidianas

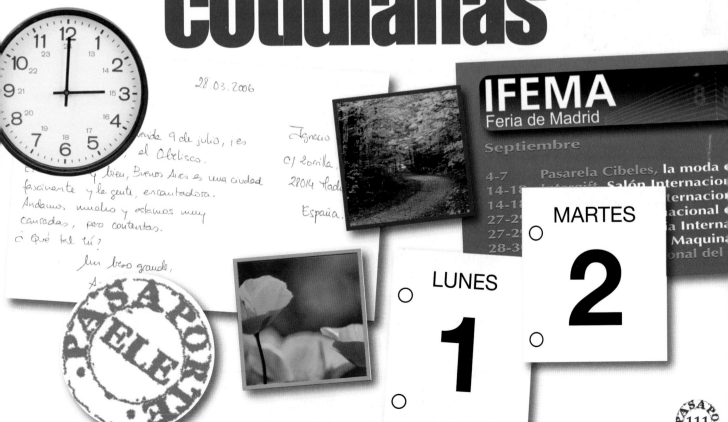

28.03.2006

Avenida 9 de julio, ¡es el Obelisco.

En fin y bien, Buenos Aires es una ciudad fascinante y la gente, encantadora. Andamos mucho y estamos muy cansadas, pero contentas.
¿Qué tal tú?

Un beso grande,
A.

Ignacio
C/ Zorrilla,
28014 Madrid
España.

**IFEMA**
Feria de Madrid

**Septiembre**

4-7    Pasarela Cibeles, la moda e
14-1   Intergift, Salón Internacion
14-1          Internacion
27-2          acional e
27-2        la Interna
28-3        Maquina
             onal del

**MARTES**
# 2

**LUNES**
# 1

# Ámbito Personal

**Escribes un correo electrónico para describir un día de vacaciones.**

**Vamos a aprender a:**
describir acciones cotidianas.

1. Mira esta postal:
¿sabes de qué ciudad es?
**Buenos Aires**

2. Es una postal...

☐ de felicitación por el cumpleaños, por la Navidad, otras fiestas.

☒ turística para contar un viaje.

☐ para dar las gracias por algo.

☐ para saludar.

3. Léela y responde a las siguientes preguntas.

¿Qué fecha tiene? **28.03.2006**
¿Quién la recibe? **Ignacio Robles Gil**
¿A qué dirección? **C/ Zorilla, 23 Madrid**
¿Les gusta Buenos Aires a Raquel y a Ana? ¿Por qué?
**Sí. Es una ciudad fascinante y la gente es encantadora.**

*28.03.2006*

Hola ¿qué tal?

Esta es la famosa Avenida 9 de julio, ¡es enorme! Al fondo, el Obelisco.
Estamos muy bien, Buenos Aires es una ciudad fascinante y la gente, encantadora.
Andamos mucho y estamos muy cansadas, pero contentas.
¿Qué tal tú?

un beso grande,
Ana y Raquel

Ignacio Robles Gil
C/ Zorilla, 23
28014 Madrid
España.

---

## 1

**Competencia léxica: los verbos de acciones cotidianas y las partes del día.**

## La rutina diaria.
El alumno tiene que decir en qué momento del día se hace cada cosa.

**a.** Relaciona la lista de palabras con los dibujos. Después observa el cuadro.

1. Levantarse. **e.**
2. Desayunar. **g.**
3. Pasear. **c.**
4. Visitar un museo. **b.**
5. Comer. **h.**
6. Ducharse. **d.**
7. Tomar algo. **i.**
8. Cenar. **a.**
9. Ver una película. **f.**

 a.

 d.

g.

b.

e.

h.

c.

f.

i.

**Las partes del día**

| Por la mañana | A mediodía | Por la tarde | Por la noche |
|---|---|---|---|
| d, g, e, (b). | h | b, c, f | a, i. |

# Un día en Buenos Aires.

**b.** Lee el correo electrónico y responde a las preguntas.

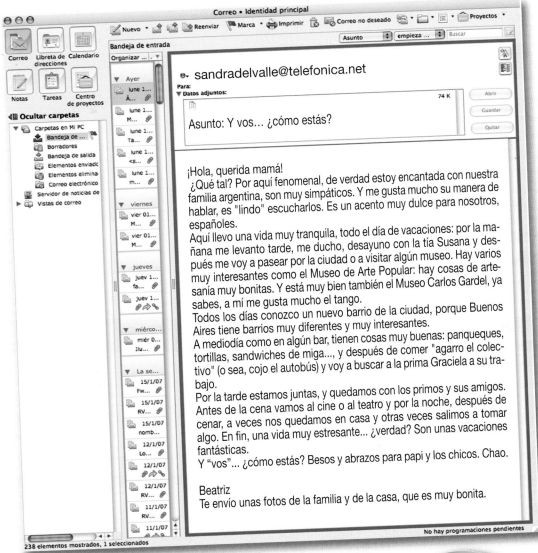

sandradelvalle@telefonica.net

Asunto: Y vos… ¿cómo estás?

¡Hola, querida mamá!
¿Qué tal? Por aquí fenomenal, de verdad estoy encantada con nuestra familia argentina, son muy simpáticos. Y me gusta mucho su manera de hablar, es "lindo" escucharlos. Es un acento muy dulce para nosotros, españoles.
Aquí llevo una vida muy tranquila, todo el día de vacaciones: por la mañana me levanto tarde, me ducho, desayuno con la tía Susana y después me voy a pasear por la ciudad o a visitar algún museo. Hay varios muy interesantes como el Museo de Arte Popular: hay cosas de artesanía muy bonitas. Y está muy bien también el Museo Carlos Gardel, ya sabes, a mí me gusta mucho el tango.
Todos los días conozco un nuevo barrio de la ciudad, porque Buenos Aires tiene barrios muy diferentes y muy interesantes.
A mediodía como en algún bar, tienen cosas muy buenas: panqueques, tortillas, sandwiches de miga..., y después de comer "agarro el colectivo" (o sea, cojo el autobús) y voy a buscar a la prima Graciela a su trabajo.
Por la tarde estamos juntas, y quedamos con los primos y sus amigos. Antes de la cena vamos al cine o al teatro y por la noche, después de cenar, a veces nos quedamos en casa y otras veces salimos a tomar algo. En fin, una vida muy estresante... ¿verdad? Son unas vacaciones fantásticas.
Y "vos"... ¿cómo estás? Besos y abrazos para papi y los chicos. Chao.

Beatriz
Te envío unas fotos de la familia y de la casa, que es muy bonita.

|  | V | F |
|---|---|---|
| 1. Beatriz es argentina. |  | X |
| 2. Beatriz es española y tiene familia en Argentina. | X |  |
| 3. Ahora Beatriz está en Argentina. | X |  |
| 4. Normalmente vive en Buenos Aires. |  | X |
| 5. Escribe un correo a su hermana. |  |  |
| 6. Buenos Aires no le gusta. |  | X |

# ¿Por la mañana o por la tarde?

**c.** Clasifica lo que hace Beatriz todos los días.

| Por la mañana | A mediodía | Por la tarde | Por la noche |
|---|---|---|---|
| *Me levanto tarde* me ducho, desayuno con la tía Susana, me voy a pasear o a visitar un museo. | Como en algún bar. Después de comer cojo el autobús y voy a buscar a Graciela. | Estamos juntas y quedamos con los primos y sus amigos. Vamos al cine o al teatro. | Nos quedamos en casa o salimos a tomar algo. |

## 2

**Competencia gramatical:** los verbos irregulares con diptongo E>IE, O>UE y los reflexivos en Presente.

## Me acuesto tarde.

**a.** Completa las formas de los verbos.

| E>IE | | O>UE | |
|---|---|---|---|
| **Empezar** | **Cerrar** | **Dormir** | **Poder** |
| emp**ie**zo | c**ie**rro....... | d**ue**rmo | p**ue**do....... |
| emp**ie**zas... | c**ie**rras.... | d**ue**rmes.... | p**ue**des..... |
| emp**ie**za | c**ie**rra.... | d**ue**rme.... | p**ue**de..... |
| empezamos | cerramos... | dormimos | podemos... |
| empezáis... | cerráis.... | dormís.... | podéis.... |
| emp**ie**zan | c**ie**rran.... | d**ue**rmen | p**ue**den..... |

Verbos como p**e**nsar, c**e**rrar, recomendar, com**e**nzar y despertarse cambian la **e** en **ie** en todas las personas excepto nosotros y vosotros.
Otros cambian la **o** en **ue** como m**o**rir, v**o**lver o ac**o**starse.

## Me levanto, me ducho, me visto...

**b.** Completa.

| Levantarse | Despertarse | Acostarse | Vestirse | Ponerse |
|---|---|---|---|---|
| Me levanto.......... | Me desp**ie**rto | Me acuesto.......... | Me v**i**sto | Me pongo |
| Te levantas | Te desp**ie**rtas........ | Te ac**ue**stas | Te vistes.............. | Te pones |
| Se levanta | Se desp**ie**rta......... | Se ac**ue**sta | Se v**i**ste............. | Se pone.............. |
| Nos levantamos | Nos despertamos | Nos acostamos....... | Nos vestimos | Nos ponemos........ |
| Os levantáis | Os despertáis | Os acostáis | Os vestís | Os ponéis........... |
| Se levantan | Se desp**ie**rtan | Se ac**ue**stan | Se visten | Se ponen............ |

## ¿Y tú qué haces?

**c.** Escucha e identifica las imágenes. Despúes relaciónalas con los verbos y di cuándo haces estas cosas.

a.
b.
c.
d.
e.

1. peinarse. **e.**
2. darse crema. **f.**
3. cortarse las uñas. **g.**
4. acostarse. **h.**
5. ponerse una chaqueta
6. pintarse. **d.**
7. vestirse. **c.**
8. secarse el pelo. **b.**
9. afeitarse. **a.**
10. ducharse. **j.**

f.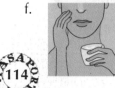
g.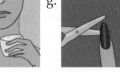
h.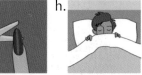
i.
j.

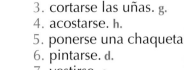

## ¡A jugar!

**d.** Tira el dado y di la forma correspondiente de los verbos del ejercicio c.

1 = yo               2 = tú               3= él/ella/usted
4=nosotros/as        5=vosotros/as        6= ellos/ellas/ustedes.

# 3

**Competencia funcional: hablar de la frecuencia.**

## El fin de semana.

**a.** Cuenta las cosas que haces el fin de semana.

LUN       MAR   MIÉRCOLES   VIE   JU   SÁBADO   DOMINGO

1   2   3   4   5   **6**   **7**

Levantarme tarde        Leer el periódico

## A veces...

**b.** Observa estas expresiones y clasifica las actividades de tu fin de semana y del de tu compañero según su frecuencia.

|  |  | tú | tu compañero/a |
|---|---|---|---|
| Muchas veces | + |  |  |
| A menudo |  |  |  |
| Normalmente |  |  |  |
| A veces | ↓ |  |  |
| Alguna vez |  |  |  |
| Casi nunca |  |  |  |
| Nunca | - |  |  |

# 4

**Competencia fonética y ortográfica: el sonido (g) y sus grafías (g) y (gu).**

## ¿Con ge o con ge y u?

**a.** Escucha estas palabras, escríbelas y pásaselas a la persona que tienes a la derecha para corregirlas, si es necesario. Al final, se escriben las palabras correctas en la pizarra.

gato

gato, guitarra, gobierno, guapo, guerra, guepardo, goma, guisante, guindilla, gusano, galleta, guirnalda, gol, guacamole, guardería, guía, guinda, Guinea, gafas, gota.

guinda

# El sonido (g).

**b.** Clasifica las palabras anteriores en los siguientes cuadros.

| El sonido (g) | | |
|---|---|---|
| **g** | **+** | a<br>o<br>u |
| **gu** | **+** | e<br>i |

## gato

gato, gobierno, guapo, goma, gusano, galleta, gol, guacamole, guardería, gafas, gota.

## guinda

guitarra, guerra, guepardo, guisante, guindilla, guirnalda, guía, guinda, Guinea.

**5**

**Competencia sociolingüística: las fiestas patronales.**

## De fiestas.

**a.** Lee e infórmate.

En todas las ciudades y pueblos de España hay, una vez al año, normalmente en verano, unos días de fiestas de la ciudad o pueblo. Muchos españoles aprovechan para volver a su pueblo de origen y participar en las fiestas.

*Traje típico madrileño.*

## La verbena.

**b.** Asocia las palabras con las imágenes.

a.

b.

c.

e.

d.

1. Banda de música. **b.**
2. Gigantes y cabezudos. **c.**
3. Comidas populares. **a.**
4. Fuegos artificiales. **e.**
5. Verbena. **d.**

## Las fiestas de mi pueblo.

**c.** Escucha a estas dos personas que hablan de las fiestas de su pueblo y anota las actividades. Escucha otra vez y escribe cuándo se hacen.

| Actividades | Cuándo |
|---|---|
| *Fuegos artificiales* | *por la noche* |

por la noche: Fuegos artificiales, Verbena con música
por la mañana: Bandas de música, gigantes y cabezudos, actividades y juegos para niños y adultos.
A mediodía: comida
Por la tarde: Bandas de música

# Acción

## Escribes un correo electrónico para describir un día de vacaciones.

Si vas de vacaciones, vas a escribir a tus amigos para contarles tu viaje.

Escribe un correo a un amigo describiendo tu día ideal de vacaciones: imagina que estás en un lugar maravilloso, en una situación agradable, con diferentes posibilidades... ¿Cómo empiezas el día? ¿Qué haces por la mañana, a mediodía, por la tarde, por la noche? ¿Cómo terminas el día? ¿Haces todos los días lo mismo? ¿Con qué frecuencia?...

# Ámbito Público

**Acción** **Explicas a un amigo lo que haces a diario.**

**Vamos a aprender a:**
hablar de los horarios y a decir la hora.

1. En estos establecimientos puedes hacer las cosas que están en la siguiente lista. Escríbelas debajo de la imagen correspondiente:

Comprar sellos.
Ir al dentista.
Comprar medicinas.
Sacar dinero, hacer pagos.
Comprar comida.

2. ¿Qué horarios tienen estos establecimientos en tu país?

Comprar medicinas

Sacar dinero, hacer pagos

Comprar sellos

Comprar comida

Ir al dentista

## 1

**Competencia sociolingüística:** los horarios comerciales.

## ¿Qué horario tienen?

**a.** Coloca cada uno de estos establecimientos junto al horario correspondiente.

una discoteca, un banco, un museo, un centro comercial, una pequeña tienda de alimentación de barrio.

Tienda de alimentación

Banco

Centro comercial

discoteca

Museo

de lunes a viernes: de 10.00 a 13.30 y de 17.00 a 20.00. Cerramos los sábados por la tarde y los domingos por descanso familiar.

De lunes a viernes de 08.30 a 14.00. De septiembre a mayo, jueves tarde hasta las 19.00 y/o sábados de 9.00 a 13.00. Pagos de facturas, de 9.00 a 11.00.

De lunes a sábado de 10.00 a 21.00. Abrimos a mediodía. Primer domingo de cada mes, de 10.00 a 14.00.

Viernes, sábado y domingo de 17.00 a 5.30.

Martes a sábado: 9.00-19.00. Domingos, festivos, 24 y 31 de diciembre: 9.00-14.00. Lunes: cerrado. Primer día de enero, Viernes Santo, 1 mayo y 25 diciembre: cerrado.

## ¿Tienes hora?

**b.** Hay dos maneras de decir la hora: una se utiliza en documentos escritos o en situaciones formales y la otra es más usual. Relaciona.

| 5. | **17:45** | 1. (son) las diecisiete cuarenta y cinco | a. (son) las doce y cuarto |
| 3. | **00:15** | 2. (son) las cero quince | b. (son) las seis menos cuarto |
| 6. | **13:00** | 3. (son) las trece | c. (son) las ocho y veinticinco |
| 1. | **14:30** | 4. (son) las catorce treinta | d. (son) las dos y media |
| 4. | **12:40** | 5. (son) las doce cuarenta | e. (es) la una menos veinte |
| 2. | **20:25** | 6. (son) las veinte veinticinco | f. (es) la una en punto |

Ahora escucha y numera las horas en el orden en que las oyes.

## 2

**Competencia funcional:** preguntar e informar sobre la hora.

## ¿Qué hora es?

**a.** Completa el esquema.

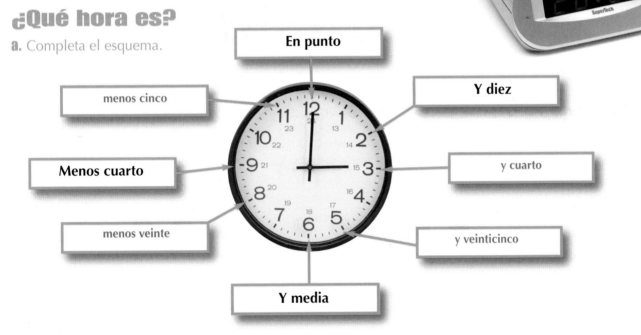

En punto
menos cinco
Y diez
Menos cuarto
y cuarto
menos veinte
y veinticinco
Y media

## Son las diez y media.

**b.** Di qué hora marca cada reloj.

a. **las doce y veinte**   b. **las diez menos cuarto**   c. **las cuatro y media**   d. **las cuatro menos cinco**   e. **las ocho y cuarto**

## Los horarios de la semana.

**c.** Escucha y completa la agenda con los horarios de las diferentes actividades de esta escuela.

| | LUNES | MARTES | MIÉRCOLES | JUEVES | VIERNES | SÁBADO | DOMINGO |
|---|---|---|---|---|---|---|---|
| 08:00 | | | | | | | |
| 09:00 | clase | | clase | clase | clase | | |
| 10:00 | clase | Museo de Artes Decorativas | | | | | |
| 11:00- 11:30 | pausa | | pausa | pausa | pausa | | |
| 12:00 | clase | | clase | clase | clase | | |
| 13:00 | clase | | | | | Excursión a Toledo | |
| 14:00 | | | Comer paella | | | | |
| 15:00 | | | | | | | |
| 16:00 | | | | | | | |
| 17:00 | | | | | | | |
| 18:00 | | | Programa cultural | | | | |
| 19:00 | | | | | | | |
| 20:00 | | | | | | | |
| 21:00 | | | | | | | |

# 3

**Competencia léxica:** los días de la semana, los meses del año y las estaciones.

## ¿Qué día de la semana?

**a.** ¿Sabes de dónde vienen los nombres en español de los días de la semana? Escribe al lado los nombres de los días en orden.

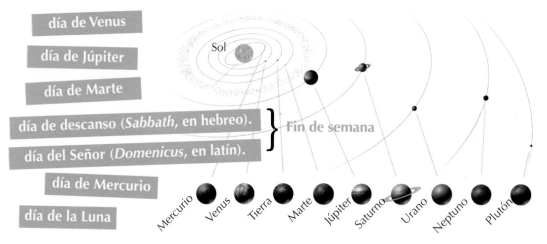

día de Venus

día de Júpiter

día de Marte

día de descanso (*Sabbath*, en hebreo).

día del Señor (*Domenicus*, en latín).

día de Mercurio

día de la Luna

} Fin de semana

Sol

Mercurio   Venus   Tierra   Marte   Júpiter   Saturno   Urano   Neptuno   Plutón

| Los días de la semana |
|---|
| Lunes (Luna) |
| Martes (Marte) |
| Miércoles (Mercurio) |
| Jueves (Júpiter) |
| Viernes (Venus) |
| Sábado (Sabbath) |
| Domingo (Domenicus) |

## Las estaciones.

**b.** Relaciona las imágenes con los nombres de las estaciones.

1. d, 2. c, 3. b, 4. a.

a. invierno

b. otoño

c. verano

d. primavera

# El calendario.

**c.** Ordena los meses del año y coloca al lado los nombres de las estaciones según el hemisferio en el que vives.

| | MESES DEL AÑO | ESTACIONES HEMISFERIOS | |
|---|---|---|---|
| | | SUR | NORTE |
| 1 | Enero | | |
| 2 | Febrero | Verano | Invierno |
| 3 | Marzo | | |
| 4 | Abril | | |
| 5 | Mayo | Otoño | Primavera |
| 6 | Junio | | |
| 7 | Julio | | |
| 8 | Agosto | Invierno | Verano |
| 9 | Septiembre | | |
| 10 | Octubre | | |
| 11 | Noviembre | Primavera | Otoño |
| 12 | Diciembre | | |

## 4 Competencia gramatical: las preposiciones con expresiones de tiempo.

## ¿Cuándo?

**a.** Lee estas frases y clasifícalas en la segunda columna. Después, completa las frases de la tercera columna.

1. Tengo clase **de** 9 **a** 13, **de** lunes **a** viernes.
2. Hay gente que se ducha **por** la noche, pero yo, normalmente, me ducho **por** la mañana.
3. El concierto empieza **a las** 9.
4. Quedamos **el** jueves.
5. **En** 2009 voy de viaje a la India.
6. Siempre tengo vacaciones **en** verano, **en** agosto.

| Hora a la que sucede algo | 3. | **a** las 9 de la mañana / noche |
|---|---|---|
| Partes del día | 2. | **por** la mañana / **por** la tarde / **por** la noche |
| Espacio de tiempo | 1. | **de** 9 **a** 12 / **de** lunes **a** viernes |
| Día de la semana | 4. | **el** lunes / **el** martes |
| Mes, estación | 6. | **en** marzo / **en** invierno |
| Año | 5. | **en** 2007 |

## La Alhambra de Granada

**b.** Completa el siguiente horario de visita a La Alhambra de Granada.

| HORARIO DE VISITAS | En otoño y en invierno de septiembre a febrero. | En primavera y en verano de marzo a julio. | En verano. en agosto. |
|---|---|---|---|
| | De martes a domingo: de 8.30 a 18.00. Cerrado **el** lunes. La taquilla abre **a las** 8.00. **Por** la noche. Viernes y sábados: de 20.00 a 21.30. | De martes a domingo: de 8.30 a 20.00. Cerrado **el** lunes. La taquilla abre **a las** 8.00. **Por** la noche. de martes a sábado: de 22.00 a 23.30. | **Por** la mañana de martes a domingo: de 8.00 a 14.00. Cerrado **el** lunes. La taquilla abre **a las** 8.00. **Por** la noche. de martes a sábado: de 22.00 a 23.30. |

## Visita de la Alhambra.

**c.** Lee el diálogo y complétalo.

LA ALHAMBRA DE GRANADA ES UN PRECIOSO CONJUNTO MONUMENTAL CONSTRUIDO POR LOS ÁRABES EN GRANADA

- Bueno, ¿cuándo vamos a la Alhambra? ¿Hoy?
- No, hoy no, no tenemos tiempo. Mejor vamos .el. miércoles por la mañana.
- ¿No quieres ver la Alhambra por la noche?
- Sí, claro, pero el horario es muy malo: abren .a. las diez de la noche.
- No, no, .a. las diez abren en verano. Ahora estamos .en invierno, podemos ir .a. las ocho de la tarde.
- Muy bien, pero en invierno no abren .el. miércoles por la noche. Vamos .el. viernes, entonces.
- ¡Tengo una idea! Vamos .el. miércoles por la mañana, .a. las 10, y vamos también .el. viernes por la tarde,.a. las ocho. Así vemos la Alhambra de día y de noche.
- ¡Qué buena idea!

## 5

**Competencia fonética y ortográfica: los sonidos [x] y [g] y sus grafías (j) y (g).**

### Identifica.

 44

**a.** Escucha y escribe en el cuadro el número correspondiente a la palabra que oyes.

| | | | | |
|---|---|---|---|---|
| 2. guitarra | 3. gitana | 14. guerra | 5. géminis | 11. gato |
| 7. justicia | 12. jota | 9. jamón | 10. germen | 6. gimnasio |
| 8. guisar | 13. jugar | 15. gestación | 1. sigue | 4. jueves |

### ¿Cómo se pronuncia?

44

**b.** Escucha otra vez y clasifica ahora las palabras según el sonido.

### ¿Recuerdas?

**c.** ¿Cómo es la regla para escribir?

| Sonido [x] | Sonido [g] |
|---|---|
| justicia, jota, jugar, jamón, jueves, gitana, gestación, géminis, germen, gimnasio | guitarra, guisar, jugar, guerra, sigue, gato |

| [x] | [g] |
|---|---|
| G + ... e, i | G + ... a, o, u |
| J + ... a, e, i, o, u | GU + ...e, i |

### ¿Cómo se escribe?

45

**d.** Escucha y escribe.

1. ....gorra....
2. ...jarrón...
3. ....guerra....
4. ....gusto....
5. ....guapo....
6. ....jabalí....
7. ....guiso....
8. ....guepardo....
9. ....dibujo....
10. ...pareja....
11. ...margarita...
12. ...juerga....
13. ...juego.....
14. .juventud...
15. .guisante...

# Acción

## Explicas a un amigo lo que haces a diario.

Con tus amigos hispanos, seguramente vas a hablar de tus costumbres.

**Siempre la misma canción,**

Haz preguntas a tu compañero sobre sus actividades en un día de trabajo en su vida normal y elabora su agenda:

¿A qué hora se levanta y se acuesta?

¿A qué hora desayuna, come, cena?

¿Qué horario de trabajo / estudio tiene?

¿Cómo son vuestros días, diferentes o similares? ¿Por qué?

¿Y en tu país?

¿Crees que tu horario es "típico" de tu país? ¿Qué hace la gente normalmente en tu país? Escribe un pequeño texto. Para ayudarte, observa este cuadro:

**Hacer generalizaciones**

La mayoría / la mayor parte de...
Algunos/as
Muchos/as
Pocos/as

MARTES

14

14
San Tarsicio

MARTES
Tuesday
Mardi
Dienstag

URGENTE / Urgent / Urgent / Dringend

08

09

10

11

12

13

14

15

16

17

18

19

20

*226/139*

Julio

|    |    |    |    |    |    | 1  |
|----|----|----|----|----|----|----|
| 2  | 3  | 4  | 5  | 6  | 7  | 8  |
| 9  | 10 | 11 | 12 | 13 | 14 | 15 |
| 16 | 17 | 18 | 19 | 20 | 21 | 22 |
| 23 | 24 | 25 | 26 | 27 | 28 | 29 |
| 30 | 31 |    |    |    |    |    |

# Ámbito Profesional

**Acción**  **Redactas un cartel de anuncio de un evento.**

**Vamos a aprender a:**

**actuar en una feria.**

¿Visitas ferias alguna vez? ¿Qué se hace allí? ¿Hay ferias importantes en tu país? ¿Cuáles son y a qué están dedicadas?

1. Mira este documento. ¿En qué fecha son las siguientes actividades?
- Un desfile de ropa de diseñadores españoles. **Del 4 al 7 de septiembre.**
- Una exposición de libros de editoriales españolas e hispanoamericanas. **Del 27 al 29 de septiembre.**
- Una exposición de zapatos. **Del 28 al 30 de septiembre.**
- Exposiciones de joyas: collares, anillos, relojes... **Del 14 al 18 de septiembre.**

**IFEMA**
Feria de Madrid

**Calendario 2007**

Miércoles 24 de Enero 2007

Feria de Madrid

**Septiembre**

| | |
|---|---|
| 4-7 | Pasarela Cibeles, **la moda española** |
| 14-18 | Intergift, **Salón Internacional del Regalo** |
| 14-18 | Iberjoya, **Salón Internacional de Joyería, Platería y Relojería** |
| 27-29 | Liber, **Feria Internacional del Libro** |
| 27-29 | Fer-Interazar, **Feria Internacional del Juego** |
| 28-30 | Saver, **Salón de la Maquinaria y Complementos para Jardines y Bosques** |
| 28-30 | Semana Internacional del Calzado, **zapatos de firmas españolas** |

## 1

**Competencia léxica:** una feria.

## En una feria.

IFEMA
**Feria de Madrid**

**a.** Relaciona las palabras con sus definiciones.

1. Expositor:
2. Visitante:
3. Pabellón:
4. Promocionar:
5. Distribuidor:
6. Sector:

a. salas de exposición de los productos.
b. dar publicidad a productos.
c. persona o empresa que expone productos en una feria.
d. persona que visita una feria.
e. empresas dedicadas a la misma actividad industrial.
f. persona que compra productos y los vende después a personas o empresas.

# Ven al SIMO.

**b.** ¿Qué tipo de evento describe la ficha técnica? ¿Qué aspectos te interesan? ¿Qué puedes hacer allí?

FICHA TÉCNICA SIMO TCI, FERIA INTERNACIONAL DE INFORMÁTICA, MULTIMEDIA Y COMUNICACIONES.

**Denominación:** SIMO TCI, Feria Internacional de Informática, Multimedia y Comunicaciones.
**Horarios:** De 10 a 19 todos los días. Domingo 14 de 10 a 15.
**Fecha:** 9-14 noviembre de 2007.
**Lugar de celebración:** Parque Ferial Juan Carlos I.

**Sectores:**
Expositores: 350 - Pabellones - 9.
TECNOLOGÍAS DE LA INFORMACIÓN.
Ordenadores, terminales, periféricos, consumibles, audiovisuales, electrónica.

TELECOMUNICACIONES.
Comunicaciones, telefonía móvil, redes, servidores y operadores.
E-BUSINESS-INTERNET, ELECTRÓNICA DE CONSUMO.

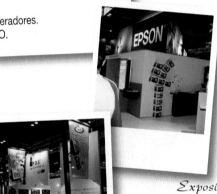

## 2

**Competencia funcional:** concertar una cita.

## Una cita profesional.

**a.** Escucha este diálogo y completa el cuadro con los datos de la cita.

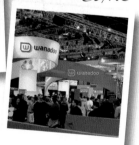

*Expositores en SIMO*

| Quiénes | Dónde quedan | Cuándo | Para qué |
|---|---|---|---|
| Carlos Bravo Marcos Blanco | en el *stand* | a las 7 de la tarde | hablar de una posible colaboración |

## ¿Quedamos?

**b.** Observa.

**PROPONER UN ENCUENTRO**
¿Podemos quedar esta misma tarde?
Me gustaría tener una cita con usted.

**ACEPTAR UNA CITA**
Sí, de acuerdo.
Sí, me viene bien.
Bien, entonces nos vemos el día... a las... en...

**CONCERTAR UNA CITA**
¿A qué hora nos encontramos?
¿Cuándo nos vemos?
¿Nos podemos reunir mañana a las...?
¿Qué le parece pasado mañana?

**RECHAZAR**
No, mañana no puedo.
No, a las... me viene mal. Mejor a las...

# ¿Qué vas a hacer después de clase?

**c.** Proponle a tu compañero/a hacer algo juntos/as y él/ella te propondrá algo también. Acepta o rechaza la propuesta.

> *¿Podemos quedar luego para ir al cine?*

> *Sí, de acuerdo.*

> *¿Podemos quedar luego para tomar algo?*

> *No, luego no puedo. Mejor mañana.*

## ¿Dónde, cuándo y para qué?

**d. Juego de roles:** ahora con tu compañero/a escribe y representa diálogos similares al anterior. Elige un personaje y represéntalo. Aquí tienes algunos datos para ayudarte.

| DÓNDE | CUÁNDO | PARA QUÉ |
|---|---|---|
| • En el stand 133<br>• En la cafetería<br>• En la recepción del hotel<br>• En el punto de encuentro<br>• En sus oficinas en Madrid | • Por la mañana<br>• Por la tarde<br>• A mediodía<br>• A las…<br>• Entre las… y las…<br>• De… a…<br>• Desde las… hasta las...<br>• Mañana<br>• Pasado mañana | • Negociar precios<br>• Recibir un pedido<br>• Discutir sobre la forma de colaboración<br>• Diseñar un plan de marketing |

### 1. Marcos Blanco y Joaquín Landa

Joaquín Landa es representante de Móviles S.A.
Para diseñar un plan de marketing.
Joaquín tiene tiempo a la hora de la comida (14.30) y Marcos tiene una cita hasta las 15.00.

### 2. Marcos Blanco y Paloma Cánovas

Paloma Cánovas es Directora de Compras de la empresa Consulting Ad Hoc.
La Sra. Cánovas quiere hacer un pedido de ordenadores.
No tiene tiempo nunca.

### 3. Marcos Blanco y la Sra. García

La Sra. García es directora de una empresa de informática.
No tiene tiempo hasta la semana próxima.
Quiere hablar con él para discutir sobre un acuerdo de colaboración.
Marcos está siempre ocupado por las mañanas.

### 4. Marcos Blanco y Patricia Jahncke

Ella es representante de una empresa proveedora de software.
Quiere enseñar su nuevo catálogo de productos.
La Sra. Jahncke vive fuera y solo puede quedar ese mismo día.
El Sr. Blanco tiene tiempo entre las 19.00 y las 19.45 y está él solo en el *stand*.

**3**

**Competencia gramatical: los pronombres personales sin y con preposiciones.**

## ¿Me ayudas?

**a.** Estas frases se dicen en el diálogo entre Marcos Blanco y Carlos Bravo.
**Me, lo, mí** son **pronombres personales**.
Ya conoces muchos: ¿puedes completar el esquema?

> *¿En que puedo ayudar**lo**?*

> *A las 5 **me** viene mal.*

> *Es muy ptonto para **mí**.*

## Pronombres personales

|  | Sin preposición | Con preposición |
|---|---|---|
| Yo | ¿**me** ayudas? | a, para **mí, conmigo** |
| Tú | ¿**te** ayudo? | a, para **ti, contigo** |
| Él, ella, usted | ¿en qué puedo ayudar**lo/la**? | a, para, con **él/ella/usted** |
| Nosotros/as | ¿**Nos** ayudas? | a, para, con **nosotros** |
| Vosotros/as | ¿**os** ayudo? | a, para, con **vosotros/as** |
| Ellos, ellas, ustedes | ¿en qué puedo ayudar**... /....**? | a, para, con **ellos/ ellas /ustedes** |

# ¿En qué puedo ayudarte?

**b.** Lee este diálogo, complétalo con los pronombres adecuados y después escucha y comprueba.

> *Tutear*
> hablar en forma de tú.

- Buenas días, señora. ¿En qué puedo ayudar.la.?
- Me gustaría hablar con usted.
- ¿Con.migo? ¿No prefiere hablar con el Sr. Giménez?
- No, no, creo que usted es la persona adecuada. El Sr. Giménez está demasiado ocupado.
- Bueno, pero es muy importante hablar con .él. Pero si prefiere, podemos quedar usted y yo.
- Por cierto, ¿podemos tutearnos? Para .mí. es más fácil, no soy una persona muy formal.
- Vale, nos tuteamos. ¿Cuándo podemos quedar? ¿.Te. viene bien esta tarde?
- Pues no, no .me. viene bien. ¿Qué tal mañana por la mañana?
- Sí, por la mañana .me. viene bien. ¿Qué .te. parece a las 10?
- Para .mí. es mejor a las 11.
- Bueno, pues quedamos a las 11.

b.

a.

## 4 Competencia sociolingüística: las formas de saludo.

# ¿Dar la mano o dar un beso?

**a.** Mira estas fotografías: ¿cómo se saludan estas personas? Imagina en qué situación están.
a. Situación formal de trabajo.  b. Amigos, compañeros.
c. Amigos, conocidos

## En España.

**b.** ¿Qué normas generales puedes deducir sobre la forma de saludarse en España? Escribe debajo de cada ilustración la situación a la que corresponde.

c.

1. entre mujeres: se conocen / no se conocen.
2. entre hombres: son familia / son amigos / no se conocen.
3. entre un hombre y una mujer: se conocen / no se conocen.

4. entre un adulto y un niño/a.
5. en situaciones formales.

5. situación formal

3. se conocen

2. familia o amigos

5. se conocen

5. situación formal

3. no se conocen

4. adulto y niño

4. adulto y niño

2. familia o amigos

2. no se conocen

En España, cuando las personas se conocen, se suelen dar besos (entre mujeres, mujeres y hombres). Entre hombres, se abrazan (c).

**127**

## En tu país.

**c.** ¿Son habituales estas fórmulas de saludo en tu país? ¿Cómo se saludan?

- Una persona mayor con un niño que acaba de conocer.
- Dos hombres, amigos.
- Dos hombres, hermanos.
- Dos ejecutivas.
- Un amigo y una amiga.

## La distancia entre dos personas.

**d.** Lee el siguiente texto.

"La distancia entre dos personas generalmente indica si las personas quieren o no establecer relación y comunicación, y es un componente de la cultura. Estos son los promedios de los espacios entre las personas según algunos estudios:
1. Íntimo 15 a 46 cm.
2. Personal 46 cm a 1.20 m.
3. Social 1.20 a 3.6 m.
Algunas investigaciones hablan de culturas de contacto y culturas de no contacto. Entre las culturas de contacto están los latinos, árabes y mediterráneos. En las culturas de no contacto están los norteamericanos, europeos del norte y asiáticos. El espacio personal en las culturas mediterráneas y, sobre todo en las latinoamericanas, es más pequeño. Hay una mayor cercanía, más contacto de los ojos y contacto físico".

## Acércate.

**e.** Junto con tus compañeros, prueba las distancias que te son cómodas para hablar con otra persona, y analiza eso respecto al texto de más arriba y a tus experiencias en otros países.

---

**5** **Competencia fonética y ortográfica:** los diptongos IE, UE y la hache.

## ¿Qué oyes?

 **a.** Escucha estas palabras y repítelas.

## ¿Cómo se escribe?

 **b.** Observa la regla, escucha otra vez y escribe las palabras.

1. bueno .........
2. puedo .........
3. tierno .........
4. fiesta .........
5. cuesta .........
6. miedo .........
7. suelo .........
8. pierna .........
9. empiezo .........
10. fuego .........
11. hielo .........
12. hierro .........
13. huerta .........
14. hueso .........
15. huelga .........

> **Regla**
>
> **ie** y **ue** se escriben con **h** cuando están al principio de la palabra (hiedra, huevo).

# Acción

## Redactas un cartel de anuncio de un evento.

¿Cuál es el evento más importante que se organiza en tu ciudad? ¿Una feria, una fiesta, una exposición, un evento deportivo, solidario, una feria profesional...?
Recopila toda la información y haz la ficha técnica.

## FICHA TÉCNICA

Nombre:
Fechas:
Expositores:
Lugar:
Sectores:
Público meta/visitantes

¿Qué gente, empresas, instituciones, participan en el evento?
¿Son expositores, visitantes...?
¿Cuál es el objetivo del evento? ¿Qué se puede hacer en ella?

# Fiestas en España y en México

¿De qué son estas fotos?   ¿Qué tipo de fiesta es?

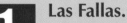

## 1  Las Fallas.

**a. Lee las siguientes preguntas, después lee el texto y responde a las preguntas.**

- ¿Dónde tienen lugar las Fallas? En Valencia.
- ¿Qué son las Fallas? Son figuras de papel y cartón pintado.
- ¿Cuándo son? Del 15 al 19 de marzo.
- ¿Cuánto duran? 4 días.
- ¿Qué lengua se habla en la Comunidad Valenciana, además del español o castellano? el Valenciano.

### LAS FALLAS

En la Comunidad Valenciana estamos de fiesta; la luz, el color y el fuego... sobre todo el fuego está presente durante unos días en las calles y plazas de Valencia. Te invitamos a conocer la fiesta más conocida internacionalmente, las Fallas.

Las fallas son unas figuras de papel, que se ponen en las calles. Se ponen más de 500, y tienen una altura de 10 a 15 metros, a veces, más. Se instalan el día 15 de marzo por la noche, y se queman el día 19 por la noche.

Las Fallas tienen un gran programa de fuegos artificiales. El más espectacular y conocido de todos es el de la "Nit del Foc" (en valenciano textualmente "noche del fuego").

(adaptado de http://fallas.comunitatvalenciana.com/fallas.htm)

Fallas.

## 2  La Noche de San Juan.

**a. Lee el texto e infórmate.**

El fuego está muy presente en la cultura mediterránea: además de las Fallas, se celebran fiestas con fuego el 28 de junio, día de San Juan, en el que se hacen grandes fuegos (hogueras). En muchas fiestas españolas se utiliza el fuego (fuegos artificiales, hogueras, etc.). El fuego tiene un significado de purificación o de limpieza.

Hogueras

**b. ¿Cómo es en tu cultura, en tu país o en la región en la que vives? ¿Qué fiestas hay en las que se usa el fuego?**

**c. ¿Cuándo se celebran? ¿Conoces otros ejemplos? Haz una lista de fiestas y compárala con las del resto de la clase.**

# Cultura hispánica

**La Fiesta de los Muertos en México.**

**a.** ¿Qué se hace en tu país el día de los Difuntos? ¿Ir al cementerio? ¿Hay alguna celebración de carácter religioso como rezar, ir a la iglesia, etc.?

**b.** Mira estas fotos del Día de los Muertos en México: ¿qué hay en ellas? ¿Qué crees que hace la gente en México en estos días?

El 2 de noviembre se celebra en muchos países del mundo el día de los Difuntos (o día de los Muertos). En este día se recuerda a familiares y amigos muertos.

1.

2.

3.

4.

**c.** Lee este texto y marca en él las partes que corresponden a las fotografías.

5.

### En México, el 1 y 2 de noviembre se celebra la Fiesta de los Muertos.

Durante estos días, los mexicanos recuerdan a sus difuntos, es una ocasión para reunirse con ellos.

Los muertos vienen de visita por la noche y sus familias los reciben. Para ellos se instalan "mesas de ofrendas". Son altares con una foto del muerto y en la mesa ponen sus

**1.** objetos favoritos (su comida preferida, sus juguetes, su tequila, su puro...) Los muertos vienen, están presentes, no comen, pero huelen las comidas.

**3. y 5.** La gente va al cementerio, pone flores en las tumbas, canta y toca música y después,

**4.** forma un camino de flores hasta la casa.

**2.** En las panaderías y las pastelerías hay calaveras de chocolate o de azúcar y cajas de muerto que se regalan a los amigos con sus nombres.

El objetivo de la fiesta es dar gusto al muerto, que vuelve una vez al año. Se trata de una fiesta en la que la muerte tiene un carácter positivo, alegre.

6.

**d.** ¿Cómo viven los mexicanos la Fiesta de los Muertos? ¿Es igual en tu cultura? ¿Hay otras fiestas de muertos que conoces en las que la muerte se ve desde una perspectiva positiva?

# Ámbito Académico

## Portfolio: evalúa tus conocimientos.

**Después de hacer el módulo 5**

Fecha: ....................................

### Comunicación
- Puedo situar temporalmente las acciones del día.
Escribe las expresiones:

- Puedo hablar de la frecuencia.
Escribe las expresiones:

- Puedo preguntar e informar sobre la hora y hablar del momento en que se realiza la acción.
Escribe las expresiones:

- Puedo concertar una cita.
Escribe las expresiones:

### Gramática
- Sé conjugar los verbos reflexivos.
Escribe algunos ejemplos:

- Sé conjugar los verbos irregulares con diptongp e>ie y o>ue.
Escribe algunos ejemplos:

- Sé utilizar las preposiciones para expresar tiempo.
Escribe algunos ejemplos:

- Sé utilizar pronombres personales sin o con preposiciones.
Escríbelos:

### Vocabulario
- Conozco los nombres de las estaciones y los meses del año.
Escríbelos:

- Conozco los verbos para hablar de acciones cotidianas.
Escribe los verbos que recuerdas:

**Nivel alcanzado**

Insuficiente Suficiente Bueno Muy bueno

* Si necesitas más ejercicios ve al punto 1 del Laboratorio de Lengua.

* Si necesitas más ejercicios ve al punto 2 del Laboratorio de Lengua.

* Si necesitas más ejercicios ve a los puntos 1 y 3 del Laboratorio de Lengua.

* Si necesitas más ejercicios ve al punto 3 del Laboratorio de Lengua.

* Si necesitas más ejercicios ve al punto 4 del Laboratorio de Lengua.

* Si necesitas más ejercicios ve al punto 5 del Laboratorio de Lengua.

* Si necesitas más ejercicios ve al punto 6 del Laboratorio de Lengua.

* Si necesitas más ejercicios ve al punto 7 del Laboratorio de Lengua.

* Si necesitas más ejercicios ve al punto 8 del Laboratorio de Lengua.

* Si necesitas más ejercicios ve al punto 9 del Laboratorio de Lengua.

# LABORATORIO DE LENGUA

## Comunicación

### 1. Expresa el momento en el que pasa algo.

**a.** Aquí tienes un extracto de programación de la televisión.
¿Qué programas hay? Clasifícalos en el cuadro.

| Noticiario | Película | Documental | Programa deportivo | Programa infantil |
|---|---|---|---|---|
| Informativo territorial (TVE 2). Noticias CNN+ (Canal +, 8:45, 14:50, 21:30) | Mar adentro (TVE 2) Toy story, Eres mi héroe y Al otro lado de la cama (Canal +) | Un paseo por la naturaleza (TVE 2) Cinco felinos y una cámara (Canal +) | Tenis. Copa Davis (TVE 2) NBA en acción, Fútbol mundial: Emisión 568, Más deporte: Emisión 75, NBA en acción: Emisión 4 (Canal +) | Los Lunnis y Los Picapiedra (TVE 2) Cine para niños: Toy Story (Canal +) |

## TELEVISIÓN ESPAÑOLA TVE 2

- **11.00 UN PASEO POR LA NATURALEZA**
SIERRA DE GUADARRAMA
*Un paseo tranquilo para conocer el paisaje, la fauna y la flora.*

- **13.30 TENIS. COPA DAVIS**
ESPAÑA - ESTADOS UNIDOS

- **17.30 LOS LUNNIS (infantil)**
- LOS LUNNIS. LA SERIE (R)
- LOS PICAPIEDRA (EPISODIO N.º 61)

- **20.00: INFORMATIVO TERRITORIAL**

- **20.30: PELÍCULA:**
      *MAR ADENTRO* (drama) Dir. A. Amenábar.

## CANAL +

| Hora | Género | Título |
|---|---|---|
| 07.04 | BALONCESTO | NBA en acción: Emisión 3 |
| 07.32 | FÚTBOL | Fútbol mundial: Emisión 568 |
| 08.45 | INFORMATIVO | Noticias CNN+ |
| 14.00 | DEPORTE | Más deporte: Emisión 75 |
| 14.50 | INFORMATIVO | Noticias CNN+ |
| 15.00 | COMEDIA | Cine para niños: Toy story |
| 16.30 | DRAMA | Cine: Eres mi héroe |
| 18.36 | NATURALEZA | Documental naturaleza: "Cinco felinos y una cámara" |
| 19.30 | BALONCESTO | NBA en acción: Emisión 4 |
| 21.30 | INFORMATIVO | Noticias CNN+: Guiñoles |
| 22.00 | COMEDIA ROMÁNTICA | CINE ESTRENO: Al otro lado de la cama |

**b. Ahora, contesta a las preguntas.**

1. ¿A qué hora son los programas infantiles?
.por la tarde, a las 15 y a las 17:30..................

2. ¿Y las películas? a las 20:30 (*Mar adentro*), a las 15:00 (*Toy story*), a las 16:30 (*Eres mi héroe*) y a las 22:00 (*Al otro lado de la cama*).

3. ¿Hay programas deportivos?
¿De qué hora a qué hora? ......................................
por la mañana, por la tarde y por la noche; de siete y cuatro a siete y treinta y dos (Baloncesto), de siete y treinta y dos a ocho cuarenta y cinco (Fútbol), de una y media a cinco y media (tenis), de dos a tres menos diez (Emisión 75), de siete y media a nueve y media (Baloncesto).

4. ¿Cuánto duran los noticiarios? ..............................
treinta minutos (Informativo Territorial), diez minutos (Noticias CNN+, de 14:50 a 15:00) y treinta minutos (Noticias CNN +, de 21:30 a 22:00)

### 2. Hablar de la frecuencia.

**CD**

**a.** Escucha esta encuesta y anota cúantas personas dicen que van muy a menudo, una vez a la semana, etc.

Muy a menudo ☐☐   Una vez a la semana ☐3   A menudo ☐2   A veces ☐

Pocas veces ☐2   Casi nunca ☐☐   Nunca ☐☐

**b. Ahora tú, responde: ¿qué haces en tu tiempo libre? ¿Con qué frecuencia...?**

¿Vas al cine?   ...................................................
¿Al teatro?   ...................................................
¿A discotecas?   ...................................................
¿A ver espectáculos deportivos?   ...................................................
¿A conciertos?   ...................................................

## 3. Concertar una cita.

**a. En tu contestador hay unos mensajes con propuestas para quedar esta semana. Escúchalo acepta o rechaza las propuestas y propón otra cosa.**

1. ...................................................
2. ...................................................
3. ...................................................

4. ...................................................
5. ...................................................
6. ...................................................

**14**
**Tu CD**

# Gramática

## 4. Verbos refexivos.

**a. Completa con el pronombre correcto.**

- Pues yo no **me** baño casi nunca. Normalmente **me** ducho. En otros países no es así, ¿no? Normalmente la gente **se** baña. Por ejemplo, en Inglaterra, hay muchos hoteles en los que solo hay baño y no ducha.
- ¿Tú crees? No estoy segura, vamos a preguntarle a George.
- George, ¿es verdad que vosotros en Inglaterra **os** bañáis y no **os** ducháis?
- Bueno, no sé, depende. Nosotros, en mi familia, **nos** duchamos, es más rápido. Además, es más ecológico. Pero no sé qué hace la gente de mi país. Y tú, ¿no **te** bañas nunca?
- Hombre, sí, algunas veces.

## 5. Verbos irregulares con diptongo: *e>ie* y *o>ue*.

**a. Completa.**

1. ¿A qué hora (acostarse, tú) ..**te acuestas**.. normalmente?
2. En mi empresa (empezar, nosotros) ..**empezamos**.. a trabajar a las 9.
3. Esta semana no (poder, nosotros) ..**podemos**.. ir a tu casa. ¿No (poder, tú) ..**puedes**.. venir a la nuestra?
4. Yo, a menudo, (soñar) ....**sueño**.... que no (poder, yo) ...**puedo**.... moverme.
5. (Yo, despertarse) ..**me despierto**.. muy pronto todos los días. ¿A qué hora (despertarse, vosotros) ..**os despertáis**..?
6. Vale, vamos de viaje a Gerona, si quieres. ¿Cuándo (volver, nosotros) ...**volvemos**...?
7. ¿Cuándo (comenzar, vosotros) ..**comenzáis**.. las vacaciones?
8. Yo (cerrar) ......**cierro**...... la oficina un momento y (volver, yo) ....**vuelvo**.... enseguida.

## 6. Preposiciones en expresiones de tiempo.

**a. Aquí tienes las actividades del Museo de América para el final de año.**

---

**MARTES - SÁBADO,** 9.30 - 15.00.

**DOMINGO Y FESTIVOS,** 10.00 - 15.00.

**CERRADO** todos los lunes del año, 1 de enero, 1 de mayo, 24, 25 y 31 de diciembre.

**ENTRADA GRATUITA:** domingos, 18 de mayo (Día Internacional de los Museos), 12 de octubre (Fiesta Nacional de España) y 6 de diciembre (Día de la Constitución Española).

---

**SÁBADO 7 DE OCTUBRE. 10.00.**
Visita al Museo de América dentro del ciclo de la Semana de la Arquitectura.
**29 DE OCTUBRE - 30 DE NOVIEMBRE. 10.00.**
ALTAR DE MUERTOS
**JUEVES, 30 DE NOVIEMBRE (TARDE) Y VIERNES, 1 DE DICIEMBRE (MAÑANA)**
JORNADAS SOBRE COMERCIO JUSTO Y FINANZAS ÉTICAS
Organizadas en colaboración con SETEM Madrid. Salón de Actos, entrada gratuita.

**VII CICLO DE MÚSICA AMERICANA**

**22 DE OCTUBRE. 12.00.**
LUIS MALCA CONTRERAS. Concierto de guitarra peruana.
**26 DE NOVIEMBRE. 12.00.**
Presentación de la Asociación hispano-argentina "MAGERITANGO". Música, canciones y bailes...
TODO TANGO
Entrada gratuita hasta completar aforo.

---

**b. Responde a las preguntas.**

1. ¿Cuándo se puede visitar el Museo? Por la mañana.
2. ¿Qué horario tiene? De martes a sábado de 9:30 a 15:00; domingos y festivos, de 10:00 a 15:00.
3. ¿Cuándo cierra? Todos los lunes del año, el 1 de enero, el 1 de mayo, el 24, el 25 y el 31 de diciembre y dos festivos locales.
4. ¿Cuándo es el día de la Constitución? El 6 de diciembre.
5. ¿En qué meses hay actividades musicales? En octubre y noviembre.
6. ¿Cuándo es la visita al museo dentro del ciclo de Arquitectura? El sábado 7 de octubre.
7. ¿A qué hora? A las 10.
8. ¿Cuándo son las jornadas sobre el comercio justo? .................... ¿Y el tango? ....................¿A qué hora?
　　8. El jueves, 30 de noviembre y el viernes, 1 de diciembre. El tango, el 26 de noviembre a las 12.

## 7. Los pronombres.

**a. Elige la opción correcta.**

| | | | |
|---|---|---|---|
| 1. Toma, es para...... | ☐ tú | ☒ ti | ☐ te |
| 2. ¿..... ayudamos? | ☐ Vos | ☐ Vosotros | ☒ Os |
| 3. ¿Vienes ........? | ☒ con nosotros | ☐ con nos | ☐ nos |
| 4. No, no es mío, es de ..... | ☐ le | ☐ ello | ☒ él |
| 5. Un momento, voy ..... | ☐ con te | ☐ con tú | ☒ contigo |
| 6. Señora, ¿.... ayudo? | ☐ les | ☐ ella | ☒ la |
| 7. Marta piensa mucho en ..... | ☒ mí | ☐ me | ☐ yo |
| 8. ¿..... acompañas? | ☐ Nosotras | ☐ Nosotros | ☒ Nos |

# Vocabulario

## 8. Las estaciones y los meses.
**a. Escribe el nombre de las 4 estaciones del año: y después escribe los nombres de los meses en la estación correspondiente.**

 a.
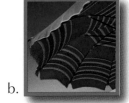 b.
 c.
 d.

**HEMISFERIO SUR**

a. Primavera: octubre, noviembre, diciembre.

b. Verano: enero, febrero, marzo.

c. Otoño: abril, mayo, junio.

d. Invierno: julio, agosto, septiembre.

**HEMISFERIO NORTE**

a. Primavera: abril, mayo, junio.

b. Verano: julio, agosto, septiembre.

c. Otoño: octubre, noviembre, diciembre.

d. Invierno: enero, febrero, marzo.

## 9. Verbos de acciones cotidianas.
**a. Nacho hace estas cosas todos los días. Escribe un pequeño texto ordenando las acciones.**

> levantarse　　comer　　volver a casa　　ver la tele　　acostarse　　afeitarse
> ir al trabajo　　ducharse　　desayunar　　lavarse los dientes

*Primero se levanta, después...*

# Módulo 6

## Ámbito Personal

**Acción**

Quedas con amigos.
- **Competencia funcional:** quedar.
- **Competencia gramatical:** *ir a* + infinitivo, *pensar* + infinitivo, *querer* + infinitivo.
- **Competencia léxica:** el ocio.
- **Competencia sociolingüística:** quedar y excusarse.
- **Competencia fonética y ortográfica:** el acento en los monosílabos.

## Ámbito Público

**Acción**

Te informas y das información sobre destinos turísticos.
- **Competencia léxica:** los atractivos turísticos.
- **Competencia funcional:** comparar.
- **Competencia gramatical:** las estructuras comparativas.
- **Competencia sociolingüística:** los españoles y las vacaciones.
- **Competencia fonética y ortográfica:** la *eme*, la *ene* y la *eñe*.

## Ámbito Profesional

**Acción**

Hablas por teléfono y conciertas una cita.
- **Competencia léxica:** el teléfono.
- **Competencia funcional:** hablar por teléfono.
- **Competencia sociolingüística:** pautas para una conversación telefónica.
- **Competencia gramatical:** *estar* + gerundio, *acabar de* + infinitivo.
- **Competencia fonética y ortográfica:** los sonidos [r] y [͡r] y las grafías (r) y (rr).

## Cultura hispánica

El español y la música.
- Tu estilo de música.
- Tango, salsa y flamenco.
- Por sevillanas.

## Ámbito Académico

Portfolio: evalúa tus conocimientos.
Laboratorio de Lengua: refuerza tu aprendizaje.

# hablar de planes
# y proyectos

# Ámbito Personal

 **Acción**

## Quedas con amigos.

**Vamos a aprender a:**
quedar con amigos.

Lee esta página de la *Guía del Ocio* y responde a las preguntas.

- ¿Qué hace Paco de Lucía? ¿Y Rafael Amargo?

- ¿Cómo se llama la película de estreno?
  *Alatriste*

- ¿De qué época histórica trata?
  **La España del siglo de Oro**

- ¿Cuánto cuesta una entrada de cine?
  **5 €**

- ¿A qué horas se puede ver la película?
  **19 h y 21:40 h**

- ¿Qué es un *spa*?
  **Salud por el agua**

- ¿Cuánto cuesta la entrada?
  **12 €**

- ¿Qué es Haiku?
  **Un local de música y baile**

Paco de Lucía: guitarrista. Rafael Amargo: bailaor.

**Más de 226.000 personas comparten tus gustos en supermotor.com**

→clubocio  Regístrate en Club Ocio y podrás ganar muchos premios

**Elige una provincia**
Madrid

**Elige un tema**
Portada

IR

**CANALES**
> Cine
> Conciertos
> Viajes
> Hoteles
> ClubOcio

**SERVICIOS**
> SMS Restaurantes
> Móvil Ocio
> Encuentros
> e-tienda

**Música**

**La guitarra flamenca de Paco de Lucía y el baile emotivo de Rafael Amargo se unen en un espectáculo inolvidable.**
Fecha: 1 de octubre de 2007.
Lugar: Sala Caja Segovia, Carmen, 2.
Hora: 21.00. Precio taquilla: 12 y 20 €.

**Noche**

**Haiku**

Un aire de modernidad en la noche segoviana. Este local abre sus puertas a las cuatro de la tarde para tomar el primer café en un ambiente tranquilo. Por la noche se anima con la música y la gente baila.

**Salud**

*Spa* **El Alcázar**

Un nuevo centro de hidroterapia abre sus puertas en el corazón de la ciudad. Piscinas de agua fría y caliente, sala de reposo, masajes y todos los servicios que necesita para relajarse y sentirse bien.
Dirección: Daoiz y Velarde, 3.
Sesión de una hora: 12 €.

**Cine**

*Alatriste*

Con una increíble ambientación, donde conviven personajes históricos y literarios, el aventurero Alatriste nos hace conocer la España del Siglo de Oro.
Cinebox Luz de Castilla
Sesiones: 19.00 y 21.40.
Entrada: 5 €.

---

# 1

## Competencia funcional: quedar.

# ¿Qué hacemos este fin de semana?

 **49**

**a.** Escucha el diálogo e indica en la *Guía del Ocio* qué van a hacer.
Marca verdadero (V) o falso(F).

|  | V | F |
|---|---|---|
| 1. Van a ir a comer a un restaurante. |  | X |
| 2. No quieren ir al cine, están muy cansados. |  | X |
| 3. Van a llamar a Alberto para ir juntos. | X |  |
| 4. Alberto va a ir a bailar a Haiku. |  | X |
| 5. No van a reservar en el *spa*, no es necesario. | X |  |

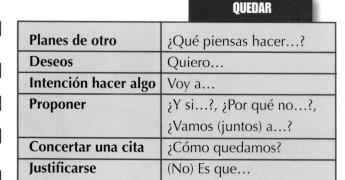

# ¿Cómo quedamos?

**b.** Escucha otra vez el diálogo y complétalo con las palabras que faltan.

- Por fin es viernes. ¡Qué semana tan dura! ¿Qué ....*piensas*..... hacer este fin de semana?
- No sé. ¿.....*Quiero*..... hacer algo diferente? ¿.*Vamos a*.. un *spa*?
- Muy bien. ¿Vamos por la mañana?
- Es que .....*voy a*...... ir a comer a casa de mis padres. Es el cumpleaños de mi madre. Mejor por la tarde, después de comer.
- Pero en el cine está *Alatriste* y la ....*quiero*..... ver.
- Bueno, pues yo voy a comer con mis padres, después vamos al *spa* y, por la noche nos vamos al cine.
- Vale. ¿....*Cómo quedamos*....?
- Pues, me vienes a buscar a casa.
- ........*Vale*........ . Oye, ¿...*Invitamos*.... a Alberto? .....*Es que*..... está muy triste.
- Muy bien, pues entonces reservo tres entradas.

## 2

**Competencia gramatical:** *ir a* + infinitivo, *pensar* + infinitivo, *querer* + infinitivo.

# Voy a ir al cine.

**a.** Observa el cuadro y completa.

| Indicar un tiempo futuro | |
|---|---|
| **Dentro de** | + cantidad de tiempo |
| **El / La próximo/a** | + semana, mes, año... |
| **Hoy, mañana, pasado mañana** | |

| Expresar planes futuros |
|---|
| **Ir a** + infinitivo |
| Voy........................... |
| Vas |
| Va.............................. |
| Vamos....................... |
| Vais |
| Van............................. |

# ¿Qué les va a pasar?

**b.** Mira las imágenes, piensa qué va a pasar y escribe frases como en el ejemplo.

> Dentro de unas semanas va tener a su primer hijo.

 1.  2.  3.  4.

# Piensa en tu futuro.

**c.** Haz una lista de tus planes (pueden ser realistas o no). Infórmate de los de tu compañero.

> Oye, Hans, ¿piensas viajar alguna vez a Hispanoamérica?

> Pues sí, sí quiero ir.

> ¿Y cuándo?

> No sé, pienso ir un día, pero no sé cuándo.

> Pues yo voy a ir el próximo año a Perú.

| HABLAR DEL FUTURO | |
|---|---|
| - **Contar un plan** | *Ir a* + infinitivo |
| - **Indicar una intención** | *Pensar* + infinitivo |
| - **Expresar un deseo** | *Querer* + infinitivo |
| - **Preguntar por el momento en que se va a hacer** | *¿Cuándo vas a...?* |

# El ocio de los españoles.

**a.** Escoge uno de los dos temas: espectáculos o deportes, y haz las actividades.

1. Relaciona las actividades con los iconos.

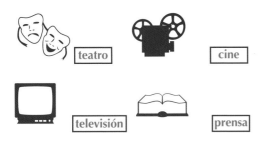

teatro

cine

televisión

prensa

2. Haz un pequeño informe de los intereses de los españoles.

A la mayoría de los españoles…
Muy pocos…
Las películas que más…

3. Presenta los resultados al resto de la clase.

| ESPECTÁCULOS | |
|---|---|
| **CINE** | **140.700.000** |
| **Espectadores** | 13,51% |
| Películas españolas | 86,49% |
| Películas extranjeras | |
| **TEATRO** | **10.975.500** |
| **Espectadores** | |
| **PRENSA** | |
| **Porcentaje de personas que leen la prensa** | |
| Periódicos (en España hay 90 diarios) | 37,4% |
| Dominicales: revistas especiales de los domingos | 29,5% |
| Revistas | 51,4% |
| **TELEVISIÓN** | |
| **Personas que ven la televisión a diario** | **89,9%** |
| **Personas que van al cine semanalmente** | **10,2%** |

**DEPORTES**
Porcentaje de personas que practican sobre la población total

| | |
|---|---|
| Fútbol | 39,74% |
| Ciclismo | 5,04% |
| Pesca | 3,49% |
| Kárate | 3,42% |
| Tenis | 2,57% |
| Ajedrez | 2,49% |
| Judo | 2,25% |
| Golf | 1,14% |
| Baloncesto | 0,66% |
| Balonmano | 0,20% |
| Otros deportes | 1,49% |

Fuente: datos adaptados del INE (Instituto Nacional de Estadística).

# El ocio en clase.

**b.** Elige deportes o espectáculos y pregunta a tus compañeros sobre sus aficiones. Escribe un pequeño informe sobre la clase. Después todos juntos hacemos el informe de "el ocio de mi clase".

# La noche del sábado.

**c.** Lee el texto y marca si es verdadero (V) o falso (F).

# Madrid Noche ▶ ▶ ▶ ▶ ▶ ▶ ▶ ▶ ▶ ▶ ▶ ▶ ▶

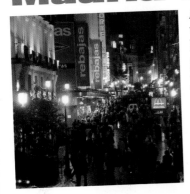

A los españoles les gusta mucho pasar su tiempo libre fuera de casa. Los jueves y los viernes y, especialmente, los sábados por la noche las ciudades están llenas de vida. Muchos aprovechan para ir al cine, después cenar de tapas e ir a bares, cafés y discotecas para pasar una larga noche con los amigos. Otros prefieren ir a cenar a un restaurante y después pasar una noche de largas tertulias en cafés y *pubs*. Se dice que solo en la ciudad de Madrid hay tantos bares como en toda Europa. La vida social de los españoles se realiza esencialmente en los bares: se toma el aperitivo antes de comer (entre la 13.30 y las 15.30), se celebran los cumpleaños, se merienda por la tarde (17.30 - 18.30), se toman tapas (entre las 20.00 y las 22.00), se cena en restaurantes (entre las 21.30 y las 23.30) o se va a los *pubs* hasta las 3 de la mañana, hora a la que normalmente cierran. Las discotecas están abiertas hasta más tarde.

| | V | F |
|---|---|---|
| 1. Los españoles solo salen a los bares los sábados por la noche. | | X |
| 2. La vida social se hace principalmente en bares y restaurantes. | X | |
| 3. Una costumbre es tomar "tapas", compartir raciones en los bares. | X | |
| 4. Los españoles van a los bares muy tarde. | X | |
| 5. Todos los bares están cerrados entre las 24:00 y la 1:00. | | X |
| 6. Otros europeos van a los bares tanto como los españoles. | | X |
| 7. Los españoles o van al cine o van de bares. | | X |

## ¿Y tú?

**d.** Explica qué diferencias y similitudes hay con tu país.

**4** **Competencia sociolingüística: quedar y excusarse.**

## Ya te llamaré.

**a.** Escucha los diálogos y marca en cuáles hacen una cita.

 1. [X]
 2. [ ]
 3. [X]
 4. [ ]

## ¿Quedamos o no?

**b.** Ahora observa las expresiones y clasifícalas en el cuadro.

*A ver si nos vemos un día.*

*Sí, sí. Ya te llamaré. Hasta luego.*

*¿Por qué no nos vamos a dar un paseo?*

*No, lo siento. Es que no puedo.*

*Muy bien, ¿cómo quedamos?*

| Despedirse | Proponer un encuentro | Aceptarlo y quedar | Excusarse |
|---|---|---|---|
| Sí, sí. Ya te llamaré. Hasta luego | A ver si nos vemos un día. ¿Por qué no nos vamos a dar un paseo? | Muy bien, ¿cómo quedamos? | No, lo siento. Es que no puedo. |

## ¿Es igual en tu lengua?

**c.** Lee el texto y di las diferencias.

En cada lengua hay expresiones propias de la forma de ser de una sociedad y que, quizás, no hay en otras lenguas. Por ejemplo, en español es muy frecuente despedirse anunciando un próximo encuentro, "A ver si nos vemos un día", "Hasta luego", o una llamada, "Ya te llamaré", que no se van a producir nunca. Es una forma de mostrar cortesía cuando te despides, para no ser muy directo. También, cuando nos proponen hacer algo y no queremos, para no herir la sensibilidad de la otra persona, nos excusamos con "Lo siento, pero no puedo", "Es que...".

## ¿Por qué? y porque.

**d.** Lee estas frases y relaciona el significado.

| | | |
|---|---|---|
| 1. ¿Por qué no vamos al cine? | a. ¿Por qué? | I. Sirve para justificarse. |
| 2. Es que no tengo tiempo. | b. ¿Por qué no…? | II. Sirve para explicar una causa. |
| 3. ¿Por qué estás tan cansado? | c. Porque | III. Sirve para preguntar por una causa. |
| 4. Porque tengo mucho trabajo. | d. Es que | IV. Sirve para proponer hacer algo. |

## Ahora tú, excúsate.

1. b. IV, 2. d. I, 3. a. III, 4. c. II.

**e.** Te ofrecen estas actividades, pero tú no quieres. Excúsate.

1. ¿Por qué no vamos esta tarde al Centro Cultural? Hay una conferencia sobre bioquímica. ........................

2. ¿Y si vamos a tomar algo? Quiero presentarte a mi prima Eulalia. ........................

3. ¿Te apetece ver las fotos de mis vacaciones? ........................

4. Me he comprado un coche nuevo. ¿Quieres verlo? ........................

## ¿Nos vemos?

**f.** Revisa tu agenda de esta semana y propón actividades a tus compañeros. Puedes utilizar alguna de las propuestas que te damos. Ellos también te propondrán otras. Acepta, rechaza y concreta las citas que quieras.

## 5

**Competencia fonética y ortográfica: la acentuación de los monosílabos.**

## ¿Con acento o sin acento?

**a.** Observa la regla.

> **Los monosílabos**
>
> Los monosílabos (palabras de una sola sílaba) no se acentúan, excepto para diferenciarlos de otras palabras que se escriben igual.

## ¿Te gusta el té?

**b.** Relaciona las palabras con su significado y con el ejemplo.

1. Te    a. bebida    I. ¿Quieres una taza de **té**?
2. Té    b. pronombre    II. **Te** quiero mucho.

3. Que    a. pregunta    I. Esta es la película **que** más me gusta.
4. Qué    b. relativo    II. ¿**Qué** quieres hacer?

5. Él    a. artículo    I. A mí me gusta mucho **el** teatro.
6. El    b. pronombre    II. **Él** no quiere venir con nosotros.

7. Sé    a. verbo *saber*    I. **Se** levanta a las 7.
8. Se    b. pronombre reflexivo    II. No **sé** su nombre.

# Acción

## Quedas con amigos.

Si vas a un país hispano, seguro que vas a salir. Observa esta oferta cultural y de ocio y organiza un fin de semana. Habla con tus compañeros para hacerlo juntos.

**Más de 226.000 personas comparten tus gustos en supermotor.com**

→clubocio — Regístrate en Club Ocio y podrás ganar muchos premios

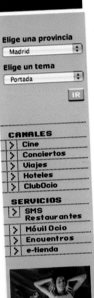

**Elige una provincia**
Madrid

**Elige un tema**
Portada

IR

**CANALES**
> Cine
> Conciertos
> Viajes
> Hoteles
> ClubOcio

**SERVICIOS**
> SMS
  Restaurantes
> Móvil Ocio
> Encuentros
> e-tienda

**Musical**
*Hoy no me puedo levantar*
Tercera temporada.
El espectáculo musical del grupo Mecano bate records en taquilla. Música pop para una noche mágica.
Lugar: Teatro Movistar, Gran Vía, 54.
Horario: 24.00 – 3.20.
Precio: 20-40 €.

© EL DESEO D.A.S.L.U.

Pedro Almodóvar vuelve a sorprender con *Volver*, un melodrama lleno de humor. Una mujer tiene que tomar decisiones sobre su vida mientras los fantasmas del pasado vuelven a su presente.
Precio: (sábados, domingos y festivos): 6,2 euros ; (Todos los días): 6 euros ; primera sesión (lunes, martes, miércoles, jueves, viernes): 4,5 euros.
Pases: de lunes a domingo: 16.00, 18.10, 20.20, 22.30.

**Picasso 2006**
Para celebrar el 125 aniversario del nacimiento del pintor, el Museo Picasso ofrece una exposición única. Ven a conocer a este artista internacional.
Lugar: Museo Picasso.
Horario: de martes a sábados de 10.00 a 19.00, domingos de 10.00 a 14.00.
Lunes, cerrado.
Precio: entrada gratuita.

**URUMEA**
Los sabores caseros de siempre en una casa de comidas tradicional.
Tipo de cocina: casera
Especialidad: merluza frita.
Precio: de 35 a 50 euros.

**ZOO – ACUARIO**
Un paseo por el mundo animal. Apto para niños.
Horario: de lunes a viernes de 11 a 18. Sábado y domingo de 11 a 19. Las taquillas cierran 30 minutos antes.
Precio: adultos: 14,90 euros; niños de 3 a 7 años y tercera edad: 12,20 euros y menores de 3 años, gratis.

*Metamorfosis*
Visión de La Fura dels Baus sobre la obra de Franz Kafka para abrir nueva temporada en el CDN (Centro Dramático Nacional).
Lugar: Teatro María Guerrero.
Horario: de martes a sábado a las 20.30., domingo a las 19.30. Lunes cerrado.
Precio: 11 a 18 euros.

# Ámbito Público

**Acción** Te informas y das información sobre destinos turísticos

**Vamos a aprender a:**
elegir destinos turísticos.

España es un destino turístico privilegiado.

Este es un anuncio de la Red.
¿Qué ofrecen? **Diferentes destinos de playa**

Relaciona esta información con cada una de las ofertas:

- Lugar para practicar el *surf* en playas de dunas. **Cádiz**
- Ideal para tomar algo en un bar junto a la playa. **Málaga**
- En una isla en el océano Atlántico. **Tenerife**
- De día, playa; de noche, diversión, marcha. **Ibiza**

## Turespaña

**ESPAÑA**

### Tenerife

Huye de la península y pon el océano por medio, seguro que no te encuentran.
Hotel 3* desde 26 euros.
Vuelos desde 59 euros.

### Ibiza

Vístete de blanco, escóndete en la playa y aprovecha la noche para moverte.
Hotel 3* desde 56 euros.
Vuelos desde 26 euros.

### Málaga

Ocúltate en un chiringuito tras tus gafas de sol y camúflate con un buen bronceado.
Hotel 3* desde 50 euros.
Vuelos desde 24 euros.

### Cádiz

Mantente horizontal, detrás de alguna duna de arena, o disfrázate de surfero para que no te reconozcan.
Hotel 3* desde 50 euros.
Vuelos desde 25 euros.

## 1

**Competencia léxica: los atractivos turísticos.**

## Lo que hay que ver.

**a.** Relaciona las imágenes con las palabras.

1. Ruina **h.**
2. Catedral **d.**
3. Plaza **c.**
4. Acueducto **e.**
5. Museo **j.**
6. Fuente **g.**
7. Edificio moderno **f.**
8. Centro comercial **b.**
9. Parque natural **a.**
10. Zoológico **i.**

a.
b.
c.
d.
e.
f.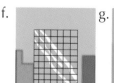
g.
h.
i.
j.

# Y tú, ¿qué buscas?

**b.** Cuando viajas, ¿qué te interesa ver? Explícalo.

> A mí me gustan las grandes ciudades y sus avenidas. Veo sus edificios modernos o sus monumentos clásicos.

Eliges dos opciones:
Me gusta *lo clásico* **y** *lo moderno*.

Eliges una opción entre varias:
¿Prefieres *lo clásico* **o** *lo moderno*?

**Competencia funcional: comparar.**

## ¿Toledo o Segovia?

**a.** Lee estos textos y responde a las preguntas.

## TOLEDO
### Un viaje en el tiempo

**Comunidad:** Castilla-La Mancha
**Habitantes:** 59.600
**Altitud:** 529 m
**Distancias:** Madrid: 71 km

Toledo es uno de los centros más importantes de la historia medieval española. Pero también un centro turístico y de ocio vivo e interesante.

**Sus monumentos.**
**En la época romana:** Circo Romano y Acueducto.

**En la época musulmana:** la Mezquita del Cristo de la Luz, la Vieja Puerta de la Bisagra (antigua muralla árabe).

**En la época de la Reconquista:** convivencia de tres culturas: judíos, árabes y cristianos. Iglesias como el Cristo de la Vega, la de San Vicente, San Miguel, Santiago del Arrabal o Santo Tomé y la Catedral gótica; sinagogas como Santa María la Blanca y El Tránsito.

**A partir del siglo XV:** El Hospital de Santa Cruz es el primer edificio renacentista, hoy un museo de Bellas Artes, Arqueología y Artes decorativas. De estilo Barroco son la Iglesia de San Juan de los Jesuitas, y las obras del Greco en la Casa y Museo del Greco. Y llegamos al Alcázar, símbolo de Toledo, "Villa imperial".

**Gastronomía**
Lo mejor y más tradicional de la cocina típica de Toledo... el cordero asado o guisado, el cuchifrito, y la perdiz con judías o estofada.

**Fiestas y Folclore**
La fiesta más conocida de Toledo es el Corpus Christi, cuando se saca en procesión la Custodia del s. XVI de su Catedral. En agosto son las fiestas de la Virgen del Sagrario, de carácter muy popular.

## SEGOVIA
### Capital del cordero

**Comunidad:** Castilla y León
**Habitantes:** 52.600
**Altitud:** 1.000 m
**Distancias:** Madrid: 87 km

**Paseo desde el acueducto al alcázar**
Salimos desde el acueducto romano, el más importante de España, y seguimos por la Calle Real, la calle principal de la ciudad, por la que subimos hasta la Plaza Mayor, un interesante conjunto arquitectónico de edificios civiles del XV y XVI. Al final de este paseo se encuentra el Alcázar.

**La Plaza de San Martín**
Destaca la Iglesia de San Martín y edificios como la Casa de los Solier y la Casa de Bornos y el Torreón de Lozoya, pero también, con buen tiempo, los bares y restaurantes con terrazas animados por los conciertos de *jazz*, música popular o títeres. Junto a la plaza está el Museo de Arte Contemporáneo Esteban Vicente, la Cárcel Real, hoy Biblioteca Pública, y la Antigua Sinagoga mayor.

**Gastronomía**
Famoso en el mundo entero es su cochinillo y su cordero asado, sus judiones de La Granja y, de postre, el ponche segoviano (tarta de bizcocho y crema).

**Fiestas y Folclore**
San Pedro y San Pablo, el 28 de junio, es una popular fiesta en la calle que da la bienvenida al verano. También es famosa su fiesta de San Lorenzo, donde se puede ver el baile de la jota segoviana.

*Segovia*

- ¿Qué ciudad está más cerca de Madrid? Toledo
- ¿Cuál está a más altitud? Segovia
- ¿Cuál tiene más lugares que visitar? Toledo
- ¿Cuál tiene una oferta gastronómica más conocida? Segovia
- ¿Qué ciudad tiene más habitantes? Toledo
- ¿Cuál tiene el acueducto más importante? Segovia

145

# ¿Qué me recomiendas?

**b.** Escucha ahora este diálogo y relaciona.

| | | | | |
|---|---|---|---|---|
| Toledo | **más** | Interesante y atractiva | **que** | Toledo |
| | **menos** | Historia | | |
| | **tan** | Restaurantes | **como** | Segovia |
| Segovia | **tanto(s)** | Grande | | |
| | | Lejos | | |

Segovia es tan interesante y atractiva como Toledo.
Toledo tiene más historia que Segovia.
Toledo tiene tantos restaurantes como Segovia.
Toledo es más grande que Segovia.
Segovia está más lejos que Toledo.

## 3

**Competencia gramatical: las estructuras comparativas.**

## Y tú, ¿cuál prefieres visitar?

**a.** Despúes de leer los textos y escuchar el audio, compara las dos ciudades y decide cúal te gusta más.

*Segovia es menos conocida que Toledo*

*Segovia tiene tantos restaurantes como Toledo*

| | Verbo | Sustantivo | Adjetivo |
|---|---|---|---|
| + | Más que | Más... que | Más... que |
| - | Menos que | Menos... que | Menos... que |
| = | Tanto como | Tantos/as ...como | Tan... como |

## En una oficina de información turística

**b.** Aquí tienes informaciones sobre dos destinos turísticos en España. Trabajas en una oficina de información turística. Tu compañero está dudando entre las dos ciudades y te hará preguntas: aconséjale dónde ir.

*Sevilla es más pequeña y menos cosmopolita que Barcelona.*

# Barcelona

*La pedrera. Gaudí.*

*La sagrada familia. Gaudí*

### Barcelona (1.600.000 habitantes)

- Nordeste de España.
- Barrio gótico y barrio modernista.
- Museos y galerías de arte.
- Ciudad cosmopolita y mediterránea.
- Ciudad de Gaudí, Tapiés y otros artistas.
- Cocina mediterránea e internacional.

# Sevilla

*La torre del oro.*

*La feria de Sevilla.*

### Sevilla (725.000 habitantes)

- Sur de España.
- Monumentos de su pasado árabe.
- Museo Arqueológico y Museo de Bellas Artes.
- Ciudad medieval y renacentista.
- Ciudad con más monumentos religiosos de España.
- Música flamenca.

**4** **Competencia sociolingüística:** los españoles y las vacaciones.

# Días naturales o días laborables.

**a.** Lee el texto, infórmate. Después relaciona las expresiones con su significado.

> Los españoles, por ley, tienen derecho a 30 días naturales o a 23 días laborables de vacaciones. Muchos se toman un mes entero, otros se toman dos veces 15 días, y algunos se guardan días para Navidad. El mes tradicional de vacaciones es agosto. Muchos se van "al pueblo": a la casa familiar de su pueblo o de su pequeña ciudad natal.

1. Días naturales — a. Vivienda de los padres o de los abuelos.
2. Días laborables — b. Incluidos fines de semana y fiestas.
3. Irse al pueblo — c. Salir de la ciudad e ir a casa de los padres.
4. Casa familiar — d. Solo los días de trabajo, de lunes a viernes.

# Vacaciones escolares y fiestas

**b.** Observa las vacaciones de la enseñanza y las fiestas. Márcalas en el anuario Madrid 2007 con dos colores diferentes.

**Vacaciones**
En Semana Santa: del 2 al 8 de abril.
Vacaciones de verano: de finales de junio al 15 de septiembre.
Navidades (2 semanas de Navidad a Reyes).

**Fiestas 2007 Madrid**

1 de enero: Año Nuevo
6 de enero: día de Reyes.
5 de abril: Jueves Santo
6 de abril: Viernes Santo
1 de mayo: fiesta del Trabajo.
2 de mayo: fiesta de la Comunidad de Madrid.
15 de mayo: fiesta en Madrid capital.

15 de agosto: Asunción de la Virgen.
12 de octubre: fiesta nacional.
1 de noviembre: fiesta de Todos los Santos.
9 de noviembre. fiesta en Madrid capital.
6 de diciembre: día de la Constitución española.
8 de diciembre: día de la Inmaculada Concepción.
25 de diciembre: Navidad.

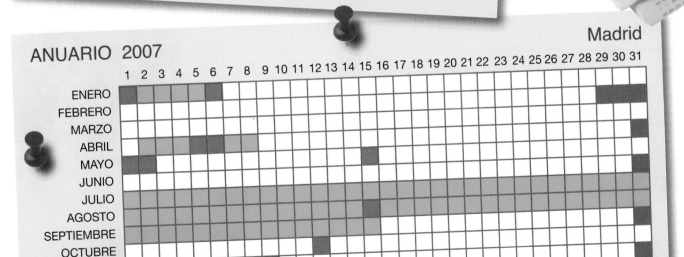

ANUARIO 2007 — Madrid

¿En tu país hay los mismos días de vacaciones? ¿Cuáles son las fiestas más importantes en tu país?

# Casi la mitad de los españoles se queda en casa.

**c.** Lee este texto del periódico y elabora un gráfico con la información.

## El 42,1% de los españoles no se va a ir de vacaciones

### La mitad asegura que no va a salir de su casa por motivos económicos.

Muchos españoles no salen de vacaciones, la mayoría de ellos, el 50,3%, por motivos económicos, según la última encuesta del Centro de Investigaciones Sociológicas (CIS). El 77,4% de los españoles pasa las vacaciones en familia, la mayoría dentro de España, mientras que un 12,7% viaja al extranjero.

Problemas de salud (13,5%) y de trabajo (12,7%) son los siguientes culpables, aunque también hay gente a la que no le gusta salir de su casa en vacaciones (10,8%). Entre los que sí salen unos días de descanso, el 77,4% lo hacen en familia, bien con la misma con la que vive todo el año (67,3%) o con familiares a los que no ven habitualmente

(10,1%). El 13,9% lo hace con un grupo de amigos, y el 2,1% viaja solo.

El 69,6% elige el coche para ir de vacaciones; el 14,4% el avión; el 8,4% el autobús; el 5,2% el tren; y el 2,4% el barco. El 32,4% de los españoles elige hoteles; el 46,7% casa propia, de la familia o de amigos; el 14% casa alquilada; el 6,9% el cámping. El 58,9% de quienes viajan en vacaciones opta por la playa, principalmente en Andalucía, Valencia y Cataluña, y el 21% prefiere la montaña. Solo el 7,4% elige un lugar en el interior y el 12,7% opta por ir fuera de España.

Adaptado de *El País*, 20 de julio de 2005

## 5

### Competencia fonética y ortográfica: la *eme*, la *ene* y la *eñe*.

### Mañana.

**a.** Escucha y marca en qué orden oyes estas palabras.

| 3 | Cama | 1 | Cana | 2 | Caña |
| 2 | Cima | 3 | Cine | 1 | Ciñe |
| 2 | Mamá | 1 | Maná | 3 | Maña |

### Ahora tú.

**b.** Pronuncia estas palabras. Después, escucha y comprueba.

1. Pequeño
2. España
3. Tamaño
4. Año
5. Mañana
6. Niño

Parque del ...
Madrid

Cafetería.
Madrid.

Boca de metro.
Madrid

# Acción

## Te informas y das información sobre destinos turísticos.

Si viajas a un país hispano, tienes que informarte sobre sus destinos turísticos más importantes. Si un hispano visita tu país, debes informarle de los lugares más interesantes.

1. Estos son algunos de los atractivos turísticos de España. Escucha y completa el cuadro con el nombre de la ciudad. Después sitúalos en el mapa.

### Algunos atractivos turísticos de España

1. La catedral de Santiago de Compostela
2. La Gran Mezquita de Córdoba
3. El Acueducto romano de Segovia
4. La Universidad vieja de Salamanca
5. La Sagrada Familia de Barcelona
6. El Museo del Prado de Madrid
7. El Museo Guggenheim de Bilbao
8. La Ruta del Quijote en Castilla La Mancha.
9. El Alcázar de Toledo
10. Los Encierros de San Fermín en Pamplona
11. Las fallas de Valencia
12. Las sevillanas en la Feria de Abril, en Sevilla
13. Las estaciones de esquí de los Pirineos.
14. El Bernabéu: estadio de fútbol del Real Madrid.
15. La paella de Valencia
16. El vino de la Rioja.
17. El jamón ibérico de Extremadura.
18. Las playas y el sol de Canarias, islas Baleares y Andalucía.

2. ¿Y tu país? Dibuja un mapa de tu país, indica los puntos turísticos más importantes y sus temas de interés. Después, explícalo.

# Ámbito Profesional

**Acción** — **Hablas por teléfono y conciertas una cita.**

**Vamos a aprender a:** hablar por teléfono.

 55

- Observa la guía de teléfonos. Escucha los números e identifica el servicio al que llaman.
- Ahora di un número y tu compañero dice a qué servicio corresponde.

1. 902 353 570 Aeropuerto; 2. 900 506 070 Correos; 3. 902 240 242 Información de R...

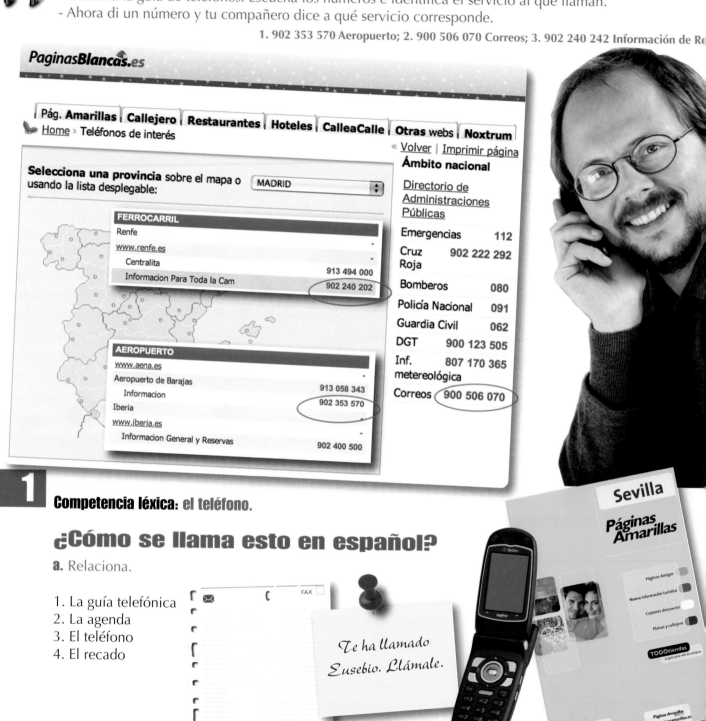

**PaginasBlancas.es**

| Pág. **Amarillas** | **Callejero** | **Restaurantes** | **Hoteles** | **CalleaCalle** | **Otras** webs | **Noxtrum** |

Home > Teléfonos de interés

« Volver | Imprimir página

**Ámbito nacional**

Directorio de Administraciones Públicas

Emergencias 112

Cruz Roja 902 222 292

Bomberos 080

Policía Nacional 091

Guardia Civil 062

DGT 900 123 505

Inf. metereológica 807 170 365

Correos 900 506 070

**Selecciona una provincia** sobre el mapa o usando la lista desplegable: MADRID

**FERROCARRIL**

Renfe

www.renfe.es

Centralita -

Informacion Para Toda la Cam 913 494 000

902 240 202

**AEROPUERTO**

www.aena.es -

Aeropuerto de Barajas

Informacion 913 058 343

Iberia 902 353 570

www.iberia.es -

Informacion General y Reservas 902 400 500

## 1

**Competencia léxica:** el teléfono.

## ¿Cómo se llama esto en español?

**a.** Relaciona.

1. La guía telefónica
2. La agenda
3. El teléfono
4. El recado

*Te ha llamado Eusebio. Llámale.*

Sevilla

**Páginas Amarillas**

Páginas Amigas
Nueva información turística
Cupones descuento
Planos y callejero

TODOtiendas

a. 2

b. 4

c. 3

d. 1

## ¿Usas el teléfono?

**b.** Ordena las acciones cronológicamente.

| 1 | Descolgar | | 5 | Dejar un recado. |
| 6 | Despedirse y colgar. | | 4 | Hablar por teléfono. |
| 3 | Preguntar por alguien. | | 2 | Marcar un número. |

**Competencia funcional:** hablar por teléfono.

## Sí, ¿dígame?

**a.** Lee estas conversaciones y completa el cuadro.

> • Viajes Azor, dígame.
> • Buenos días, ¿María Carvajal?
> • No está en este momento, acaba de salir. ¿Quiere dejar un recado?
> • Sí, por favor. Soy Lorenzo Ferrer, de Iberia, necesito hablar con ella.
> • Muy bien, yo se lo digo.

1.

> • ¿Diga?
> • Buenos días, ¿está Isabel?
> • Sí, ¿de parte de quién?
> • De Arturo.
> • Ahora mismo se pone.

3.

> • Mantuesa, buenos días.
> • Buenos días, ¿el señor Ramírez, por favor?
> • Lo siento, está hablando por la otra línea. ¿Quiere esperar?
> • No, muchas gracias, llamo más tarde.
> • Adiós.

2.

> • Construcciones Gordón, buenos días.
> • Buenos días, con el jefe de Ventas, por favor.
> • ¿De parte de quién?
> • De Marisa Martínez.
> • Le paso.

4.

| Diálogos | 1 | 2 | 3 | 4 |
|---|---|---|---|---|
| ¿Es formal o informal? | formal | formal | informal | formal |
| ¿Con quién quiere hablar? | María Carvajal | Señor Ramírez | Isabel | Jefe de Ventas |
| ¿Puede hablar con esa persona? ¿Por qué? | No, acaba de salir | No, está hablando por otra | Sí | Sí |
| ¿Qué va a hacer? | Dejar un recado | Llama más tarde | Hablar con ella | Habla con él |

## ¿De parte de quién?

**b.** Con tu compañero, elige una situación y haz el diálogo.

| HABLAR POR TELÉFONO | |
|---|---|
| **Contestar** | Diga, ¿Sí? |
| **Preguntar por** | ¿Está…? |
| **Pasar la llamada** | Ahora se pone. |
| **No pasar la llamada** | (Lo siento) No está. |
| **Tomar un recado** | ¿Quiere dejar un recado? |
| **Preguntar quién llama** | ¿De parte de quién? |

 **1** Eres Juan Colmenero y llamas a la Sra. Ruiz. Su secretaria te informa de que está hablando por la otra línea.

 **2** Eres María y llamas a Marta. Una compañera de Marta pasa la llamada a Marta.

 **3** Eres la madre de Arturo y lo llamas. Un compañero de Arturo te informa de que acaba de salir.

# La agenda de Enrique Conrado.

**C.** Observa la agenda y di qué cosas tiene que hacer esta semana.

| | |
|---|---|
| Contar un plan | *Ir a* + infinitivo |
| Indicar una obligación | *Tener que* + indicativo |

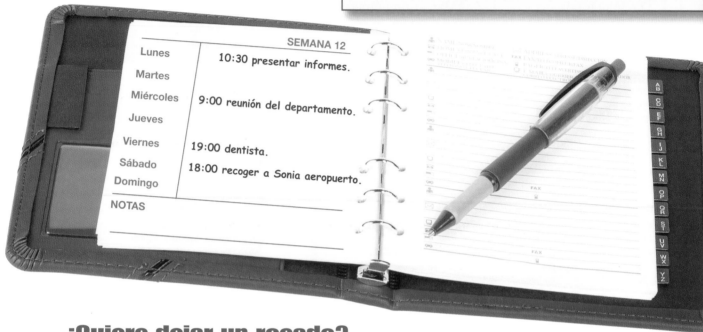

**SEMANA 12**

| | |
|---|---|
| Lunes | 10:30 presentar informes. |
| Martes | |
| Miércoles | 9:00 reunión del departamento. |
| Jueves | |
| Viernes | 19:00 dentista. |
| Sábado | 18:00 recoger a Sonia aeropuerto. |
| Domingo | |

NOTAS

# ¿Quiere dejar un recado?

56

3

**d.** Hoy es martes, escucha ahora estas conversaciones y anota las nuevas citas, el motivo y el lugar.

1. Guillermo Martínez de Sefimsa queda con Enrique Conrado el jueves a las 12 en el despacho de Enrique para revisar un contr
2. Roberto quiere quedar con Enrique hoy a las 12:30 en su despacho para ponerse de acuerdo antes de una reunión con el jefe.
3. Le llaman de Transfansa para un presupuesto. Queda hoy por la tarde entre las 5 y las 5:30.

**Competencia sociolingüística: pautas para una conversación telefónica.**

# ¿Qué se dice?

**a.** Relaciona las expresiones con su significado.

1. ¿Está el Sr. / la Sra ......................?
2. Un momento, ahora se pone.
3. ¿De parte de quién?
4. ¿Quiere dejar un recado?
5. Lo siento, no se puede poner.

a. No puede atender la llamada, está ocupado/a.
b. No está, pero puedo tomar nota para decirle algo
c. Pregunta por la persona con la que quiere hablar.
d. Pregunta por la persona que está llamando.
e. Informa de que ahora va a hablar.

1. c, 2. e, 3. d, 4. b, 5. a.

# ¿Te has fijado?

**b.** Lee estas observaciones.

La persona que llama no dice su nombre ni su empresa hasta que no le preguntan.

Cuando suena el teléfono, la persona que responde no dice a qué numero se está llamando, solo el nombre de la empresa en llamadas formales.

La persona que contesta al teléfono no dice su nombre, excepto si es la persona con quien se quiere hablar.

# No se puede traducir.

**c.** Imagina una pequeña conversación telefónica en tu idioma y escríbela. Después adáptala a la manera española teniendo en cuenta las pautas culturales. ¿Qué cambios tienes que hacer?

**Competencia gramatical:** *estar* + gerundio y *acabar de* + infinitivo.

## ¿Siempre o ahora?

**a.** Lee las frases y marca si hablan de algo que sucede normalmente o de algo que está sucediendo ahora.

| Siempre | Ahora | |
|---|---|---|
| X | | Enrique Conrado trabaja en una empresa. Es el director de Ventas. |
| X | | El Sr. Conrado tiene mucho trabajo y mucha responsabilidad. |
| | X | Él está negociando con César Triana los presupuestos de su departamento. |
| | X | Al mismo tiempo, está concretando un contrato de ventas con Sefimsa. |
| X | | Sefimsa es una importante empresa de exportación e importación. |
| | X | Sefimsa está revisando el contrato para ver si firman o no. |
| | X | El Sr. Conrado también está analizando un contrato con Transfansa. |

## ¿Habla o está hablando?

**b.** Relaciona las expresiones de tiempo con el presente o con *estar* + gerundio.

> todos los días - normalmente - ahora mismo - siempre - en este momento
> por la mañana - en general - cuando tengo tiempo - hoy - ahora

| Presente |
|---|
| Todos los días - normalmente - siempre - por la mañana - en general - cuando tengo tiempo. |

| *Estar* + Gerundio |
|---|
| ahora mismo - en este momento - hoy - ahora |

## No se puede poner, es que...

**c.** Observa.

*En este momento **está hablando** por la otra línea.*

*Acaba de salir a la calle. Vuelve dentro de media hora.*

| Expresar acciones en progreso | |
|---|---|
| ***Estar* +** | **gerundio** |
| Estoy | -ando (AR) |
| Estás | |
| Está | -iendo (ER/IR) |
| Estamos | |
| Estáis | |
| Están | |

| Expresar acciones pasadas | |
|---|---|
| **Acabar** | |
| Acabo | |
| Acabas | |
| Acaba | ***de* + infinitivo** |
| Acabamos | |
| Acabáis | |
| Acaban | |

| Gerundios irregulares | |
|---|---|
| Ir | Yendo |
| Dormir | Durmiendo |
| etc. | |

## Al teléfono.

**d.** Lee este diálogo y complétalo con los verbos en presente, con *estar* + gerundio o con *acab* *de* + infinitivo.

- ¡Dígame!
- ¿Con el responsable de compras, por favor?
- Sí, soy yo. ¿Con quién hablo?
- Buenos días, mire, soy Augusto Fernández, de Materinsa. Mi empresa ...se dedica... (dedicarse) a vender material de oficina. Comercializa (comercializar) productos que ........son........ (ser) líderes en el mercado. Les .acabamos de enviar.. (enviar) un dossier sobre nuestra actividad.
- Si, sí, ya lo tengo aquí. Precisamente ..acabo de leerlo... (leerlo) hace cinco minutos.
- El motivo de mi llamada es que actualmente estamos promocionando (promocionar) material de oficina muy barato. Estamos llamando (llamar) a diferentes empresas que normalmente ...utilizan...... (utilizar) gran cantidad de material todos los meses y les estamos ofreciendo (ofrecer) unos precios interesantes.
- ¿Cómo es esta campaña de promoción exactamente?
- ...Hacemos... (hacer) un estudio de sus necesidades y ...creamos.... (crear) un plan global de compra de material. La idea es contratar una cantidad de pedido mensual, independientemente del gasto real.
- Parece interesante. ¿Por qué no ......viene....... (venir) a mi oficina y lo .estudiamos. (estudiar)?
- Muy bien. ¿Le parece bien hoy?
- No, hoy es imposible, ...concertar.. (concertar) una cita y esta semana estoy organizando.. (organizar) nuestro congreso anual. Mejor la semana próxima.
- Perfecto, entonces, ¿nos vemos el lunes?
- Sí, sí, perfecto. El lunes a primera hora.

## 5

**Competencia fonética y ortográfica:** los sonidos [ r ] y [ r̄ ] y las grafías (r) y (rr).

## ¿Suena fuerte o suave?

 57

**a.** Escucha y marca si es un sonido suave (s) o fuerte (f).

| | | |
|---|---|---|
| 1. **Ru**iz [F] | 4. Quie**re** [S] | 7. **Re**cado [F] | 10. En**ri**que [F] |
| 2. Espe**ra** [S] | 5. Co**rre**os [F] | 8. Al**re**dedor [F] | 11. Con**ra**do [F] |
| 3. Pa**rte** [S] | 6. Cua**tro**cientos [S] | 9. E**rror** [F] | 12. De**cir** [S] |

## Se escribe con ere o con erre.

**b.** Observa las palabras del punto **a**, subraya las letras que hay junto a R o RR y después completa la regl con estos elementos.

> **N, L y S / Vocales / R RR**

Se escribe con ........r........ y suena fuerte al principio de las palabras y detrás de las consonantes ................n, l y s............................ . En los otros casos suena suave.
Las letras ............rr............ siempre suenan fuerte y se escriben entre ..vocales............ .

## Aplica la regla.

 58

**c.** Escucha y escribe correctamente las palabras.

| | | | |
|---|---|---|---|
| .....Rodríguez........ | ....alrededor.......... | ......Israel........ | ......Manresa....... |
| ......correr........ | ....recorrer........... | ......señora....... | ......recado........ |
| ......enredar........ | .....sonrisa........ | ......empresa....... | ......rareza........ |

# Acción

## Hablas por teléfono y conciertas una cita.

Acabas de llegar a tu trabajo y encuentras estos recados. Elige uno, el que más se ajusta a tu trabajo o que más te gusta.

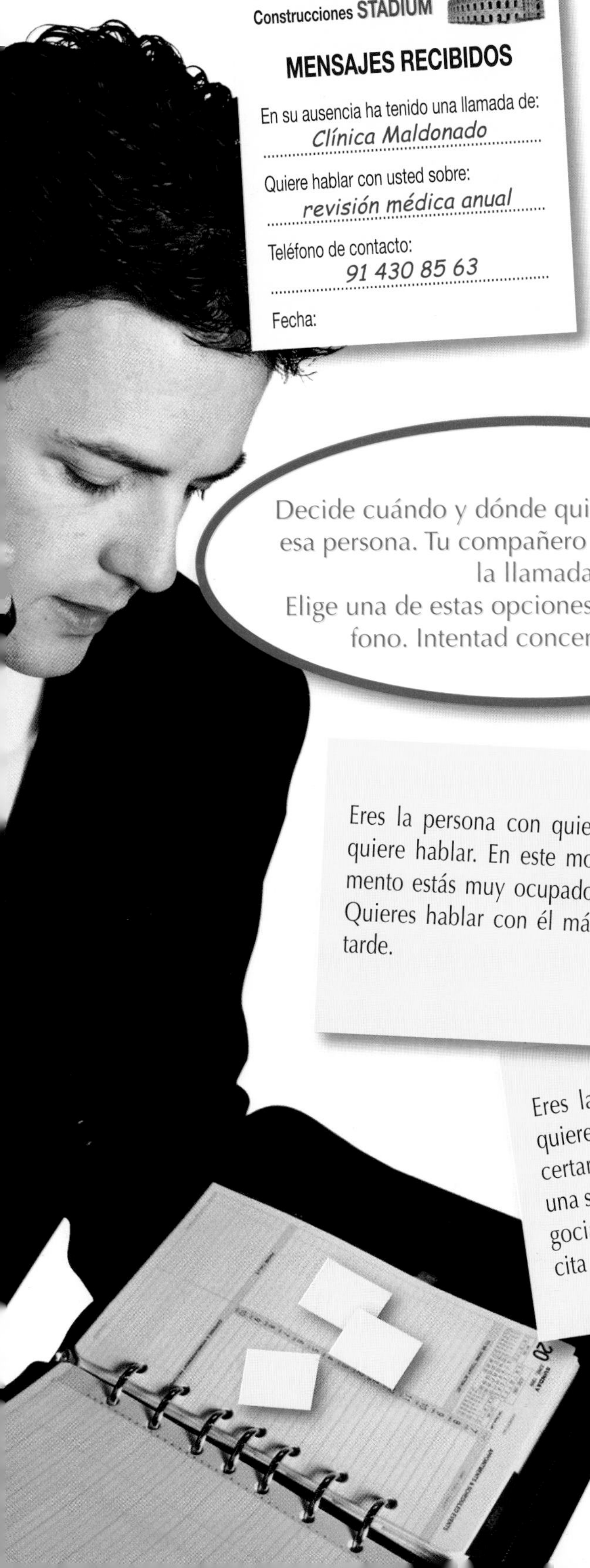

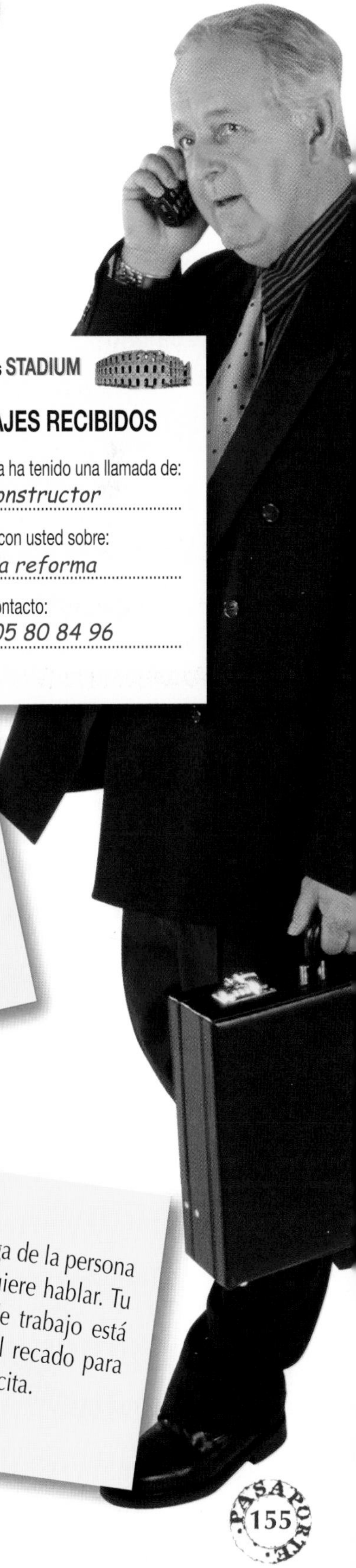

Construcciones STADIUM

**MENSAJES RECIBIDOS**

En su ausencia ha tenido una llamada de: *Clínica Maldonado*

Quiere hablar con usted sobre: *revisión médica anual*

Teléfono de contacto: *91 430 85 63*

Fecha:

Construcciones STADIUM

**MENSAJES RECIBIDOS**

En su ausencia ha tenido una llamada de: *Director del banco*

Quiere hablar con usted sobre: *cuentas de la empresa*

Teléfono de contacto: *902 40 30 40*

Fecha:

Construcciones STADIUM

**MENSAJES RECIBIDOS**

En su ausencia ha tenido una llamada de: *Constructor*

Quiere hablar con usted sobre: *la reforma*

Teléfono de contacto: *605 80 84 96*

Fecha:

Decide cuándo y dónde quieres verlo. Llama a esa persona. Tu compañero simula contestar a la llamada.
Elige una de estas opciones. Hablad por teléfono. Intentad concertar una cita.

Eres la persona con quien quiere hablar. En este momento estás muy ocupado. Quieres hablar con él más tarde.

Eres el secretario o la secretaria. La persona con quien quiere hablar no se puede poner por algún motivo. Explícaselo y toma el recado.

Eres la persona con quien quiere hablar. Quieres concertar una cita, pero tienes una semana muy difícil. Negocia para concertar una cita en tu lugar de trabajo.

Eres un colega de la persona con quien quiere hablar. Tu compañero de trabajo está fuera. Toma el recado para concretar una cita.

# El español y la música

## 1 Tu estilo de música.

**a. ¿Qué tipo de música te gusta?**

- ☐ Rock
- ☐ Jazz
- ☐ Folclórica
- ☐ Pop
- ☐ Ópera

- ☐ Heavy
- ☐ Clásica
- ☐ Étnica
- ☐ Latina
- ☐ otra: ..................

**b. ¿Qué música prefieres para...?**

Trabajar: ..............................................................
Relajarte: ..............................................................
Bailar: ..............................................................
Hablar con amigos: ..............................................................
Desayunar los domingos: ..............................................................
Hacer otras cosas en casa: ..............................................................

## 2 Tango, salsa y flamenco.

**a. Hablar de la música latina es hablar de tres géneros: El tango, la salsa y el flamenco. ¿Qué asocias c[on] cada uno?**

**b. Elige uno de los géneros e infórmate.**

- Lee los textos.
- Sitúa en el mapa (págs. 26-27) los países donde se canta y se baila.
- Después explícaselo a tus compañeros.

Tango

Salsa

Flamenco

Carlos Gardel

### El tango

Decir tango es decir Buenos Aires, Montevideo, Río de la Plat[a,] baile, suburbios y Carlos Gardel. Es un baile al son de un bande[o]neón (pequeño acordeón típico de Argentina). El origen del non[m]bre es "tambor africano" y también "reunión secreta". Nace en [el] siglo XIX en los suburbios de Buenos Aires y de Montevideo e[n] las reuniones de grupos de negros. Hoy es un baile en pareja[,] muy sensual característico de Argentina y Uruguay, pero muy co[o]nocido en todo el mundo. El autor de tangos más famoso a niv[el] internacional es Carlos Gardel.

# Cultura hispánica

## El flamenco.

Conocido en todo el mundo, influye en muchos cantantes dentro y fuera de las fronteras de España. Originalmente es de Andalucía y es el resultado de la mezcla de los distintos pueblos que viven en ella: gitanos, musulmanes, judíos y cristianos. Se caracteriza por el cante, el toque y el baile. El cante (canciones) es unas veces serio, otras más alegre. El toque es la guitarra que acompaña el cante. Por fin, el baile es, a lo mejor, el elemento más vistoso.

Dentro del flamenco podemos encontrar tres líneas:
- El flamenco puro, también conocido como *cante jondo* o *profundo*. Quizás los artistas más conocidos son Paco de Lucía como *tocaor* o guitarrista, Camarón de la Isla como *cantaor* y Antonio Canales como *bailaor* y Sara Baras como *bailaora*.
- El flamenco popular y festivo de las sevillanas y las canciones rocieras. La Feria de Sevilla y el Rocío son sus mejores representantes.
- La música "aflamencada": el flamenco tiene una gran influencia en las trabajos de muchos cantantes. El más conocido internacionalmente es Alejandro Sanz.

*Paco de Lucía*

## La salsa

En realidad no es un único género musical, son varios. Se caracteriza por ser una mezcla de música latina (como el cha-cha-chá y mambo), ritmos africanos y *jazz* estadounidense. Nace en el siglo XIX entre la población cubana y puertorriqueña emigrante en Nueva York. Se toca con trompetas, claves y guitarra. Hoy puedes oírla en Cuba, Puerto Rico, la República Dominicana, Colombia o Venezuela. La cantante de origen cubano Gloria Estefan es internaciolnamente conocida.

*Camarón de la Isla*

## Por sevillanas.

**a. ¿Te gusta el flamenco, las sevillanas o la música aflamencada? Escucha estos tres fragmentos. ¿Te gusta alguno?**

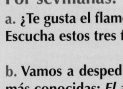

**b. Vamos a despedirnos de este curso con una de las sevillanas más conocidas: *El adiós*. ¿Te apetece aprendértela?**

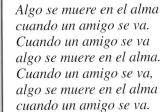

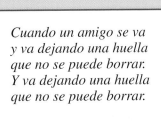

*Algo se muere en el alma
cuando un amigo se va.
Cuando un amigo se va
algo se muere en el alma.
Cuando un amigo se va,
algo se muere en el alma
cuando un amigo se va.*

*Cuando un amigo se va
y va dejando una huella
que no se puede borrar.
Y va dejando una huella
que no se puede borrar.*

*No te vayas todavía,
no te vayas, por favor,
no te vayas todavía,
que hasta la guitarra mía
llora cuando dice adiós.*

# Ámbito Académico
## Portfolio: evalúa tus conocimientos de español.

**Después de hacer el módulo 6**

Fecha: ...................................

### Comunicación
- Puedo quedar con amigos y hacer citas formales.
Escribe las expresiones:

- Puedo comparar y expresar mi opinión.
Escribe las expresiones:

- Puedo hablar por teléfono.
Escribe las expresiones:

### Gramática
- Sé usar las perífrasis *ir a, pensar* y *querer* + infinitivo, y las expresiones de tiempo futuro.
Escribe algunos ejemplos:

- Sé usar los comparativos.
Escribe algunos ejemplos:

- Sé utilizar la perífrasis *estar* + gerundio.
Escribe algunos ejemplos:

- Sé utilizar la perífrasis *acabar de* + infinitivo.
Escribe algunos ejemplos:

### Vocabulario
- Conozco el vocabulario para hablar del ocio.
Escribe las palabras que recuerdas:

- Conozco los nombres de los atractivos turísticos.
Escribe las palabras que recuerdas:

- Conozco el vocabulario para referirse a hablar por teléfono.
Escribe las palabras que recuerdas:

## Nivel alcanzado

**Insuficiente** · **Suficiente** · **Bueno** · **Muy bueno**

\* Si necesitas más ejercicios ve al punto 1 del Laboratorio de Lengua.

\* Si necesitas más ejercicios ve al punto 1 del Laboratorio de Lengua.

\* Si necesitas más ejercicios ve al punto 2 del Laboratorio de Lengua.

\* Si necesitas más ejercicios ve al punto 3 del Laboratorio de Lengua.

\* Si necesitas más ejercicios ve al punto 4 del Laboratorio de Lengua.

\* Si necesitas más ejercicios ve al punto 5 del Laboratorio de Lengua.

\* Si necesitas más ejercicios ve al punto 6 del Laboratorio de Lengua.

\* Si necesitas más ejercicios ve al punto 7 del Laboratorio de Lengua.

\* Si necesitas más ejercicios ve al punto 8 del Laboratorio de Lengua.

\* Si necesitas más ejercicios ve al punto 2 del Laboratorio de Lengua.

# LABORATORIO DE LENGUA

## Comunicación

### 1. Quedar.

**a. Escucha este diálogo. ¿Qué van a hacer?**

**b. ¿Por qué no ven *Mar adentro*? Marca las respuestas adecuadas.**

☐ No es tan buena como *Volver*.
☐ La entrada es más cara.
☐ Es menos interesante.
☐ No es tan conocido el director.

☒ Es más triste.
☒ El cine donde la ponen está más lejos de su casa.
☐ Hay menos gente en la sala.
☐ No es una buena película.

### 2. Hablar por teléfono.

**a. Escucha estas tres llamadas telefónicas. ¿En cuál consigue hablar con Celia Carvajal?**

1. ☐       2. ☐       3. ☒

**b. Relaciona las conversaciones anteriores con una de estas expresiones.**

[] Sí, ahora se pone.     [] Es un error.     [] ¿Quiere dejar un recado?
　　　3　　　　　　　　　　　1　　　　　　　　　　2

## Gramática

### 3. *Ir a, pensar* o *querer*,

**a. Completa los diálogos con *ir a, pensar* o *querer* en la forma adecuada.**

- Este fin de semana .....quiero..... ver la última película de Guillermo del Toro.
- Yo también .....quiero..... verla. ¿Qué día .....piensas..... ir?
- Pues no sé. Me da igual. ¿Cuándo .....quieres..... tú?
- El sábado.
- Vale, pues el sábado. Como .......voy........ a comer a casa de mis padres, las compro yo antes.
- Muy bien.

- Oye, Vicente, ¿.....piensas..... casarte alguna vez?
- No sé, ¡qué preguntas haces! Supongo que sí. .....quiero...... tener hijos, así que sí.
- Pues yo me .......voy........ a casar en mayo. Te invito a mi boda.
- ¡Enhorabuena!

### 4. Comparativos.

**a. Observa y completa el cuadro con la estructura o con un ejemplo.**

| | | Comparar |
|---|---|---|
| **+** | Verbo + *más que* | Esta ciudad me gusta más que esa. |
| | *Más + adjetivo + que* | Esta ciudad es **más** grande **que** la mía. |
| **-** | Verbo + *menos que* | Esa ciudad me gusta menos que esta |
| | *Menos + adjetivo + que* | El autobús es **menos** caro **que** el tren. |
| **=** | Verbo + *tanto como* | Esta ciudad me gusta tanto como esa. |
| | *Tantos + sustantivo + como* | Toledo tiene **tantos** habitantes **como** Segovia. |
| | *Tan* + adjetivo + *como* | Esta ciudad es tan bonita como la otra. |

**b. Completa *con más que, menos que, tan como o tantos/as como*.**

1. A mí me gusta ...más.... el cine ....que.... el teatro. Me parece más divertido.
2. Este libro es ...tan..... caro ...como.. el otro. Cuestan lo mismo.
3. En este café hay ...más.... ruido ..que..... en la escuela, vamos a estudiar a la Biblioteca, que es más tranquila.
4. Yo no tengo ...tantos..... años .....como.... tú, soy mucho más joven.
5. Mi ciudad no es ...tan......... grande .....como.... la tuya, pero es también muy bonita.
6. Este coche es mucho ....más....... caro ....que........ el otro y no es mejor.
7. Mi familia es ....menos.... numerosa ....que...... la tuya. Es que vosotros sois muchos.
8. Barcelona tiene más o menos ...tantos..... habitantes ......como... Madrid, ¿no?
9. La película no me gusta ..tantos....... ....como..... dice el periódico.
10. A nosotros nos gusta ....más....... la playa ....que........ la montaña. Nos relaja más.

**c. Lee estos anuncios de relaciones y compara a las personas.**

Soltera, 35 años, universitaria, recién llegada a la ciudad, busca grupos de amigos para salir los fines de semana a la montaña.

Joven estudiante, 25 años, deportista y con muchos amigos busca compañeros para organizar un equipo de fútbol.

Hombre, 40 años, amante de la lectura y del buen cine busca similares para salir los fines de semana.

## 5. *Estar* + gerundio.

**a. Relaciona los infinitivos con los gerundios.**

1. Estudiar      a. pidiendo
2. Ir      b. cantando
3. Dormir      c. diciendo
4. Hacer      d. yendo
5. Decir      e. durmiendo
6. Morir      f. estudiando
7. Pedir      g. haciendo
8. Sentir      h. muriendo
9. Venir      i. sintiendo
10. Cantar      j. viniendo

1. f, 2. d, 3. e, 4. g, 5. c, 6. h, 7. a, 8. i, 9. j, 10. b.

**b. Elige la forma correcta: Presente o *estar* + gerundio.**

1. Normalmente ........voy......... (ir) a trabajar en metro, pero desde hace unos días ...estoy yendo... (ir) en coche porque tengo que llevar a los niños al cole.
2. Yo ........soy......... (ser) electricista, pero últimamente estoy trabajando (trabajar) en un taller de coches.
3. No, Julián no se ......puede...... (poder) poner, está durmiendo (dormir). ¿Quiere dejar un recado?
4. Sí, Montse está aprendiendo(aprender) a conducir. Es que ....necesita..... (necesitar) un coche para ir a trabajar.
5. ¿Sabes? Están poniendo (poner) una película muy buena en el cine de la esquina. ¿.....Vamos...... (ir) a verla?

## 6. *Acabar de* + infinitivo.

**a. Relaciona.**

1. Están descansando.
2. Están reunidos.
3. La Sra. Díez ya no está en la oficina.
4. Mira este correo electrónico.
5. Tengo un coche nuevo.

a. Acaba de salir.
b. Acaban de terminar el trabajo.
c. La reunión acaba de empezar.
d. Lo acabo de recibir.
e. Me lo acabo de comprar.

1. b, 2. c, 3. a, 4. d, 5. e.

# Vocabulario

## 7. El ocio.

**a. Clasifica estas actividades de tiempo libre.**

fútbol, ir al cine, leer, tenis, natación, pasear, atletismo,
ver un partido, cenar en un restaurante,
baloncesto, esquí, estudio, golf, tocar la guitarra,
concierto de flamenco, salir de marcha.

| DEPORTES | | OTRAS ACTIVIDADES |
|---|---|---|
| Jugar a... | Hacer... | |
| al fútbol<br>al tenis<br>al baloncesto<br>al golf | natación<br>atletismo<br>esquí | ir al cine<br>leer<br>pescar<br>ver un partido<br>cenar en un restaurante<br>el estudio<br>tocar la guitarra<br>ir a un concierto de flamenco<br>salir de marcha |

## 8. Los atractivos turísticos

CD

**a. Escucha y escribe en cada lugar su atractivo turístico.**

Huesca ..Practicar el esquí en los pirineos...............................

Madrid ..Correr en el parque del Retiro.................................

Cádiz .....Hacer *surfing*..................................................

Murcia ...Jugar al golf...................................................

Santiago de Compostela Visitar la Catedral..............................

Barcelona ..Visitar el Barrio Gótico y el Barrio Modernista.............

Córdoba ..Visitar la Mezquita............................................

Granada ..Visitar la Alhambra............................................

Islas Baleares ..Descansar en las playas................................

Islas Canarias ..Pasear por los volcanes................................

Burgos ..Descansar en el monasterio de Silos............................

# Apéndice metodológico
## con sugerencias de explotación

---

### Ámbito Personal, Público y Profesional y Cultura hispánica

Pautas para el desarrollo de cada actividad indicando:

✔ La forma social de trabajo

✔ El objetivo

✔ Sugerencias metodológicas

✔ Informaciones socio-culturales

---

### Ámbito Académico

Este Ámbito tiene la función de que sus estudiantes tomen conciencia de lo que han aprendido, mediante el Portfolio, y que reparen o refuercen, en caso necesario, los conocimientos del módulo. Deje que cada estudiante complete el Portfolio individualmente y que rellenen solos o en parejas los ejemplos. Según sean los resultados, puede optar por hacer las actividades (todas o algunas) del Laboratorio de Lengua en clase o pedir a sus estudiantes que las hagan en casa individualmente.

# Presentarse

En el primer módulo sus estudiantes adquirirán los recursos lingüísticos y gramaticales necesarios para presentarse, presentar a otras personas, saludar y despedirse, preguntar y dar datos personales como el nombre y los apellidos, el origen y la nacionalidad, la dirección y el número de teléfono, y la profesión u ocupación.

Para ello se les presentan los documentos reales relacionados con la identidad:

■ Un pasaporte auténtico. Es importante que sus estudiantes se familiaricen con los documentos reales, ya que tendrán que manejarlos si van a viajar a un país de habla hispana (rellenar impresos, por ejemplo).

■ Unos documentos nacionales de identidad españoles (popularmente conocidos como DNI, o carnés de identidad). En España se utilizan frecuentemente estos documentos y los estudiantes tendrán que presentar la información que se aporta en ellos en muchas situaciones: para registrarse en un hotel, para abrir una cuenta bancaria, para hacer cualquier tipo de contrato (teléfono, luz, etc.) o incluso en cualquier contacto con instituciones oficiales (en un hospital o centro médico, en la policía, etc.). El número del DNI español es el mismo durante toda la vida del ciudadano.

■ El formulario de solicitud de un pasaporte que se exige cumplimentar en cualquier embajada española en el mundo si se quiere obtener dicho documento.

■ El formulario de entrada a España que se exige en la aduana para ciudadanos no comunitarios que desean entrar en España.

■ Unos modelos de hojas de registro en hoteles y solicitudes de reserva en hoteles bien por Internet, bien por reserva personalizada.

■ Unas tarjetas de visita y presentación que se suelen utilizar en contextos profesionales y en cualquier tipo de presentación formal.

En los distintos contextos de lengua, los estudiantes irán entrando en contacto con los recursos lingüísticos y los documentos propios de cada contexto para ir adquiriendo las estrategias y los conocimientos necesarios para poder actuar con éxito. Para ello se les proponen las siguientes acciones:

■ En el Ámbito Personal, rellenar un formulario de entrada en el país.

■ En el Ámbito Público, hacer una reserva de una habitación.

■ En el Ámbito Profesional, confeccionar su propia tarjeta de visita para presentarse formalmente en español.

| Actividad | Forma social de trabajo recomendada | Objetivo | Sugerencia |
|---|---|---|---|
| **Vamos a aprender** | Un primer trabajo individual de identificación y una presentación plenaria. | Primer contacto con la lengua española, identificación de palabras y activación de sus conocimientos previos y del mundo: qué es un pasaporte, qué va a aprender. | Si usted tiene un pasaporte hispano, preséntaselo. |
| **1.a.** | Plenaria. | Conocimiento de los términos para dar información personal. | Puede darles tarjetas con los ocho datos y que los relacionen. |
| **1.b.** | Parejas y después presentación plenaria. | Conocer los nombres de los países y los gentilicios (adjetivos de nacionalidad), así como el género del adjetivo. | Asegúrese de que están los nombres de los países de origen de todos los estudiantes. Si no fuera así, anote en la pizarra la lista completa de países y nacionalidades. |
| **1.c.** | Parejas. | Reutilizar el vocabulario aprendido mediante la comprensión de un documento real y rellenándolo. | Cada estudiante rellena el documento con los datos de su compañero para posibilitar la interacción. |
| **2.a.** | Primero en parejas y luego de forma plenaria, o simplemente plenaria. | Descubrir las expresiones para pedir y dar datos personales. | Preséntese usted mismo utilizando las frases y haga preguntas a sus estudiantes. Presénteles los diálogos en tarjetas para que los relacionen. |
| **2.b.** | Plenaria. | Reconocimiento de los pronombres sujeto. | Hágales a sus estudiantes preguntas sobre sus datos personales y escriba las frases en la pizarra. Marque los pronombres y haga que sus estudiantes los sistematicen en una lista. |
| **2.c.** | Primero en parejas y después plenaria. | Entendimiento del presente de indicativo de los verbos *ser* y *llamarse*. | Si en la actividad anterior ha presentado más ejemplos que el libro, puede darles un esquema más vacío. |
| **2.d.** | Plenaria. | Identificar las preguntas y las respuestas. | Sustituya la actividad por una interacción similar entre usted y sus estudiantes. |
| **3.a.** | Plenaria. | Comprender unos diálogos de presentación e identificar los documentos correspondientes. | Quizás tendrá que poner la audición dos veces. |
| **3.b.** | Parejas o individualmente. | Identificar las expresiones con la intención comunicativa. | Déjeles hacer la actividad en parejas o individualmente y después sistematice en la pizarra. |
| **3.c.** | Parejas. | Interactuar preguntando y dando sus datos personales. | Forme parejas y deje que sus estudiantes interactúen. Cambie las parejas varias veces. |
| **4.a.** | Plenaria. | Conocer el abecedario español. | Lea primero el abecedario usted e insista en los sonidos propios del español y diferentes a la(s) lengua(s) de sus estudiantes, después ponga el audio para que se familiaricen. |
| **4.b.** | Plenaria. | Identificar auditivamente el abecedario. | Sus estudiantes escriben los nombres individualmente y en el pleno se corrige. |
| **4.c.** | Plenaria y en parejas. | Utilizar los recursos para deletrear sus datos personales. | Lea con sus estudiantes el diálogo, deletree su información personal y déjeles interactuar en parejas. Se puede realizar la agenda de correos electrónicos de la clase. |

| Actividad | Forma social de trabajo recomendada | Objetivo | Sugerencia |
|---|---|---|---|
| **5.a.** | Individual y control plenario. | Descubrir que en el mundo del español se utilizan dos apellidos. | Deje a sus estudiantes unos minutos para hacer la actividad solos. Después presenten los resultados en la pizarra y deles la información adicional que considere oportuna. |
| **5.b.** | Plenaria. | Afianzar este conocimiento cultural. | Confirmación de la actividad anterior en pleno. |
| **5.c.** | Individual. | Reutilizar este conocimiento. | Deje que sus estudiantes realicen la actividad individualmente o, si los ve capacitados, que cada estudiante anote los datos de sus compañeros. |
| **Acción** | Individual o en parejas. | Actuar en español utilizando todos los conocimientos y habilidades adquiridos. | Sus estudiantes pueden interactuar realizando la acción en parejas. Insístales en que es un documento real. |

Le podrá ser de ayuda esta **información socio-cultural**:

### 1. Competencia léxica:

En los pasaportes españoles, siguiendo con la normativa de la Comunidad Europea a la que pertenece España, los datos personales se presentan en los idiomas oficiales comunitarios, pero los primeros son en la lengua oficial del país, en este caso, en español.

Observe que en España, para firmar se utiliza el nombre, un apellido (como mínimo) y una rúbrica.

### 2. Competencia gramatical:

En español no es imprescindible, como en otras lenguas, utilizar el pronombre sujeto, ya que el verbo tiene la marca de persona en la morfología verbal. Normalmente solo se utiliza el pronombre cuando hay varios sujetos (ella y yo somos estudiantes), cuando hay un contraste (¿Eres Juan? No, no soy yo) o para marcar énfasis (Yo soy Juan, no él).

### 3. Competencia funcional:

Recuerde que el D.N.I. es el carné de identidad y es muy utilizado en la vida diaria de los españoles. De hecho, la mayoría de los españoles se sabe su número de D.N.I. de memoria.

### 4. Competencia fonética y ortográfica:

Aunque en español la *che* y la *elle* son fonemas, los diccionarios organizan la entrada de palabras considerando a la *che* como *ce + hache*, es decir, después de *c+e,* y la *elle* como *ele + ele*, es decir, después de *li.*

La *eñe* es un fonema que solo existe en español y, para algunas instituciones del español, como el Instituto Cervantes, es la marca de identidad.

### 5. Competencia sociolingüística:

En casi todos los países de habla hispana, las personas se identifican habitualmente por dos apellidos. Normalmente en primer lugar se utiliza el primero del padre y después el primero de la madre, aunque las leyes permiten cambiar este orden. Es muy frecuente que ante documentos oficiales las personas tengan que dar sus dos apellidos.

Las mujeres hispanas nunca pierden sus apellidos, incluso después de casarse.

# Ámbito Público

| Actividad | Forma social de trabajo recomendada | Objetivo | Sugerencia |
|---|---|---|---|
| Vamos a aprender | Parejas. | Contextualizar y activar sus conocimientos generales sobre los hoteles. | Presénteles varias fotos de distintos tipos de hoteles y deles fichas con vocabulario muy sencillo para que las relacionen con las fotos. |
| 1.a. | Plenaria. | Conocimiento de los números del 1 al 10. | Lea en voz alta los números y, a continuación, escuchen el audio para que sus estudiantes identifiquen las llaves del hotel. |
| 1.b. | Parejas. | Practicar los números. | Forme parejas, cada uno deberá dictarle a su compañero su número de carné de identidad o de pasaporte (o de cualquier otro documento). |
| 2.a. | Plenaria. | Identificar auditivamente los números. | Amplíe la actividad dictándoles usted más números, según considere necesario. |
| 2.b. | Individual y corrección plenaria. | Expresar los números. | Si le parece necesario, puede hacer que sus estudiantes se dicten unos a otros números o, incluso, puede hacer un bingo. |
| 3.a. | Individual y corrección plenaria. | Comprensión auditiva de un diálogo de reserva de una habitación en un hotel. | Lea con sus estudiantes la ficha de inscripción antes de poner la audición que, probablemente, tendrá que poner dos veces. |
| 3.b. | Plenaria. | Identificar el significado funcional de las expresiones del audio. | Déjeles hacer la actividad primero individualmente y luego todos juntos en pleno. |
| 3.c. | Parejas. | Preguntar e informar sobre la dirección y el número de teléfono. | Presénteles a sus estudiantes la dirección de la escuela en el sistema español. Lea con sus estudiantes el cuadro de ayuda y el mini-diálogo y deje que hagan la actividad por parejas. Como final plenario, entre todos pueden hacer la agenda de direcciones del curso. |
| 3.d. | Parejas. | Interacción oral para registrarse en un hotel. | Es la actividad global de la competencia. Se trata de desarrollar una pequeña simulación. Al final de la misma, quien haga el papel de recepcionista debe haber completado la ficha de registro. |
| 4.a. | Plenaria. | Identificación de la situación según el audio. | Haga la actividad en el pleno. Si le parece conveniente, después presente la transcripción y pida a sus estudiantes que subrayen las formas del verbo *tener* que encuentren. |
| 4.b. | Parejas y corrección plenaria. | Inducción de los usos y del significado del verbo *tener* en este contexto. | Si sus estudiantes no han leído la transcripción de la actividad anterior, como confirmación de la comprensión, pídales que relacionen los micro-diálogos con una de las ilustraciones anteriores. |
| 4.c. | Parejas y corrección plenaria. | Entendimiento de la forma del verbo *tener*. | Pida a sus estudiantes que subrayen las formas del verbo *tener* de la actividad anterior. Después tendrán que completar el cuadro y las frases. |
| 4.d. | Pleno y parejas. | Conocimiento del uso de los interrogativos. | Como preparación, haga algunas preguntas a sus estudiantes y escríbalas en la pizarra. Después subraye o marque en color los pronombres y entonces sus estudiantes estarán preparados para realizar la actividad. |

| Actividad | Forma social de trabajo recomendada | Objetivo | Sugerencia |
|---|---|---|---|
| 5.a. | Pleno y parejas. | Conocimiento de los saludos y despedidas más habituales. | Describa con sus estudiantes las cuatro ilustraciones. A continuación deje a sus estudiantes un tiempo para que en parejas relacionen los diálogos con las situaciones y haga una corrección plenaria. |
| 5.b. | Individual. | Distinguir los saludos y despedidas formales e informales. | Deje que sus estudiantes realicen la actividad individualmente o en parejas y corrija en el pleno. |
| 5.c. | Plenaria. | Comprender los usos de los saludos y despedidas según el momento del día. | Primero describan las situaciones, después lean los saludos y despedidas y respondan a las tres preguntas. |
| 5.d. | Parejas. | Practicar los saludos. | Deje que sus estudiantes realicen la actividad en parejas y corríjalos en pleno. |
| Acción | Individual o en parejas. | Actuar en español utilizando todos los conocimientos y habilidades adquiridos para reservar una habitación. | Si tiene la oportunidad, puede pedir a sus estudiantes que entren en www.parador.es o en cualquier otra cadena de hoteles y que elijan, en parejas o individuamente un parador y que completen la hoja de reserva. |

Le podrá ser de ayuda esta **información socio-cultural**:

## 1. Competencia funcional:

■ Para dar la dirección, primero se pone el tipo de calle (calle, plaza, avenida, paseo), después el nombre de la calle, el número, el portal (si lo hay) y el piso: Izq. para puerta izquierda y Dcha. para puerta derecha.
Por ejemplo: C/ Goya, 4 - portal B- 2.º Izq.

  ▪ Una avenida es una calle ancha, normalmente de dos o más carriles por cada sentido de la circulación.

  ▪ Un paseo es una avenida ajardinada.

## 2. Competencia sociolingüística:

■ En español, al contrario que en otras culturas, los saludos y las despedidas están relacionados directamente con los hábitos de comidas. Tenga en cuenta que normalmente la comida no es al mediodía (las 12:00), sino más tarde:

  ▪ Se dice *buenos días* desde que uno se levanta hasta la hora de comer, aproximadamente a las 14:00.

  ▪ Se dice *buenas tardes* desde después de comer hasta la hora de cenar, aproximadamente a las 21:00.

  ▪ Se dice *buenas noches* desde después de cenar hasta el día siguiente.

■ Los saludos y las despedidas formales (*Hola, buenos días* o *Adiós, buenas tardes*) suelen ser más largos que los informales (*Hola, Adiós,* etc.).

■ La pregunta *¿Qué tal?* Es un mero saludo, que no espera una respuesta real sobre el estado de salud de la otra persona.

| Actividad | Forma social de trabajo recomendada | Objetivo | Sugerencia |
|---|---|---|---|
| Vamos a aprender | Individual y corrección plenaria. | Contextualizar y activar sus conocimientos generales sobre presentarse formalmente. | Realice la actividad de forma individual y después, si puede, presente una ampliación de la tarjeta para hacer la corrección en pleno. |
| 1.a. | Parejas. | Comprensión lectora y conocimiento de las profesiones. | Deles tiempo a sus estudiantes para hacer la actividad en parejas. |
| 1.b. | Grupos. | Practicar las profesiones. | Forme grupos. Cada estudiante deberá describir una profesión y los demás la adivinan. |
| 2.a. | Plenaria. | Conocer las expresiones para hablar de la profesión. | Hágales preguntas a sus estudiantes sobre su profesión y escríbalas en la pizarra. Después vean el cuadro de sistematización del libro. |
| 2.b. | Individual y corrección plenaria. | Comprensión auditiva y producción escrita. | El alumno tiene que entender el audio de manera muy clara para poder apuntar correctamente los datos. Si le parece necesario, puede hacer que sus estudiantes después imiten el diálogo en otras situaciones. |
| 2.c. | Plenaria. | Practicar las expresiones aprendidas. | Se puede hacer un listado de las profesiones de la clase. |
| 3.a. | Parejas. | Entender la forma de los verbos regulares en presente. | Déjeles hacer la actividad primero individualmente y luego todos juntos en pleno para adquirir la conjugación de los verbos regulares en -ar, -er, -ir en presente. |
| 3.b. | Parejas. | Practicar la forma verbal recién aprendida. | Forme parejas y corrija la actividad en el pleno. |
| 3.c. | Parejas. | Identificar la terminación verbal con el sujeto. | Puede ser divertido si lleva a clase unas fotos grandes parecidas y las frases escritas en tarjetas. Sus estudiantes tendrán que levantarse y pegarlas en las fotos correspondientes. |
| 3.d. | Individual o parejas y corrección plenaria. | Utilizar los verbos en presente. | Puede hacer un campeonato de frases: a ver qué pareja hace más frases correctas en 10 minutos, por ejemplo. |
| 4.a. | Reflexión individual y puesta en común plenaria. | Sensibilización hacia las formas de tratamiento en su país. | Deles unos minutos para reflexionar individualmente y luego haga una presentación plenaria. Si en su clase hay alumnos de una sola nacionalidad, se deberán poner de acuerdo, si los hay de varias, se aceptarán las formas de tratamiento de cada país. |
| 4.b. | Individual. | Comprensión lectora y conocimiento cultural. | Cada estudiante debe leer en voz baja el texto a su ritmo, sin interrupciones. |
| 4.c. | Plenaria. | Control de la comprensión y práctica del conocimiento cultural. | Lleve fotos de más personas en situaciones evidentes, si le parece oportuno. |
| 5.a. | Pleno e individual. Corrección plenaria. | Entendimiento de la posición del acento cambiante. | Deles la instrucción de lo que van a hacer individualmente. Después corrija en pleno y vuelva a poner el audio para reafirmar. |
| 5.b. | Parejas. | Sistematización de las posiciones del acento. | Es conveniente que sus estudiantes lo hagan primero en parejas, para elaborar hipótesis, y luego corregirlo en el pleno para confirmarlas. |

| Actividad | Forma social de trabajo recomendada | Objetivo | Sugerencia |
|---|---|---|---|
| Acción | Individual o en parejas. | Actuar en español utilizando todos los conocimientos y habilidades adquiridos para presentarse formalmente. | Cada estudiante realiza su propia tarjeta. Sería buena idea que pudieran hacerla físicamente (en trozos de cartulina). Explíqueles las tres situaciones y cada estudiante elige la situación que más se ajusta a su realidad. |

Le podrá ser de ayuda esta **información socio-cultural**:

## 1. Competencia léxica:

Las tarjetas de visita en España suelen guardar un formato similar a pesar de los múltiples diseños que hay: primero el nombre y los dos apellidos, luego el puesto o cargo laboral, en un lado el logotipo de la empresa, la dirección postal (tipo de calle, nombre de la calle, número del portal, piso, ciudad y país), a continuación el teléfono y, en su caso, el número de fax y, por último, la dirección de correo electrónico profesional.

## 2. Competencia funcional:

Ojo, insístales a sus estudiantes que en español al decir una profesión no se utiliza un artículo indefinido, como en otras lenguas, y que es siempre el verbo *ser*. Tampoco se utilizan expresiones como *trabajo para* + nombre de compañía, sino *trabajo en...*

## 3. Competencia gramatical:

Tenga en cuenta que en el sur de España y en casi toda Hispanoamérica la forma *vosotros* no se utiliza casi; se utiliza la forma *ustedes* con valor formal e informal. Del mismo modo está muy extendido en contextos coloquiales el *voseo* en vez de la forma *tú*. En Argentina, Uruguay y Paraguay es perfectamente correcto, en zonas de Colombia y Venezuela y, especialmente, en Chile se consideran una forma vulgar. En el resto del mundo hispano no se utiliza. Decida si quiere presentárselo o no a sus estudiantes.

El *voseo* es equivalente al *tuteo*, pero se forma a partir de la segunda persona del plural.

Ejemplo: *¿ Y vosotros cómo estáis ?*

*¿ Y vos cómo estás?*

*¿Y vosotros de dónde sóis?*

*¿Y vos de dónde sós?*

En ambos casos se mantiene el acento en la *a* o en la *o* igual que en *vosotros*, pero se cae la *i*.

## 4. Competencia sociolingüística:

La sociedad española tiende a la forma *tú*, más que a la forma *usted*, ya que esta se entiende, más que como una fórmula de respeto, como una fórmula de distancia. Sin embargo, es recomendable que sus estudiantes sepan que en el primer contacto deben tratar de *usted* a cualquier persona en el ámbito profesional, médico o institucional, también a personas mayores en el ámbito privado. Generalmente estas personas le indicarán que las "tutee", (que hable con la forma *tú*). En el ámbito académico cada vez está más extendido el uso de *tú* entre profesores y alumnos. Sin embargo, para evitar malas interpretaciones, aconséjeles dirigirse en el primer contacto con *usted* y después que se dejen guiar por las consignas del interlocutor.

## 5. Acción:

Las tres situaciones seleccionadas son:

■ Si va a trabajar en un país hispano, va a hacer una entrevista de trabajo o va a realizar unas prácticas en una empresa.

■ Si va a estudiar en un país de habla española, por intercambios en universidades, por becas o en cursos de un semestre en el extranjero.

■ Si va a compaginar una estancia en un país con el cuidado, por ejemplo, de niños, es decir, hacer de canguro*.

*Hacer de canguro* es la fórmula española utilizada para el *baby-sitting*.

# Cultura hispánica

| Actividad | Forma social de trabajo recomendada | Objetivo | Sugerencia |
|---|---|---|---|
| 1. | Individual y plenaria. | Conocer algunos personajes hispanos mundialmente conocidos y situarlos en el mundo. | Si desea ampliar la actividad y si le es posible, lleve a clase un gran mapamundi, confeccione fichas de otros personajes hispanos famosos (con una foto y un pequeño texto) y dé una de estas fichas a cada uno de sus estudiantes. Ellos la leen individualmente y luego se acercan al mapamundi, sitúan la ficha en un país y se lo explican a sus compañeros. |
| 2. | Parejas. | Ubicar los países de habla hispana y así percibir la dimensión geográfica del español. | Si puede, lleve una fotocopia de mapamundi (una fotocopia por cada dos estudiantes) en la que solo estén marcados los perfiles de todos los países. Pida a sus estudiantes que en parejas sitúen los países que se mencionan en la actividad 2. Para realizar la corrección lleve el mapamundi en una transparencia o en una fotocopia grande y recoja los resultados de sus estudiantes. Después, si su clase es monocultural, pregunte a sus estudiantes en que países se habla su idioma. Si su clase es multicultural, forme grupos lingüísticos y que cada grupo explique al resto de la clase en qué países se habla su lengua. |
| 3. | Individual y corrección en pleno. | Conocer algunos datos de la importancia del español en el mundo. | Cada estudiante lee individualmente el texto y sitúa los datos en el mapa. Realice una puesta en común plenaria. |

Le podrá ser de ayuda esta **información socio-cultural**:

Si lo cree conveniente puede ampliar la actividad indicando las capitales de los países de habla hispana e, incluso, los nombres de nacionalidad.

En www.edelsa.es/pasaporte.htm encontrará la información que necesita.

# Hablar de otras personas

En este módulo sus estudiantes adquirirán los recursos lingüísticos y gramaticales necesarios para hablar de su familia, de sus amigos y de sus conocidos, describir una persona por sus rasgos físicos y por su carácter, hablar de sus gustos, describir un puesto de trabajo, señalar a una persona, presentar a alguien y reaccionar ante una presentación.

Para ello se les presentan los documentos reales relacionados con la descripción de personas:

■ El árbol genealógico de la Familia Real española, con lo que sus estudiantes conocerán uno de los símbolos más representativos de España. Para obtener más información puede visitar la página www.casareal.es.

■ Cuatro carteles de cuatro museos especialmente relevantes de la cultura hispana, así como cuatro producciones artísticas muy conocidas: *Las Meninas* de Velázquez, *Las Meninas* de Pablo Picasso, un fragmento de una obra de Joan Miró y *6 1/2 Citrons* de Miquel Barceló.

■ Test del carácter a través de los rasgos físicos, adaptado del análisis Siang Mien en http://mazulagia.com.

■ El formato web para escribir un anuncio personal en la Red.

■ Los dos organigramas según el tipo de empresa adaptados de www.gestopolis.com donde podrá encontrar más información.

■ Datos del Instituto Nacional de Estadística. Para ver los datos actualizados, así como encontrar muchos otros, puede ir a www.ine.es.

Los estudiantes irán entrando en contacto con los recursos lingüísticos y los documentos propios de cada contexto para ir adquiriendo las estrategias y los conocimientos necesarios para poder actuar con éxito. Para ello se les proponen las siguientes acciones:

■ En el Ámbito Personal, realizar y explicar el árbol genealógico de su familia y describir los rasgos físicos.

■ En el Ámbito Público, escribir un anuncio personal para encontrar nuevos amigos.

■ En el Ámbito Profesional, realizar y describir el organigrama de la empresa en la que trabaja, de una empresa que conoce muy bien (por ser la de sus padres, familiares o amigos) o de una empresa imaginaria. Por último, describir a algún empleado.

| Actividad | Forma social de trabajo recomendada | Objetivo | Sugerencia |
|---|---|---|---|
| Vamos a aprender | Plenaria. | Primer contacto con la familia y su léxico. | Presente usted a la Familia Real. Si puede, presente el árbol genealógico en una transparencia o en una fotocopia grande. |
| 1.a. | Parejas. | Conocimiento del vocabulario básico para hablar de la familia. | Una vez realizada la actividad de entrada al módulo, sus estudiantes en parejas pueden preparar frases para describir a los miembros de la Familia Real española. En pleno, se presentan las frases y se corrigen. |
| 1.b. | Individual o parejas. | Reutilizar y afianzar el léxico de la familia. | Sus estudiantes realizan la actividad individualmente o en parejas y se corrige en el pleno. Si lo considera oportuno, puede ampliar la actividad pidiéndoles a sus estudiantes que hagan otras frases para que sus compañeros adivinen el parentesco. |
| 1.c. | Plenario y, después, en parejas. | Entender el verbo *estar* y las expresiones para hablar de la familia. | Haga a sus estudiantes preguntas similares a las que hay en el libro y escríbalas en la pizarra. A continuación completen el cuadro del verbo *estar*. Por último sus estudiantes hablan con su compañero en parejas y se presentan los resultados al pleno. |
| 2.a. | Plenaria. | Sensibilizarse hacia las diferentes entonaciones de la frase. | Presénteles los signos ortográficos de la interrogación y la exclamación. Ponga el audio y resuelvan juntos la actividad. Quizá tendrá que ponerlo dos veces. Si le parece oportuno, puede pedir a sus estudiantes que repitan las frases en voz alta para diferenciar y reproducir las tres diferentes entonaciones. |
| 2.b. | Individual y corrección plenaria. | Reconocimiento de los tres tipos de entonación. | Se escucha el audio y cada estudiante marca los signos. Se corrige en pleno. Si le parece oportuno, puede pedir a sus estudiantes que escriban frases y que las lean con diferentes entonaciones. |
| 3.a. | Plenaria. | Conocimiento de las expresiones para describir a una persona por sus características físicas. | Lleve a clase las fotos de los personajes (si quiere amplíelas con otras fotos) y fichas con las descripciones. |
| 3.b. | Individual y corrección plenaria. | Reutilizar las expresiones para describir a una persona oralmente o por escrito y ampliar vocabulario. | Cada estudiante piensa en un personaje y escribe las frases o las dice. Después se leen en pleno. Si le parece oportuno, lleve fotos de personajes famosos para dirigir más la actividad. |
| 3.c. | Plenaria. | Sistematizar el vocabulario y reutilizar las expresiones. | Sus estudiantes describen a los personajes con el vocabulario visto. Sirve de preparación a la audición. |
| 3.d. | Individual y actividad de control en parejas | Comprensión auditiva de un diálogo de descripción de la familia. | Déjeles hacer la actividad en parejas o individualmente y después corrija en el pleno. |
| 3.e. | Parejas. | Expresarse oralmente describiendo a una persona. | Forme parejas y deje que sus estudiantes describan a la mujer del libro. Si quiere, puede pedir a cada pareja que describa a diferentes personajes. |
| 4.a. | Plenaria y, después, en parejas. | Conocer los nombres familiares (hipocorísticos). | Explique primero que hay dos formas de llamar a las personas. Si su clase es monocultural y usted la conoce bien, ponga un ejemplo en la lengua de los alumnos. Después permita que sus estudiantes relacionen las dos formas de los nombres y se corrige en el pleno. |

| Actividad | Forma social de trabajo recomendada | Objetivo | Sugerencia |
|---|---|---|---|
| 4.a. | Plenaria. | Establecer similitudes culturales. | Sus estudiantes dicen hipocorísticos de su propia lengua. |
| 5.a. | Individual y corrección en parejas. | Primer contacto con los posesivos. | Deje que sus estudiantes hagan la actividad individualmente para que descubran los posesivos. |
| 5.b. | Parejas. | Sistematizar los adjetivos posesivos. | En parejas rellenan el cuadro. Aclare que el posesivo se refiere a la persona poseedora, pero concuerda en género y número con el objeto poseído o la persona. |
| 5.c. | Individualmente y corrección plenaria. | Afianzar el uso de los adjetivos posesivos. | Cada estudiante forma las 10 frases que se corrigen en el pleno. |
| 5.d. | Plenaria. | Expresión oral. | Sus estudiantes reutilizan todos los conocimientos en una actividad lúdica. Si le parece oportuno, ponga usted un ejemplo de sí mismo un tanto disparatado, para que se desinhiban. |
| Acción | Individual y presentación plenaria. | Actuar en español utilizando todos los conocimientos y habilidades adquiridos para hablar de su familia y describir a los miembros de la misma. | Sus estudiantes pueden interactuar realizando la acción en parejas. También pueden llevar a clase fotos. |

Le podrá ser de ayuda esta **información socio-cultural**:

## 1. Vamos a aprender:

España es una monarquía parlamentaria. El rey Juan Carlos de Borbón es el jefe del estado español. La monarquía española cuenta con una gran reputación, no solo dentro de España, sino también en todo el mundo, ya que el rey Juan Carlos fue uno de los grandes impulsores de la democratización del país. Hasta ahora la ley dinástica decía que el heredero a la corona era el primer hijo varón del rey. En estos momentos se está modificando la ley y, después del príncipe Felipe, será rey o reina, su primogénito.

## 2. Competencia léxica:

En español los nombres genéricos (los padres, los abuelos, etc.) se refieren a las personas de los dos sexos. Por ejemplo, "los hijos", se refiere a los hijos e hijas de una pareja, en cambio "las hijas" se refiere solo a las mujeres descendientes de una pareja. Actualmente hay una tendencia a decir "los hijos y las hijas", "el padre y la madre", etc., para evitar sexismos en el lenguaje.

## 3. Competencia sociolingüística:

Los nombres familiares (técnicamente, los hipocorísticos) son los nombres familiares y cariñosos de las personas. En español existen una serie de hipocorísticos muy extendidos y conocidos por todos los hablantes. Todo nativo sabe que los *Pacos* y *Paquitos* son en realidad *Franciscos*, por ejemplo. Es, por eso, muy frecuente, llamar a las personas de las dos formas indistintamente, aunque en situaciones oficiales y en documentos solo se utiliza la forma oficial y no la hipocorística.

| Actividad | Forma social de trabajo recomendada | Objetivo | Sugerencia |
|---|---|---|---|
| Vamos a aprender | Plenaria, individual y plenaria de nuevo. | Contextualizar y activar sus conocimientos generales sobre la descripción de personas. | Preséntales los tres anuncios y hagan en pleno las actividades a y b. Después sus estudiantes individualmente hacen la actividad c y se sistematizan los resultados en el pleno. En parejas se hace la actividad d, que es un control de la comprensión. |
| 1.a. | Parejas y corrección plenaria. | Conocimiento de los adjetivos de descripción de carácter. | Sus estudiantes en parejas realizan la actividad. Son los mismos adjetivos que se presentaban en los tres anuncios y que, previsiblemente, habrán subrayado. |
| 1.b. | Plenaria. | Fijar la terminación de los adjetivos por el género. | Pida a sus estudiantes que marquen las terminaciones de los adjetivos de la actividad anterior y juntos completen la regla. |
| 1.c. | Individual y presentación plenaria. | Expresión oral y utilización de los adjetivos de descripción de carácter. | Pida a sus estudiantes que digan solo sus cualidades positivas, eso mejora la autoestima. |
| 2.a. | Plenaria. | Entender la forma y el uso del verbo *gustar*. | Lean juntos los diálogos y subrayen las formas del verbo. Después todos juntos completen el cuadro del verbo *gustar*. Refuerce el aprendizaje haciéndoles diferentes preguntas cortas. |
| 2.b. | Individual. | Comprensión lectora de un cuestionario sobre gustos en arte. | Cada estudiante completará el cuestionario. Los resultados no se presentarán todavía, sus estudiantes se están preparando para hacer la actividad de interacción d. |
| 2.c. | Plenaria. | Conocer e identificar los diferentes pronombres personales. | Realice la actividad en pleno. Para ello, escriba los pronombres en la pizarra o proyéctelos en una transparencia. |
| 2.d. | Grupos pequeños. | Interactuar utilizando los resultados obtenidos de su cuestionario sobre el arte. | Forme grupos y deje que sus estudiantes hablen sobre arte. Al final deben realizar una lista de gustos similares y gustos diferentes que presentan al pleno. |
| 3.a. | Parejas. | Comprensión lectora e interactuación con su compañero. | Sus estudiantes leen las fichas de los seis personajes y hacen parejas. Con su compañero discuten las parejas. |
| 3.b. | Plenaria. | Comprensión auditiva global de un diálogo en el que se forman las parejas. | Ponga el audio. Sus estudiantes tienen que detectar si han formado las parejas igual que ellos y, por lo tanto, cuáles son las parejas que han formado. |
| 3.c. | Parejas y corrección plenaria. | Comprensión auditiva detallada. | Sus estudiantes escuchan de nuevo, pero ahora se fijan en los rasgos del carácter de los seis personajes que motivan la formación de esas parejas. |
| 3.d. | Plenaria. | Conocimiento de las expresiones para matizar los adjetivos. | Lean juntos el cuadro *¿Cómo es?*. Si le parece oportuno, deje que sus estudiantes lean la transcripción del diálogo y que subrayen las expresiones para hablar del carácter. |
| 3.e. | Parejas. | Comprensión lectora y ampliación de vocabulario. | Presente usted la cara de la chica con el vocabulario básico. A continuación sus estudiantes leen los dos textos y escriben una frase por cada personaje. Después subrayan las expresiones y relacionan las dos columnas. |
| 3.f. | Parejas y presentación plenaria. | Expresión oral. | Forme parejas y sus estudiantes se realizarán el test unos a otros. |
| 4.a. | Individual. | Comprensión lectora y conocimiento de pautas culturales. | Sus estudiantes leen individualmente el texto. Formule después algunas preguntas como control de la comprensión. Es conveniente que en este momento les recuerde el cuadro de 3.d. |

174

| Actividad | Forma social de trabajo recomendada | Objetivo | Sugerencia |
|---|---|---|---|
| **4.b.** | Parejas. | Comprender los usos de las expresiones para matizar adjetivos para ser corteses. | Sus estudiantes resuelven la actividad en parejas y se corrige en el pleno. |
| **4.c.** | Plenaria. | Practicar esas formas de cortesía. | La actividad tiene varias respuestas posibles. Deje que sus estudiantes digan todas las formas que se les ocurran. |
| **5.a.** | Plenaria. | Entender la regla de la acentuación de las palabras llanas. | Explíqueles la regla. Si es necesario, recuerde la posición variable del acento, visto en el Módulo 1, Ámbito Profesional. |
| **5.b.** | Parejas. | Aplicar la regla e identificar acústicamente el acento de intensidad. | Sus estudiantes primero aplican la regla marcando el acento tónico, después escuchan y comprueban para corregir la actividad en el pleno. |
| **5.c.** | Individual. | Aplicar la regla de acentuación (acento gráfico). | Sus estudiantes escuchan el audio y escriben el acento gráfico. Se corrige en el pleno. |
| **Acción** | Individual y presentación plenaria. | Actuar en español utilizando todos los conocimientos y habilidades adquiridos para redactar un anuncio personal. | Sus estudiantes individualmente redactan su anuncio. Después presentan los resultados y forman grupos de interés. Puede ser una buena idea confeccionar un tablón de anuncios de la clase. |

Le podrá ser de ayuda esta **información socio-cultural**:

## 1. Competencia gramatical:

■ **Diego Rodríguez de Silva y Velázquez** (Sevilla (Andalucía), 6 de junio de 1599 – Madrid, 6 de agosto de 1660). Es uno de los máximoss exponentes de la pintura española barroca. De hecho, está actualmente considerado como uno de los mayores pintores de la historia universal. Sus obras más famosas son *Las Meninas, la Fragua de Vulcano, La rendición de Breda*, entre otras. La mayoría de sus obras están en el Museo del Prado de Madrid.

■ **Pablo Ruiz Picasso** (Málaga (Andalucía), 25 de octubre de 1881 – Mougins (Francia), 8 de abril de 1973). Pintor, dibujante y escultor español. Más conocido como Pablo Picasso, es uno de los grandes maestros del s. XX. Existen más de 1500 obras suyas en museos de todo el mundo. Sus obras más famosas son *Las señoritas de Avignon*, el *Guernica* y la serie *Las Meninas* en honor a Velázquez.

■ **Joan Miró i Ferrà** (Barcelona (Cataluña), 20 de abril de 1893 - Palma de Mallorca (Baleares), 25 de diciembre de 1983). Pintor, escultor, grabador y ceramista español, considerado uno de los máximos representantes del surrealismo. En su obra reflejó su interés por el subconsciente, lo "infantil" y su país.

■ **Miquel Barceló** (Felanitx (Mallorca), 1957). Es uno de los pintores españoles contemporáneos más conocidos. Su estilo expresionista está muy influido por temas de la naturaleza. Su obra más reciente, el retablo de la Catedral de Mallorca, es de una gran innovación.

## 2. Competencia funcional:

■ **Pedro Almodóvar Caballero** (Calzada de Calatrava (Ciudad Real), 24 de septiembre de 1951). Director de cine, escritor y guionista español. Es uno de los mayores representantes del cine actual español. Ganador de dos Oscar, dos Globos de Oro y 10 Goyas. Para su última película, *Volver*, ha recibido el Goya a la Mejor Película, así como otros muchos premios.

■ **Letizia Ortiz Rocasolano** (*Princesa Letizia*) (15 de septiembre de 1972, Oviedo). Es la esposa del heredero de la corona de España, el Príncipe de Asturias Felipe de Borbón y, por tanto, la princesa heredera consorte del Reino de España. Es periodista de profesión.

| Actividad | Forma social de trabajo recomendada | Objetivo | Sugerencia |
|---|---|---|---|
| Vamos a aprender | Plenaria. | Contextualizar y activar sus conocimientos generales sobre los cargos de una empresa. | Para completar la actividad, si le parece conveniente, dibuje en la pizarra un organigrama semivacío. Deles a sus estudiantes tarjetas y pídales que las coloquen. |
| 1.a. | Individual. | Comprensión lectora y conocimiento de los puestos. | Sus estudiantes leen el texto y tachan la actividad incorrecta. Se corrige en el pleno. Sistematice en la pizarra las actividades correspondientes a cada puesto y amplíe el vocabulario hasta donde considere oportuno. |
| 1.b. | Grupos. | Practicar el vocabulario. | Forme grupos. Cada estudiante deberá describir un puesto y los demás lo adivinan. |
| 2.a. | Plenaria. | Refuerzo de la regla de acentuación de las palabras agudas y esdrújulas terminadas en vocal, *n* o *s*. | Recuérdeles la regla general. Infórmeles que la mayoría de las palabras españolas son llanas. Ponga el audio y realice la actividad, primero individual, y después plenaria. |
| 3.a. | Presentación plenaria, audición individual y corrección plenaria. | Comprensión auditiva global. | Empiece pidiendo a sus estudiantes que describan la imagen. Después ponga el audio y sus estudiantes, individualmente, completan el organigrama. A continuación se corrige en el pleno. |
| 3.b. | Parejas y plenaria. | Comprensión auditiva detallada y entendimiento de los demostrativos. | Sus estudiantes vuelven a escuchar la cinta y completan los huecos. En parejas los corrigen. Entonces observan el cuadro de los demostrativos. Ponga, si le parece oportuno, más ejemplos señalando objetos o personas del aula. |
| 3.c. | Descripción en el pleno y parejas. | Practicar los usos de los demostrativos. | Primero describan la ilustración. Después, en parejas, se resuelve la actividad y se corrige en el pleno. Puede hacer una última actividad en la que sus estudiantes se formulan preguntas unos a otros sobre la ilustración. |
| 4.a. | Plenaria. | Conocer las formas de tratamiento. | Presénteles las formas de tratamiento. En pleno y de una forma rápida, relacionen las siglas. |
| 4.b. | Parejas. | Utilización de las formas de tratamiento. | Sus estudiantes redactan las cuatro frases en parejas y se corrigen en el pleno. |
| 5.a. | Presentación plenaria, parejas y corrección plenaria. | Conocer las expresiones para presentar a otras personas y reaccionar a una presentación. | Si puede, presente la ilustración sin los textos (en una transparencia o en una fotocopia grande) y pida a sus estudiantes que describan la situación. A continuación realice la actividad con el libro abierto en parejas y corríjala en el pleno. |
| 5.b. | Preparación individual y realización en grupos. | Preparación escrita, interacción oral y práctica global del ámbito. | Sus estudiantes se crean una nueva personalidad y redactan su nueva tarjeta de visita. Es conveniente que lleve a la clase tarjetas en blanco para que puedan hacerlas realmente. Después, en grupos de tres, uno hace de presentador y los otros reaccionan a las presentaciones. Puede cambiar los tríos tantas veces como considere necesario. Para cerrar la actividad, después pregunte en la clase, *¿quién es ese?* |

| Actividad | Forma social de trabajo recomendada | Objetivo | Sugerencia |
|---|---|---|---|
| **Acción** | Presentación plenaria y realización individual o en parejas. | Actuar en español utilizando todos los conocimientos y habilidades adquiridos para describir una empresa y las personas que trabajan en ella. | Observen los organigramas juntos y lean los textos. Explique la actividad que su alumnos pueden realizar individualmente. Pero, quizás, es mejor que sus estudiantes trabajen en parejas y que uno le explique el organigrama y las personas que trabajan en su empresa al otro y que este realice su organigrama según las indicaciones. Después se intercambian los roles. |

Le podrá ser de ayuda esta **información socio-cultural**:

El objetivo del ámbito es que sus estudiantes puedan señalar a diferentes personas –utilizando los demostrativos–, presentar a alguien y describir una empresa. Si sus estudiantes son adolescentes o están en paro (sin trabajo), pueden simular una empresa.

## 1. Vamos a aprender:

- El presidente o la presidenta de una empresa es el responsable último de la misma. En muchas ocasiones es un Consejo quien preside la empresa. El presidente puede ser el propietario, o puede serlo el Consejo de accionistas.

- El director o la directora general es la persona encargada de tomar todas las decisiones de la empresa: dirige y supervisa todos los departamentos de la empresa. Suele estar ayudado por un secretario o secretaria que colabora con él realizando todas las gestiones técnicas necesarias para que se cumplan sus directrices.

- El departamento comercial es el responsable de los acuerdos comerciales y se ocupa también de lo que se llama atención al cliente.

- El departamento de marketing, que en algunos países también se llama "márqueting" o "de mercadotecnia", es el responsable de la publicidad y de las actividades de promoción.

- El departamento financiero se encarga de la economía de la empresa, de los impuestos y de cualquier gestión con el dinero. Suele depender de él la contabilidad de la empresa.

- El departamento de recursos humanos es el encargado de gestionar todas las cuestiones de personal: contratación de nuevos empelados, salarios, periodos de vacaciones, promociones de personal, etc.

- El departamento de logística es el encargado de almacenar los productos de la empresa y hacerlos llegar a los lugares de venta y distribución.

## 2. Competencia gramatical:

- En español, al contrario que en otras lenguas, existen tres grados de proximidad o lejanía en los demostrativos. Estos señalan tanto la ubicación espacial como temporal.
  - *Este, esta, estos* y *estas* se refieren a personas o cosas próximas a quien habla. Temporalmente sitúan acontecimientos del presente.
  - *Ese, esa, esos* y *esas* se refieren a personas o cosas próximas a quien escucha. Temporalmente sitúan acontecimientos pasados muy próximos.
  - *Aquel, aquella, aquellos* y *aquellas* se refieren a personas o cosas alejadas de quien habla y de quien escucha. Temporalmente sitúan acontecimientos pasados.
  - También se utilizan para organizar el discurso cuando se habla de varias cosas. Por ejemplo, "Los adolescentes y los adultos a veces no se entienden. Esos porque están en rebeldía, estos porque no entiende su actitud", siendo *esos* los adolescentes, el referente primero, y estos, los adultos, el referente más cercano.

177

| Actividad | Forma social de trabajo recomendada | Objetivo | Sugerencia |
|---|---|---|---|
| **1.** | Parejas o grupos. | Toma de conciencia de su propia cultura. | Si su clase es monocultural, forme parejas que resuelvan la actividad y, después, en el pleno se discuten para llegar a un consenso, a unas pautas comunes. Si su clase es multicultural, forme tantos grupos como identidades culturales haya, cada grupo realiza la actividad en consenso y se presenta al pleno, pero no se discute. |
| **2.** | Parejas. | Comprensión lectora y conocimiento de datos de la familia española. | En parejas leen los textos y relacionan los datos con la información del INE. En el pleno se ponen todos los datos en común. Por último, en pleno, se ordenan las fotos según la información obtenida y se escribe un pie de foto para cada una. |
| **3.** | Individual y corrección en pleno. | Conocer las actividades que la familia española realiza en conjunto y compararlas con las de su país. | Cada estudiante lee individualmente los textos y los relaciona con las imágenes. Se corrige en pleno. Después, oralmente, se hacen las comparaciones. En caso de que su clase sea monocultural, realice esta última actividad en pleno. En el supuesto de que su clase sea multicultural, forme grupos de identidad cultural o nacional y pida que sus estudiantes hagan un pequeño informe con las diferencias y similitudes. |

Le podrá ser de ayuda esta **información socio-cultural**:

Si lo cree conveniente, para preparar la actividad 3, lleve fotos en las que pueda presentar el vocabulario: cumpleaños, Navidad, pasar las vacaciones, etc.

En el DVD de *Pasaporte* encontrará un interesante documental sobre la familia en España, y en www.edelsa.es/pasaporte.htm encontrará algunas didactizaciones sobre el documental.

En este módulo sus estudiantes adquirirán los recursos lingüísticos y gramaticales necesarios para hablar de alimentos, comprarlos, indicar pesos y medidas, hablar de la dieta, de lo que les gusta y no les gusta, expresar su opinión, manejarse en un restaurante y en un bar, hablar de la frecuencia y de los horarios y confeccionar su propio menú.

Para ello se les presentan los documentos reales relacionados con la alimentación:

■ Cartel adaptado de los alimentos de España del Ministerio de Agricultura, Pesca y Alimentación, donde se promocionan los alimentos españoles de una excepcional calidad y la denominación de origen. Puede encontrar más información en www.mapa.es.

■ Intervenciones adaptadas de un foro en el que se habla del desayuno de los españoles. Podrá consultar el foro original, así como ampliar las intervenciones en http://es.answers.yahoo.com/question/index?qid=20060623132445AABUtW0.

■ Texto sobre la dieta mediterránea con el que sus estudiantes conocerán los alimentos típicos de la dieta española.

■ Cheques bancarios para que se familiaricen con diferentes tipos de documentos reales de distintos ámbitos de la vida cotidiana.

■ Formato de un tique de compra de un supermercado.

■ Lista de los precios, adaptado de un documento del Ministerio de Agricultura, Pesca y Alimentación, con los precios oficiales de mercado de esos productos.

■ Cartas de varios restaurantes mediante las que entrarán en contacto, no solo con un vocabulario determinado, sino también con información veraz sobre los hábitos de comidas y los precios en España.

■ Billetes de la Lotería de Navidad.

En los distintos contextos de lengua, los estudiantes irán entrando en contacto con los recursos lingüísticos y los documentos propios de cada contexto para ir adquiriendo las estrategias y los conocimientos necesarios para poder actuar con éxito. Para ello se les proponen las siguientes acciones:

■ En el Ámbito Personal, hablar de su dieta (lo que comen habitualmente), de lo que les gusta y no les gusta o de lo que no pueden comer por distintos motivos.

■ En el Ámbito Público, organizar una fiesta en casa proponiendo diferentes tapas, una costumbre muy española.

■ En el Ámbito Profesional, organizar una comida de empresa y elegir entre tres restaurantes.

| Actividad | Forma social de trabajo recomendada | Objetivo | Sugerencia |
|---|---|---|---|
| Vamos a aprender | Plenaria. | Primer contacto con el vocabulario de la comida y con la cultura gastronómica. | Si puede, lleve un cartel grande como este o similar, y utilice fichas, en cada una de las cuales vaya escrito el nombre del alimento, para que sus estudiantes los relacionen todos juntos. |
| 1.a. | Parejas. | Conocimiento del vocabulario básico para hablar de la comida. | Sus estudiantes, en parejas, clasifican los 19 alimentos. Después, si alguno sabe más palabras, puede aportarlas a la clase. |
| 1.b. | Individual o parejas. | Comprensión lectora de las intervenciones en el foro y conocimiento tanto de léxico como de hábitos culturales. | Sus estudiantes leen los cinco textos y los relacionan con una de las fotos. Comprueban sus resultados en parejas. |
| 1.c. | Parejas. | Segundo control de la comprensión y práctica del vocabulario. | Como complemento a la actividad anterior, sus alumnos indican en qué consiste el "segundo desayuno" español. |
| 1.d. | Plenaria. | Expresión oral, práctica del vocabulario del módulo y contraste intercultural. | Sus estudiantes indican qué desayunan normalmente. |
| 2.a. | Presentación plenaria y actividad individual. | Entender el género de los sustantivos por la terminación. | Explíqueles a sus estudiantes el cuadro del género y, después, realicen la actividad individualmente, luego se corrige en el pleno. |
| 2.b. | Plenaria. | Entender el funcionamiento de los artículos definidos. | Explíqueles a sus estudiantes el cuadro y la nota y realicen juntos la actividad. Si a lo largo del ámbito ha ido apareciendo más vocabulario, incorpórelo. |
| 3.a. | Individual y corrección plenaria. | Comprensión auditiva global. | Se escucha el audio y cada estudiante marca los alimentos que escucha. Se corrige en el pleno. |
| 3.b. | Individual y parejas. | Comprensión auditiva detallada. | Sus estudiantes escuchan de nuevo el audio y responden en parejas con verdadero o falso. Si le parece oportuno, para introducir la actividad siguiente, presénteles la transcripción del diálogo. |
| 3.c. | Plenaria. | Conocimiento de las expresiones para hablar de gustos. | Recuérdeles la forma del verbo *gustar* que vieron en el módulo anterior. Si les presenta la transcripción del diálogo, haga que subrayen las formas del verbo *gustar* y sistematice de forma inductiva el cuadro en la pizarra. |
| 3.d. | Parejas. | Practicar la forma del verbo *gustar* y entender el uso de la reduplicación del dativo. | Forme parejas y deje que sus estudiantes hagan la actividad. Si le parece oportuno, para corregir, vuelva a poner el audio. |
| 3.e. | Parejas y corrección plenaria. | Afianzar los conocimientos adquiridos y comprensión lectora. | Forme parejas, deje que lean el diálogo y que rellenen los huecos. Para corregirlo, en vez de comprobar las respuestas, hágales preguntas de control de la comprensión. |
| 4.a. | Individual y corrección plenaria. | Comprensión lectora y primer contacto con este aspecto sociocultural. | Sus estudiantes, individualmente, leen el texto y anotan lo que piden. En el pleno se corrige. |
| 4.b. | Plenaria. | Conocimiento de esta pauta cultural. | Explíqueles la nota cultural y hagan todos juntos la actividad. Si le parece oportuno, aporte más léxico de tapas para practicar los diminutivos. |
| 4.c. | Parejas. | Expresión oral: afianzar el conocimiento cultural e interacción oral. | En parejas hacen un juego de rol simulando que toman tapas. |

| Actividad | Forma social de trabajo recomendada | Objetivo | Sugerencia |
|---|---|---|---|
| 5.a. | Plenaria. | Conocer una nueva regla de acentuación de las palabras. | Recuérdeles las reglas de acentuación de las palabras llanas vistas en el módulo anterior y explíqueles esta nueva regla sobre las agudas. |
| 5.b. | Parejas y corrección plenaria. | Identificación auditiva y aplicación de la regla de escritura del acento gráfico. | Sus estudiantes escuchan el audio y realizan la actividad. Es posible que tenga que poner el audio dos veces. |
| Acción | Individual y presentación plenaria. | Actuar en español utilizando todos los conocimientos y habilidades adquiridos para hablar de su dieta. | Sus estudiantes leen el texto. Una vez leído, formúleles preguntas de comprensión. A continuación realizan la actividad de relacionar palabras con imágenes. Por último, individualmente piensan en sus gustos y en su dieta y escriben las frases. Para ayudarles, póngales ejemplos con las causas. Por último explican sus gustos a toda la clase. Es importante guardar constancia de los resultados para realizar bien la acción del ámbito público. |

Le podrá ser de ayuda esta **información socio-cultural**:

## 1. Vamos a aprender:

El Minsterio de Agricultura, Pesca y Alimentación hace todos los años una campaña de promoción de los alimentos españoles, de los productos con denominación de origen (aquellos productos que por su calidad están asociados a un lugar concreto, como el queso manchego, por ejemplo). Si quiere conocer otras campañas, puede acudir a www.mapa.es.

## 3. Competencia funcional:

Aquí le presentamos algunas variedades léxicas relacionadas con la alimentación:

| En España | En Argentina | En México |
|---|---|---|
| Aguacate | Palta | |
| Albaricoque | Damasco | Chabacano |
| Calabacín | Zapallito | |
| Cerdo | | Puerco |
| Fresa | Frutilla | |
| Frutos secos | | Frutas secas |
| Gambas | Camarones | Camarones |
| Guisante | Arveja | Chícharo |
| Judías | Poroto | Frijol |
| Melocotón | Durazno | |
| Patata | Papa | Papa |
| Plátano | Banana | Banana |
| Tarta | Torta | |
| Zumo | Jugo | Jugo |

## 4. Competencia sociolingüística:

La costumbre de tomar el aperitivo, tapas o picar algo es muy usual. Se hace para tomar algo antes de comer o cenar durante los fines de semana o para merendar. En estas ocasiones la costumbre es compartir las raciones entre los comensales. Por ello se utiliza el diminutivo como forma de negociación de lo que se va a pedir, ya que se va a compartir. Ojo, el diminutivo no se suele utilizar sobre la palabra *ración*, sino sobre el producto, es decir, no se suele decir *una racioncita de patatas*, sino *unas patatitas*.

181

| Actividad | Forma social de trabajo recomendada | Objetivo | Sugerencia |
|---|---|---|---|
| **Vamos a aprender** | Individual y actividad de control plenaria. | Contextualizar y activar sus conocimientos generales sobre hacer la compra: envases, pesos y medidas y precios. | Sus estudiantes individualmente leen el tique del supermercado, lo identifican y subrayan los productos y los envases. Si le parece oportuno, lleve varios tiques diferentes y sus estudiantes presentan al pleno la información diferenciada. |
| **1.a.** | Parejas y corrección plenaria. | Conocimiento de los números cardinales. | Sus estudiantes en parejas realizan la actividad. Si le parece mejor, puede llevar fichas con los números y que los alumnos los ordenen en el pleno. |
| **1.b.** | Individual y corrección plenaria. | Comprensión auditiva e identificación acústica. | Sus estudiantes escuchan el audio y marcan los números que oigan. Se corrige en el pleno. Para ampliar la actividad, puede pedir que sus estudiantes se dicten unos a otros más números. |
| **1.c.** | Individual y presentación plenaria. | Expresión escrita y utilización de los números. | Sus estudiantes realizan la actividad individualmente. |
| **1.d.** | Parejas. | Conocimiento cultural, práctica del vocabulario de los alimentos y de los números y contacto con los pesos y las medidas. | Sus estudiantes leen los textos y calculan el precio de la paella. |
| **1.e.** | Individual. | Expresión oral. | Cada estudiante piensa en su receta favorita (real o imaginaria) y calcula el precio. Se presentan los resultados en el pleno. |
| **2.a.** | Individual y corrección plenaria. | Comprensión auditiva e identificación de pesos y medidas. | Sus estudiantes escuchan y completan la lista de la compra. Para la corrección plenaria, lleve a clase un formato plenario de la lista de la compra (transparencia o fotocopia grande) y rellénela con los datos que den sus estudiantes de forma visible. |
| **2.b.** | Parejas o grupos pequeños. | Conocimiento cultural de los pesos y medidas. | Si su clase es monocultural, forme parejas para que realicen la actividad y en el pleno se discuten los resultados. Si su clase es multicultural, forme grupos y realice la actividad. En la presentación plenaria no se discuten los resultados, solo se comparan. |
| **3.a.** | Individual y realización de la lista en parejas. | Comprensión auditiva global. | Se escucha el audio y se redacta la lista de la compra. Si le parece oportuno, una vez terminada la actividad les puede entregar la transcripción para que marquen los adjetivos y las formas de los verbos *gustar* y *parecer* y así poder realizar mejor las siguientes actividades. |
| **3.b.** | Plenaria. | Sistematización de adjetivos de valoración. | Si les ha entregado la transcripción del diálogo anterior, les será muy fácil identificar los adjetivos contrarios. |
| **4.a.** | Presentación plenaria y actividad en parejas. | Entender la diferencia entre *gustar* y *parecer* y practicarla. | Si les ha entregado la transcripción, pídales que marquen los ejemplos con los dos verbos. Sistematice en la pizarra. A continuación pueden realizar la actividad en parejas. |
| **4.b.** | Plenario. | Entendimiento de la forma del verbo *parecer*. | Escriba el esquema en la pizarra y con ayuda de sus estudiantes, complételo. |
| **4.c.** | Parejas. | Práctica de los usos de los dos verbos y los pronombres. | Es conveniente realizar la actividad en parejas para que sus estudiantes se ayuden los unos a los otros. |
| **4.d.** | Individual y pequeño debate plenario. | Expresión oral, dar la opinión. | Sus estudiantes realizan la primera actividad individualmente, la actividad es libre. En el pleno se presentan los resultados y se discuten. |

| Actividad | Forma social de trabajo recomendada | Objetivo | Sugerencia |
|---|---|---|---|
| 5.a. | Plenaria. | Afianzar la regla de acentuación tónica y gráfica de las palabras agudas y llanas. | Recuérdeles la regla que se ha ido viendo en las distintas secciones. Si lo considera oportuno, recuérdeles también las palabras vistas hasta ahora. |
| 5.b. | Parejas. | Aplicar la regla e identificación acústica. | Sus estudiantes resuelven la actividad en parejas, se escucha el audio y se corrige en el pleno. Puede ampliar la actividad dictándoles más palabras. |
| Acción | Plenaria y parejas o grupos pequeños. | Actuar en español utilizando todos los conocimientos y habilidades adquiridos para comprar alimentos. | En pleno sus estudiantes hablan de sus gustos en la comida y de sus restricciones en la dieta. Si ha conservado la información de la acción anterior, es el momento de traerla de nuevo a la clase. Sus estudiantes tienen que tomar nota de los gustos de sus compañeros. Después, en parejas, leen la lista de las tapas y los ingredientes. Si le parece oportuno, puede llevar más a la clase. Cada pareja elige las tapas y redacta su lista de la compra. En el pleno se pueden comparar los resultados. |

Le podrá ser de ayuda esta **información socio-cultural**:

## 1. Competencia léxica:

La paella, aunque es originaria de Valencia, es la comida nacional española e, incluso, en muchos países latinoamericanos también la comen. Paella en valenciano significa "sartén". En ella se sofríen y cuecen el arroz, pollo, verduras y algo de pescado o marisco. Se añade caldo de pescado y el gran ingrediente español, el azafrán, una especia de los pistilos de una flor que le da ese color amarillo.

Hay muchos tipos de paellas, pero la más tradicional y conocida es la paella mixta, o de pescado y pollo, que es la que reproduce la actividad 1d.

## 2. Competencia sociolingüística:

En los países hispánicos, donde hay una enorme variedad y cantidad de frutas y verduras, estas no se suelen comprar por unidades, como en otros países, sino por kilos. La carne y el pescado también se compran por kilos o fracciones, excepto los pescados medianos, que se compran por unidades. Los huevos, por docenas (12 huevos) o medias docenas (6 huevos). Normalmente no es posible comprar un huevo solo, por ejemplo. La forma tradicional de comprar el pan es por barras, aunque actualmente se han popularizado otras formas de panes.

## 3. Acción:

Las tapas presentadas son las más populares y conocidas, pero existen muchísimas más. En www.atapear.com encontrará una historia de las tapas, algunos consejos y 203 recetas de tapas.

| Actividad | Forma social de trabajo recomendada | Objetivo | Sugerencia |
|---|---|---|---|
| Vamos a aprender | Parejas y corrección plenaria. | Contextualizar y activar sus conocimientos generales sobre comer en un restaurante. | La actividad tiene su dificultad por la extensión y peculiaridad del léxico. Pídales que realicen la actividad y la pongan en común en el pleno. Ojo, hay más platos de verdura de cuatro y más de dos de carne. Se trata de que cada alumno aporte lo que conoce o puede deducir. No es importante que memoricen todo ese léxico. |
| 1.a. | Parejas, comprensión individual y corrección plenaria. | Comprensión lectora, conocimiento cultural de los hábitos de comidas y comprensión auditiva. | Sus estudiantes en parejas observan el menú e identifican los diferentes apartados. A continuación rellenan el cuestionario. Como corrección se escucha el audio. |
| 1.b. | Grupos. | Afianzar el conocimiento cultural y repasar el vocabulario. | Es posible que tenga que poner otra vez el audio para realizar bien la actividad. |
| 1.c. | Plenaria. | Sistematizar las convenciones sociales en los hábitos de la comida. | Si le parece oportuno, una vez finalizada la actividad puede presentarles la transcripción para comprobar. |
| 1.d. | Plenaria o grupos mononacionales. | Contraste intercultural y expresión oral. | Si su clase es monocultural, realice la actividad en pleno. Puede darles unos minutos a sus estudiantes para que preparen por escrito sus intervenciones. Si su clase es pluricultural, forme grupos nacionales. Cada grupo redacta las frases y se las presenta al pleno, que no las discute, sino que las compara. |
| 2.a. | Parejas y plenaria. | Conocer algo del léxico de la gastronomía y desarrollar recursos para identificar platos. | El objetivo no es que conozcan todo el amplísimo campo semántico de la gastronomía. Por eso, si le parece oportuno, puede apuntar otros platos para identificar los ingredientes. |
| 2.b. | Individual. | Comprensión auditiva global. | No se trata de que sus estudiantes comprendan en detalle todo lo presentado en el audio, sino solo lo fundamental. Limítese a que sus estudiantes identifiquen qué piden los comensales. |
| 2.c. | Individual y presentación en grupos. | Expresión oral y reutilización de los recursos para identificar platos. | Si su clase es monocultural, cada estudiante puede describir un plato, sin decir el nombre, y el resto de la clase lo identifica. Si su clase es pluricultural, forme grupos nacionales, que cada uno piense en un plato nacional y describa al pleno cuáles son sus ingredientes. |
| 3.a. | Individual. | Comprensión auditiva más detallada, aunque no totalmente. | Después de escuchar la audición y hacer la actividad, puede presentarles la transcripción para reafirmar la comprensión y entrar en los contenidos funcionales. |
| 3.b. | Plenaria. | Conocer las expresiones para manejarse en un restaurante. | Si ha presentado la transcripción, puede pedirle a sus estudiantes que identifiquen las expresiones que usted sistematiza en la pizarra. |
| 3.c. | Individual y grupos. | Comprensión lectora, conocimiento de las expresiones para preguntar por algo que no se sabe qué es y expresión oral. | Sus estudiantes leen el texto y realizan la actividad de control. Se corrige en el pleno. A continuación, si su clase es monocultural, forme parejas para que cada estudiante le describa al otro un plato o una bebida que este debe adivinar. Si su clase es pluricultural, forme grupos nacionales, cada grupo describe sus bebidas y comidas nacionales y se las explica al resto de la clase. |
| 3.d. | Grupos de tres estudiantes. | Expresión oral y práctica de los recursos adquiridos. | En grupos, sus estudiantes realizarán un juego de roles. Lo primero que tendrán que hacer es escribir la carta del restaurante elegido y después desarrollar la situación. Para corregir, puede ir de grupo en grupo escuchando y ayudándoles o bien, puede pedirles que interpreten la situación en el pleno. |

| Actividad | Forma social de trabajo recomendada | Objetivo | Sugerencia |
|---|---|---|---|
| 4.a. | Plenaria. | Entendimiento de la forma y los usos de los artículos indefinidos | Presénteles los diálogos a sus estudiantes y llame su atención sobre los artículos. A continuación deles unos minutos de reflexión y en pleno completan el esquema. |
| 4.b. | Parejas. | Afianzar los usos de los artículos. | Para ampliar puede pedirles que redacten más micro-diálogos similares. |
| 5.a. | Individual y corrección plenaria. | Identificación auditiva. | Sus estudiantes escuchan el audio y escriben individualmente las palabras. Se corrigen en el pleno. Remarque las letras *ce, zeta* y *cu*. |
| 5.b. | Parejas. | Sistematización de las reglas ortográficas. | Sus estudiantes realizan la actividad que se controla en el pleno. Puede ampliar la actividad dictándoles más palabras. |
| Acción | Grupos. | Actuar en español utilizando todos los conocimientos y habilidades adquiridos para manejarse en un restaurante. | Forme grupos en la clase. En el pleno se leen los tres textos y cada grupo elige uno. A continuación, según el texto elegido, escogen uno de los restaurantes y explican por qué han elegido este menú. |

Le podrá ser de ayuda esta **información socio-cultural**:

El objetivo del ámbito no es que sus estudiantes aprendan y memoricen todos los nombres de los platos tradicionales de la gastronomía española. El objetivo es que desarrollen estrategias para poder manejarse en restaurantes españoles o en casas de amigos. Por ello, en el módulo se han utilizado documentos auténticos, tales como los que se podrán encontrar sus estudiantes. Evidentemente el objetivo es que sus estudiantes, en esas futuras situaciones reales, puedan actuar evitando contratiempos.

## 1. Vamos a aprender:

En España, de forma general, existen dos tipos de restaurantes tradicionalmente: el restaurante de carta y el restaurante de menú del día. El primero ofrece una variada carta de platos y, según los que pidan los comensales, el precio de la factura final cambia. El segundo tipo presenta una carta más corta, normalmente tres primeros, tres segundos y tres postres, a elegir uno de cada. En estos restaurantes el precio del menú está cerrado de antemano. En cualquier caso, en los restaurantes españoles se ofrecen siempre primeros platos o entradas, segundos platos o platos principales y postres, ya que la costumbre es comer tres platos. Con algunas comidas específicas, como paella, cordero, cocido, etc., solo se come un plato (quizás acompañado por una ensalada).

## 2. Competencia funcional:

Al contrario de lo que ocurre en un bar, la costumbre cuando se está en un restaurante es que cada comensal pida al camarero lo que va a tomar, excepto aquellas cosas que se van a compartir, como una ensalada o alguna nación.

## 3. Acción:

Las empresas suelen organizar una comida o una cena de Navidad en la que están invitados todos los trabajadores de la empresa. Normalmente el director de Recursos Humanos es quien se encarga de organizar un menú cerrado.

| Actividad | Forma social de trabajo recomendada | Objetivo | Sugerencia |
|---|---|---|---|
| 1. | Parejas o grupos. | Activación de sus conocimientos previos (son platos de la gastronomía hispana muy conocidos) y conocimiento de nuevos datos. | Sus estudiantes en pequeños grupos clasifican los platos. Si supieran más platos, podrían aumentar la lista. Los relacionan con las fotos y los ingredientes. En pleno se corrigen los resultados. |
| 2. | Individual, corrección plenaria y grupos. | Comprensión auditiva y conocimiento cultural. Contraste intercultural y expresión oral. | Sus estudiantes escuchan el audio y anotan los datos en cada comunidad autónoma. No se trata de que comprendan todos los términos ni que se aprendan todas las especialidades gastronómicas. Lo importante es que tengan una ligera noción de las diferencias regionales y que presten especial atención a las palabras más utilizadas. En el pleno se corrigen. A continuación tiene que presentar los datos de su país. Si su clase es monocultural, cada estudiante en parejas o individualmente puede confeccionar la lista de los productos típicos de una región y finalmente toda la clase confecciona un gran *collage*. Si su clase es multicultural, forme grupos por nacionalidades o regiones y cada grupo prepara la lista de sus productos gastronómicos para presentárselo a toda la clase. |
| 3. | Plenaria o en grupos. | Conocer los horarios y los hábitos de comidas españoles y hacer un contraste intercultural. | Si su clase es monocultural, realice la actividad en pleno. Si su clase es pluricultural, observen los textos todos juntos, forme grupos por nacionalidades y que cada grupo establezca las diferencias que se presentan al pleno. |

Le podrá ser de ayuda esta **información socio-cultural**:

Puede ampliar la actividad presentando otras gastronomías hispanas. Estas direcciones web le facilitarán datos y fotos de diferentes gastronomías.
Peruana: www.peru.com/gastronomia
Venezolana: www.arecetas.com/venezuela
Cubana: www.cubanaweb.com

A continuación le aclaramos algunas especialidades gastronómicas:

- Gazpacho: sopa fría de tomate y otras hortalizas muy popular en verano.
- Sobrasada: embutido de cerdo y pimentón, muy parecido al chorizo, pero que se unta.
- Ensaimada: dulce hecho de masa que se enrolla sobre sí misma.
- Papas arrugadas: pequeñas patatas asadas o cocidas que se acompañan con "mojo" o salsa. Puede ser mojo picón, salsa de perejil, u otros mojos.
- Cava: vino espumoso, tipo *champagne*.
- Migas: plato hecho a base de pan frito con pimentón y acompañado de huevos fritos y chorizo, o verduras o aceitunas.
- Cocido madrileño: plato hecho a base de cocer diversos tipos de carne (vaca y cerdo), con verduras (repollo, patata, zanahoria, puerro, nabo…) y garbanzos. Primero se come la sopa de la cocción y después los garbanzos, la verdura y las carnes.

En el DVD de *Pasaporte* encontrará un interesante programa televisivo sobre la confección de una tortilla de patatas y en www.edelsa.es/pasaporte.htm encontrará algunas didactizaciones sobre el documental.

# Ubicarse en la calle

En este módulo sus estudiantes adquirirán los recursos lingüísticos y gramaticales necesarios para describir un barrio, ubicarse, preguntar e informar sobre direcciones para manejarse en la calle, situar los lugares según la distancia a la que se encuentran del hablante y, en general, manejarse en la calle y en edificios de oficinas y centros comerciales.

Para ello se les presentan los documentos reales relacionados con la ciudad, el barrio o el pueblo:
- Mapa del centro de la ciudad de Valencia, con iconos de edificios, como iglesias, estaciones de metro, el ayuntamiento, museos, etc., que constituyen el léxico básico relevante para la descripción de un pueblo, una ciudad o un barrio.
- Texto general descriptivo de Valencia.
- Textos sobre los barrios de Ruzafa o El Carmen, de Valencia. Si considera necesario ampliar la información sobre estos dos barrios, podrá encontrarla en:
  http://es.wikipedia.org/wiki/Barrio_del_Carmen_%28Valencia%29.
  http://es.wikipedia.org/wiki/Ruzafa.
- Itinerario del centro de Madrid.
- Carteles informativos urbanos para indicar direcciones en una ciudad (Madrid).
- Fragmento de plano del centro de Madrid.
- Logos de empresas españolas conocidas internacionalmente: El Corte Inglés, Zara, Telepizza, etc.
- Directorio de un edificio de oficinas.
- Plano de un centro comercial.
- Pequeño texto sobre los centros comerciales: http://es.wikipedia.org/wiki/Centro_comercial.
- Fotos y pequeños textos sobre los barrios de Madrid.

En los distintos contextos de lengua, los estudiantes irán entrando en contacto con los recursos lingüísticos y los documentos propios de cada contexto para ir adquiriendo las estrategias y los conocimientos necesarios para poder actuar con éxito. Para ello se les proponen las siguientes acciones:
- En el Ámbito Personal, hablar de su entorno más inmediato, el barrio: lo que hay en el barrio, cómo es, las comunicaciones, las personas, etc.
- En el Ámbito Público, indicar un itinerario por su ciudad para mostrarla a personas extranjeras que la visiten.
- En el Ámbito Profesional, ubicarse en un centro comercial para poder comprar en un país hispanohablante.

# Ámbito Personal

| Actividad | Forma social de trabajo recomendada | Objetivo | Sugerencia |
|---|---|---|---|
| Vamos a aprender | Parejas y presentación plenaria. | Primer contacto con el vocabulario mínimo para describir una ciudad. | Si dispone de retroproyector de transparencias, fotocopie en tamaño más grande el mapa en una transparencia: esto facilitará el trabajo plenario. |
| 1.a. | Individual, parejas y puesta en común plenaria. | Conocimiento del léxico. | Sus estudiantes leen individualmente el texto , en parejas hacen la lista de palabras y las presentan al pleno. |
| 1.b | Individual, parejas y revisión plenaria. | Comprensión lectora. | Después leen las preguntas de control de la comprensión y anotan sus respuestas, que se ponen en común. |
| 2.a | Individual y puesta en común plenaria. | Entendimiento gramatical. | Sus estudiantes subrayan en el texto las formas *hay/está(n)*. Comprueban sus resultados en el pleno. |
| 2.b | Parejas. | Practicar la diferencia *hay / está(n)* | Para controlar los resultados, circule por la clase revisando los trabajos de las parejas. Si lo considera necesario o el grupo es muy numeroso, haga una corrección en el pleno. |
| 2.c. | Plenaria. | Entendimiento de la diferencia entre *mucho/s, mucha/s* y *muy*. | Presente el ejercicio en transparencia, con retroproyector, y haga el ejercicio en el pleno. |
| 3.a. | Plenaria. | Contextualizar: preparar el trabajo sobre el barrio. Expresión oral y comprensión auditiva. | Haga que sus estudiantes hablen sobre sus barrios. Como sensibilización hacia el mundo del tango, hágales escuchar los cuatro versos de *Melodía de Arrabal* de Carlos Gardel (interpretado por Carlos Montero). |
| 3.b. | Individual y corrección plenaria. | Comprensión auditiva global. | Haga que sus estudiantes lean las preguntas antes de escuchar el texto. Una vez terminada la audición y la actividad de control de la comprensión, ponga otra vez el audio y haga que se fijen en la diferencia de acento entre Rosa y Graciela. |
| 3.c. | Plenaria. | Conocimiento de los exponentes funcionales para describir y valorar un barrio. | Presente los exponentes en cartulinas grandes y haga que sus estudiantes coloquen los títulos ("describir", "valorar", "preguntar"…) sobre los exponentes correspondientes. |
| 3.d. | Individual y en dos grupos. | Comprensión lectora global. Expresión oral: descripción y valoración de un barrio. | Cada grupo se ocupa de uno de los textos, que se leen primero individualmente. Las respuestas a las preguntas se hacen en el grupo. Cada grupo presenta el resultado en el pleno. Si lo desea, puede hacer que se intercambien en una segunda fase los textos y se confeccionen dos pequeños textos. |
| 4. a | Individual y corrección plenaria. | Discriminación auditiva entre el acento peninsular y el argentino. | Después de la 1.ª audición, haga que sus estudiantes describan brevemente y en general cómo les suenan los dos acentos, el peninsular y el rioplatense, para poder identificarlos. |
| 5.a. | Plenaria. | Desarrollo de la competencia sociolingüística. Expresión oral: descripción de la plaza en las diferentes culturas. | Sus estudiantes hablan sobre cómo son las plazas en sus países. Motíveles con las preguntas y evite hacer correcciones en esta fase. |
| 5.b. | Individual y puesta en común plenaria. | Conocimiento sociocultural y del léxico. Comprensión auditiva global y detallada. | Puede que necesite escuchar el audio dos veces: la primera para marcar los elementos de la lista y la segunda para realizar la comprensión más detallada. Aproveche para comparar: ¿existen las mismas cosas en un barrio? |

| Actividad | Forma social de trabajo recomendada | Objetivo | Sugerencia |
|---|---|---|---|
| 5.c. | Plenaria. | Interacción oral. Expresión escrita. | Aproveche esta fase para que sus estudiantes conversen sobre el concepto de plaza en sus culturas y sobre las plazas y otros centros de reunión en las grandes ciudades. Si le parece interesante, haga que sus estudiantes escriban un pequeño texto sobre la plaza en España. |
| 5.d. | Individual y puesta en común plenaria. | Comprensión lectora. Interacción oral | La idea original es la de presentar el concepto de pueblo como "lugar de arraigo", regreso al lugar de origen. Si le parece relevante, oriente este contenido también hacia el fin de semana en el pueblo como contrapeso a la vida estresante de las ciudades. |
| Acción | Parejas. | Actuar en español utilizando todos los conocimientos y habilidades adquiridos para hablar de su entorno más inmediato: su barrio, ciudad o pueblo. | Sus estudiantes, en parejas, se hacen entrevistas sobre el barrio de cada uno/a. Sería interesante que se pusiera en común toda la información y se hablara sobre los diferentes barrios del lugar en el que se está. Si las clases tienen lugar en un país hispanohablante, se pueden tratar los barrios de esta, lo que aportará información cultural adicional. Si las clases son en el país de origen, surgirá información interesante sobre su propia ciudad o pueblo. |

Le podrá ser de ayuda esta **información socio-cultural**:

## 1. Vamos a aprender:

Si dispone de la posibilidad de trabajar con ordenador en la clase, hay mapas de ciudades muy completos en el callejero de Lanetro: http://callejero.lanetro.com/apps/lanetro/index.asp.

## 3. Competencia funcional:

La canción de Carlos Gardel, *Melodía de arrabal,* tiene una letra difícil de entender, ya que está llena de palabras del lunfardo, dialecto argentino que aparece en los tangos. Téngalo en cuenta cuando escuche los cuatro versos y si quiere hacer escuchar la canción entera en versión original a sus estudiantes.

## 5. Competencia sociolingüística:

A través de la plaza del pueblo nos interesa que el alumno descubra el concepto de pueblo que existe en España. Hay una vinculación muy fuerte al pueblo como lugar de origen al que se vuelve siempre que se puede: en vacaciones si se vive lejos y los fines de semana si se vive cerca. Muchos españoles tienen un afecto especial a su pueblo de origen (de sus padres) y desean comprarse una casa allí. Muy a menudo, los estudiantes extranjeros escucharán en Madrid, por ejemplo, a jóvenes de su misma edad, decir: "Los fines de semana me voy al pueblo".

Un trabajo interesante que se puede realizar fuera de la clase es salir a la calle con una cámara de vídeo, buscar una o más plazas y hacer que sus estudiantes filmen lo que les parezca más relevante y significativo de las plazas. Después, se puede hacer un trabajo de análisis y reflexión sobre la plaza.

Si dispone de la película *Bienvenido Mr. Marshall,* de Luis García Berlanga, puede poner el principio de la cinta, que es una descripción de la plaza del pueblo y sus personajes. Aunque describe una realidad un poco antigua, hay cosas que aún hoy están vigentes en las plazas de los pueblos.

| Actividad | Forma social de trabajo recomendada | Objetivo | Sugerencia |
|---|---|---|---|
| Vamos a aprender | Individual o parejas y actividad de control plenaria. | Contextualizar y poner en contacto a sus estudiantes con los contenidos a tratar en el ámbito. | Sus estudiantes leen el texto y escriben debajo de las fotografías el nombre de los edificios que aparecen en el texto. Después, el resultado se comprueba en una transparencia con un plano. |
| 1.a. | Individual y corrección plenaria. | Conocimiento de los exponentes funcionales (a la derecha, a la izquierda...) | Sus estudiantes realizan la actividad individualmente. Después, se revisa en el pleno. |
| 1.b. | Individual y corrección plenaria. | Comprensión auditiva. | Sus estudiantes escuchan el audio y marcan las opciones de las actividades de control que les parecen correctas. Se corrige en el pleno. |
| 1.c. | Plenaria. | Conocimiento de los exponentes funcionales para pedir y dar información acerca de direcciones. | Explique a la clase o induzca por medio de preguntas las expresiones que sirven para pedir y dar información según el cuadro y anótelas en un esquema en la pizarra. Si es necesario, para ello haga que sus estudiantes escuchen el diálogo otra vez. |
| 1.d | Parejas y plenaria (juego de roles). | Expresión oral: práctica y habitualización a los exponentes vistos. | Haga fotocopias del mapa para que cada pareja trabaje con uno en la mano. Para la presentación en el pleno, haga que las parejas no revelen dónde quieren ir: el grupo tendrá que adivinarlo. |
| 2.a. | Individual y corrección plenaria. | Conocimiento del léxico de establecimientos públicos y comerciales. | Sus estudiantes relacionan las palabras de los establecimientos con las cosas que se pueden hacer/comprar en ellos. Llame la atención de sus estudiantes sobre las dos pequeñas fichas: "contracciones" y "expresar finalidad" con para. |
| 2.b. | Parejas. | Conocimiento del léxico y de la cultura: las empresas españolas internacionales. | Explote en el pleno el valor cultural de la información sobre las firmas españolas que se mencionan. Llame la atención de sus estudiantes sobre estas maneras de denominar establecimientos: "tienda de...", "empresa de ..." cuando no existe un término específico. |
| 3.a. | Individual. | Entendimiento de la conjugación de los verbos ir, seguir y hacer. | Sus estudiantes, individualmente, completan las conjugaciones de los verbos y en el pleno se comprueban los resultados. |
| 3.b. | Parejas. | Práctica de los dos verbos. Expresión oral. | Sus estudiantes piensan en 5 lugares cerca de la escuela y explican a su pareja cómo ir. La pareja tiene que adivinar de qué lugar se trata. |
| 3.c. | Individual y corrección plenaria. | Entendimiento del uso de las preposiciones con medios de transporte. | Si le parece más productivo, la inducción de la regla de uso de las preposiciones se puede hacer en parejas. |
| 3.d. | Individual. | Práctica del uso de las preposiciones. Expresión escrita. Comprensión auditiva orientada a la comprobación de resultados. | Haga una pequeña introducción sobre Extremadura (dónde se encuentra, qué cosas de interés tiene) y explote las fotografías. Sus estudiantes, tras ver el mapa, escriben un pequeño texto. Después escuchan el audio para comprobar los resultados y se hace una revisión en el pleno. |
| 4.a. | Presentación plenaria y actividad en parejas. | Conocimiento de los usos sociolingüísticos en España e Hispanoamérica sobre las fórmulas de cortesía. | Presente y discuta con toda la clase los usos de las fórmulas de cortesía en España y en Hispanoamérica. Compruebe en el pleno los resultados de la actividad. |
| 4.b. | Parejas. | Conocimiento intercultural, desarrollo de las destrezas sociales y uso de fórmulas de cortesía. | Ayude a sus estudiantes, si hace falta, a encontrar las fórmulas necesarias. |

| Actividad | Forma social de trabajo recomendada | Objetivo | Sugerencia |
|---|---|---|---|
| 5.a. | Plenaria. | Entendimiento de la ortografía /pronunciación. Pronunciar correctamente. | Primero haga leer a algunos de sus estudiantes en voz alta las palabras, así tendrá la oportunidad de corregir si observa que la pronunciación varía porque sus estudiantes piensan que, a grafía distinta, sonido distinto. |
| 5.b. | Individual y corrección plenaria. | Identificación auditiva de la diferencia entre las variantes peninsular y rioplatense. | Como práctica ulterior, pida a sus estudiantes que lean las palabras utilizando las dos variantes. |
| Acción | Parejas o grupos pequeños. Plenaria. | Actuar en español utilizando todos los conocimientos y habilidades adquiridos para describir un itinerario. | Sus estudiantes, en parejas o grupos, diseñan un itinerario que consideran interesante para personas que visiten su ciudad, por lo que sería conveniente disponer en la clase de materiales sobre esta. A continuación, cada pareja o grupo prepara un pequeño texto en el que se describen el itinerario y los monumentos o cosas interesantes que incluye. Podría ser muy productivo comparar unos itinerarios con otros. Presentamos un modelo, Barcelona, para guiar al estudiante. |

Le podrá ser de ayuda esta **información socio-cultural**:

## 1. Vamos a aprender:

Hay más información sobre rutas guiadas por Madrid en: www.esmadrid.com.

Estas páginas también contienen información sobre la historia, los monumentos, etc., así como imágenes que le pueden ayudar para ilustrar los monumentos que aparecen tanto en el itinerario como en los carteles urbanos (Museo del Prado, Casón del Buen Retiro…).

Asimismo, si desea mostrar imágenes de algunos de los cuadros del Museo del Prado, visite las páginas del Centro Virtual Cervantes: cvc.cervantes.es/ACTCULT/museoprado que, además, incluyen informaciones interesantes sobre las pinturas seleccionadas.

## 2. Competencia léxica:

Además de las empresas mencionadas (Zara, Camper, etc.) hay otras marcas conocidas internacionalmente. En: www.marcasrenombradas.com/prensa/ndp/marcasexamen.php se mencionan SEAT, Mango, Iberia, Freixenet, Chupa Chups, Telefónica, Santander Central Hispano, BBVA…

## 3. Competencia gramatical:

Extremadura es una región española muchas veces olvidada, pero que tiene una gran riqueza cultural y paisajística. El itinerario que aparece www.cieloytierra.com abarca regiones como La Vera, las Sierras de Gredos, de San Pedro y de Gata y lugares como Cáceres, Mérida, Badajoz, de indiscutible valor histórico y cultural. Si desea ampliar información sobre Extremadura, vaya a las páginas: www.turismoextremadura.com.

## 4. Competencia sociolingüística:

En España, al menos en algunas de sus zonas, no abunda el uso de fórmulas de cortesía (decir "por favor", pedir disculpas, dar las gracias...), algo que sí es frecuente en los países hispanos, cuyos habitantes se sienten a menudo sorprendidos por la sequedad de la forma de hablar peninsular, tan diferente a la de sus países. El sentido de la actividad *El concepto de cortesía* es el de hacer conscientes a estudiantes de esta característica de la lengua en España, precisamente para evitar posibles choques.

| Actividad | Forma social de trabajo recomendada | Objetivo | Sugerencia |
|---|---|---|---|
| Vamos a aprender | Parejas y corrección plenaria. | Contextualizar y activar sus conocimientos del mundo (edificios de oficinas) y presentar el léxico de establecimientos comerciales y profesionales. Conocimiento de los numerales ordinales. | Algunos de los términos para designar las oficinas y los establecimientos son internacionalismos: el objetivo no es que sus estudiantes aprendan el léxico, sino que lo identifiquen. Además, van descubriendo cómo funcionan los ordinales. |
| 1.a. | Individual y corrección plenaria. | Comprensión lectora. | Sus estudiantes, individualmente, escriben qué hay en cada planta del edificio. También puede explotar esta actividad para repasar el uso de *hay, está/n:* tras la presentación al pleno, haga revisar bajo este punto de vista las frases escritas por sus estudiantes. |
| 1.b. | Individual y corrección plenaria. | Entendimiento de los numerales ordinales. | Sus estudiantes estudian en parejas el cuadro de los ordinales y completan el ejercicio. La corrección se hace en el pleno: utilice, si desea introducir otro medio, una transparencia con el ejercicio fotocopiado. |
| 2.a. | Parejas y plenaria. | Reconocer mediante un audio y manejar correctamente los registros formal e informal. | Deje que sus alumnos lean individualmente los diálogos y rellenen el esquema en el pleno, en la pizarra o en transparencia: aproveche para aclarar las diferentes posibilidades. |
| 2.b. | Parejas y presentación plenaria: juego de roles. | Expresión oral. | Cada pareja se ocupa de uno de los diálogos / situaciones y la puesta en común se hace plenaria, mediante la representación de los diálogos: esto permitirá que "el público" valore si el uso de *tú* o *usted* es el correcto. |
| 3.a. | Individual y parejas. | Conocimiento del léxico de algunos establecimientos comerciales y profesionales. | Sus estudiantes relacionan individualmente las palabras con los iconos. Después comparan sus resultados en parejas. |
| 3.b. | Parejas y plenaria. | Práctica del léxico. | En las parejas, se ven las formas con las que pueden decir qué se hace en los establecimientos de la actividad 3.a (comprar, viajes, llevar la ropa a limpiar...). Se revisa en el pleno. |
| 4.a. | Individual y presentación plenaria. | Conocimiento de los exponentes funcionales para situar las cosas según la distancia. | Haga que quede claro el paralelismo entre *aquí, ahí* y *allí* y *este/a, ese/a* y *aquel/la*. Relaciónelos, si le parece más claro con "cerca del hablante, cerca del oyente, lejos de los dos", por medio de gestos. |
| 4.b. | Parejas y plenaria. | Expresión oral y práctica para situar algo en función de la distancia a la que se encuentra. | Sus estudiantes, en parejas, discuten y anotan la respuesta a las preguntas de los diálogos. En el pleno, se comprueban los resultados: haga que cada pareja formule una pregunta a otra para que resulte más productiva la comparación. |
| 4.c. | Parejas y plenaria. | Comprensión auditiva. | Las parejas marcan en la ilustración las distintas tiendas. Recoja los resultados del trabajo de las parejas en el pleno. |
| 5.a. | Individual y corrección plenaria. | Identificación auditiva. | Sus estudiantes escuchan el audio y clasifican las palabras en las columnas correspondientes y se verifican los resultados en el pleno. Al final, repita la audición para que queden claros los resultados. |
| 5.b. | Plenaria. | Sistematización de las reglas ortográficas sobre la acentuación de las esdrújulas. | Pídales varios ejemplos de esdrújulas. Añada usted otros. |

| Actividad | Forma social de trabajo recomendada | Objetivo | Sugerencia |
|---|---|---|---|
| Acción | Individual, plenaria. Parejas y plenaria. | Actuar en español utilizando todos los conocimientos y habilidades adquiridos para manejarse en un centro comercial o en un edificio de oficinas. | Sus alumnos leen el texto individualmente y comentan en el pleno si están de acuerdo o no con lo que se dice en él. Después, en parejas, llevan a cabo la segunda actividad. Finalmente, se discute en el pleno sobre los centros comerciales que sus estudiantes conocen, la función social que cumplen, especialmente entre los jóvenes, si son un sustituto de algo como la plaza del pueblo, etc. |

Le podrá ser de ayuda esta **información socio-cultural**:

Para que una persona de habla no hispana pueda manejarse en un edificio de oficinas, o en un centro comercial, a los alumnos se les ha confrontado en este ámbito con una serie de documentos que pueden encontrarse en la vida real. Recuerde, como en otros casos, que el objetivo no es, por ejemplo que sus estudiantes adquieran activamente todo el léxico de establecimientos comerciales y profesionales presentado, sino que sepan identificarlo cuando lo encuentren.

## 1. Competencia sociolingüística:

Como sabe, el dominio del uso de *tú* y *usted* a la hora de llamar la atención y dar información, en general, es un aspecto delicado de nuestra lengua. Hemos buscado, por ello, ejemplos en los que no hay ninguna duda, dando indicaciones que no hagan cometer errores a sus estudiantes.

## 2. Competencia funcional y acción:

La proliferación de centros comerciales en España y en el mundo representa un gran cambio en los hábitos de consumo y en la vida social de las personas que viven en las ciudades. Si le interesa ampliar este aspecto para trabajarlo con sus estudiantes, lea el artículo en: http://es.wikipedia.org/wiki/Centro_comercial.

Sin embargo todavía existen muchas tiendas pequeñas, especialmente en los barrios populares y en los pueblos. Aquí le presentamos algunas características de España por si está interesado en presentárselas a sus estudiantes:

- Droguerías: tiendas de productos de limpieza.

- Ultramarinos: tiendas de comestibles y productos de limpieza.

- Ferretería: tiendas de cables y productos de bricolaje.

- "Todo a cien"*: tiendas de todo tipo de productos muy baratos.

*"todo a cien" es el antiguo nombre que conservan estas tiendas, heredado de la época de la peseta, ya que todos los productos (o casi todos) costaban 100 pesetas.

| Actividad | Forma social de trabajo recomendada | Objetivo | Sugerencia |
|---|---|---|---|
| 1. | Plenaria e individual. | Comprensión lectora. | Antes de leer el texto, haga que sus estudiantes observen las fotografías y hagan hipótesis sobre lo que representan (un museo, un palacio, el metro...). Después, leen individualmente el texto. |
| 2. | Parejas y plenaria. | Control de la comprensión lectora. | Sus estudiantes, en parejas, confirman o desmienten las hipótesis que se habían hecho sobre las fotografías. Después se revisan los resultados en el pleno. |
| 3. | Individual, cuatro grupos y plenaria. | Comprensión lectora y expresión oral. | Sus estudiantes, tras leer individualmente las descripciones de los distintos barrios y relacionarlas con las fotos, se dividen en grupos y trabajan sobre uno de aquellos, discutiendo en el grupo qué les gusta, qué no les gusta del barrio, etc.; después se presentan los resultados al pleno. Si lo considera conveniente, haga que escriban un pequeño texto. |

Le podrá ser de ayuda esta **información socio-cultural**:

Para ofrecer un espectro más amplio de ciudades, considere la posibilidad de trabajar con ciudades de la América hispanohablante. Consulte las siguientes páginas:

Santiago de Chile: www.municipalidaddesantiago.cl/turismo/turismo-guia.php.

Ciudad de México: www.mexicocity.com.mx.

La Habana: www.dtcuba.com/ProvinceInfo.aspx?pc=1.

En el DVD de *Pasaporte* hay varias secuencias sobre muchos de los aspectos tratados en este módulo: contenidos sobre temas referentes a las ciudades y relativos a centros comerciales. En www.edelsa.es/pasaporte.htm encontrará algunas didactizaciones sobre estos aspectos.

En este módulo sus estudiantes adquirirán los recursos lingüísticos y gramaticales necesarios para hablar de acciones habituales, preguntar e informar sobre la hora, precisar el momento en que pasa algo, concertar una cita y, en general, manejar todos los elementos básicos relacionados con la dimensión temporal.

Para ello se les presentan los documentos reales relacionados con actividades cotidianas:

■ Una postal en la que se saluda durante un viaje a Buenos Aires.

■ Un correo electrónico en el que se cuentan las actividades cotidianas durante unas vacaciones.

■ Carteles con horarios de apertura y cierre de varios establecimientos.

■ Hoja informativa de los horarios de visita a La Alhambra de Granada.

■ Hoja de una agenda personal.

■ Calendario de IFEMA, Recinto Ferial de Madrid.

■ Ficha técnica del S.I.M.O., Feria Internacional de Informática, Multimedia y Comunicaciones.

■ Texto sobre las distancias interpersonales en la comunicación.

■ Texto sobre las Fallas de Valencia.

■ Texto sobre la Fiesta de los Muertos en México.

En los distintos contextos de lengua, los estudiantes irán entrando en contacto con los recursos lingüísticos y los documentos propios de cada contexto para ir adquiriendo las estrategias y los conocimientos necesarios para poder actuar con éxito. Para ello se les proponen las siguientes acciones:

■ En el Ámbito Personal, escribir un correo electrónico describiendo un día de vacaciones.

■ En el Ámbito Público, explicar a un amigo lo que uno hace a diario.

■ En el Ámbito Profesional, redactar el cartel de anuncio de un evento.

| Actividad | Forma social de trabajo recomendada | Objetivo | Sugerencia |
|---|---|---|---|
| Vamos a aprender | Individual y plenaria. | Contextualización y comprensión lectora de una postal en la que se cuenta lo que se hace en un día de viaje de turismo. | Antes de leer el texto de la postal, haga que sus estudiantes respondan a las actividades 1 y 2 individualmente y que discutan en el pleno sus hipótesis. Después, tras leer las preguntas de la actividad 3, leen la postal y marcan las respuestas, que se comentan en el pleno. |
| 1.a. | Individual y plenaria. | Conocimiento del léxico de los verbos de acciones habituales y expresiones de las partes del día. | Compruebe en el pleno el trabajo de relación de los iconos con los verbos y formalice con todo el grupo la expresión de las partes del día. |
| 1.b. | Individual y puesta en común plenaria. | Comprensión escrita global. | Haga que sus estudiantes lean la actividad de control (verdadero/falso) antes de leer el correo electrónico, eso facilitará la comprensión. Explote, si le parece oportuno, el léxico del correo y del programa de correo (bandeja de entrada, elementos enviados, etc.). |
| 1.c. | Parejas. | Comprensión escrita detallada y revisión del léxico de acciones habituales y partes del día. | Sus estudiantes relean el texto y clasifican las actividades en el cuadro de partes del día. Circule por la clase supervisando los resultados y haga una pequeña puesta en común. |
| 2.a. | Plenaria. | Entendimiento de la conjugación de los verbos irregulares con diptongación e>ie y o>ue. | Lleve el cuadro de la conjugación en transparencia, pregunte a sus estudiantes y complételo con las respuestas que le den. |
| 2.b. | Parejas y puesta en común plenaria. | Entendimiento de la conjugación de los verbos reflexivos con irregularidades e>ie, o>ue y e>i. | Para la puesta en común, haga que cada pareja se ocupe de uno de los verbos y escriba sus resultados en la pizarra. |
| 2.c. | Individual y corrección plenaria. | Comprensión auditiva. Conocimiento del léxico. | En la fase plenaria, haga que sus estudiantes le digan qué actividades hacen y cuándo. |
| 2.d. | Plenaria. | Practicar las formas de los verbos que se acaban de ver. | Haga unas tarjetas con el infinitivo de los verbos en cuestión y póngalas en un montón, boca abajo. Sus estudiantes deben levantar una tarjeta antes de tirar el dado, y dirán la forma correspondiente del verbo que tiene en dicha tarjeta. |
| 3.a. | Parejas. | Expresión oral sobre actividades del fin de semana. | Sus estudiantes hablan en parejas sobre sus actividades del fin de semana. Haga después que anoten lo que hace su compañero. Después lo presentan al pleno. |
| 3.b. | Parejas y plenaria. | Conocimiento de los exponentes funcionales para expresar la frecuencia. | Sus estudiantes hablan en parejas sobre las actividades que hacen durante el fin de semana, preguntándose respectivamente sobre la frecuencia con que las hacen. Después lo presentan al pleno. |
| 4.a. | Individual y plenaria. | Entendimiento de las reglas ortográficas (sonido /g/, grafías g y gu). Escribir correctamente. | El objetivo de la 1ª fase (sus estudiantes escriben las palabras que oyen y las pasan a sus compañeros para que las revisen) es que a través de los intentos y de las eventuales correcciones, es que vayan induciendo las reglas. No intervenga. En la 2ª fase, una vez revisadas, las palabras se escriben correctamente en la pizarra. |
| 4.b. | Parejas. | Entendimiento de las reglas ortográficas (sonido /g/, grafías g y gu). | Sus estudiantes clasifican en la tabla las palabras escritas en la pizarra, formalizando así la regla. |
| 5.a. | Individual y plenaria. | Comprensión lectora. | Sus estudiantes leen el breve texto. Compruebe que el grupo ha entendido mediante algunas preguntas de control. |

| Actividad | Forma social de trabajo recomendada | Objetivo | Sugerencia |
|---|---|---|---|
| 5.b. | Plenaria. | Conocimiento del léxico sobre las fiestas de los pueblos. | Estimule con preguntas para que sus estudiantes infieran los significados de las palabras. |
| 5.c. | Individual y puesta en común plenaria. | Comprensión auditiva. | Sus estudiantes escuchan el diálogo, toman notas y después, en el pleno, se ven los resultados. |
| Acción | Individual. | Actuar en español utilizando todos los conocimientos y habilidades adquiridos para escribir un correo electrónico contando un día de vacaciones. | Sus estudiantes, individualmente, preparan el contenido del correo: piensan qué actividades les gusta hacer, qué lugares prefieren para disfrutar de vacaciones, etc.; después, escriben el correo. Si se puede, haga que se lo envíen recíprocamente y que la persona que lo recibe, lo corrija. Después, revíselos usted. |

Le podrá ser de ayuda esta **información socio-cultural**:

## 1. Vamos a aprender:

Consiga postales, hay muchísimas en Internet. Por ejemplo, de Buenos Aires en: www.tangol.com/asp/postcards.asp.

Así sus estudiantes podrán enviárselas unos a otros.

## 2. Competencia léxica:

El correo que Beatriz envía a su madre contiene algunos aspectos comparativos entre la variante del español rioplatense y la peninsular:

| Variante rioplatense | Variante peninsular |
|---|---|
| lindo/a | bonito/a |
| panqueques | crepes |
| sándwich de miga | sándwich |
| agarrar el colectivo | coger el autobús* |
| vos | tú |

*Quizá usted ya sabe que *coger* en algunos países de América, como en Argentina y México, tiene un significado sexual, por lo que en esos países se utilizan en su lugar verbos como *agarrar* o *tomar*.

## 3. Competencia sociolingüística:

Las fiestas patronales de los pueblos y ciudades españolas suelen tener, como elementos comunes, los fuegos artificiales, las comidas populares, las bandas de música y las verbenas.

| Actividad | Forma social de trabajo recomendada | Objetivo | Sugerencia |
|---|---|---|---|
| Vamos a aprender | Plenaria. | Contextualizar y poner en contacto a sus estudiantes con los contenidos a tratar en el ámbito. | Sus estudiantes escriben las actividades debajo de las imágenes de los establecimientos y ponen en común en el pleno la información sobre los horarios de esos tipos de comercio en sus países. |
| 1.a. | Pequeños grupos y plenaria. | Conocimiento de los horarios comerciales en España. Expresión oral. | Sus estudiantes discuten en los grupos para decidir a qué comercio corresponde cada horario. Después, se revisa en el pleno. |
| 1.b. | Individual y corrección plenaria. | Conocimiento de diferentes registros sobre la hora en documentos escritos o situaciones formales y en la vida normal. Comprensión auditiva. | Sus estudiantes relacionan las dos maneras de expresar la hora. Después de la audición, ponga en común los resultados. |
| 2.a. | Parejas. | Conocimiento de los exponentes funcionales para preguntar e informar sobre la hora. | Sus estudiantes, en parejas, inducen los exponentes para informar sobre la hora a partir de la información que tienen. El esquema se revisa en el pleno. |
| 2.b. | Individual y corrección plenaria. | Expresión oral y práctica de los exponentes para informar sobre la hora. | Puede construirse un reloj de cartulina en el que fijar dos agujas que se mueven. De esta manera, se pueden practicar muchas más horas. |
| 2.c. | Individual y corrección plenaria. | Comprensión auditiva. | Trabaje un poco el contexto: "los horarios de la semana", para situar a sus estudiantes. Después, estos escuchan el audio y anotan los horarios en la agenda. Los resultados se corrigen en el pleno. |
| 3.a. | Parejas. | Conocimiento del léxico de los días de la semana. | Sus estudiantes relacionan los nombres de los días de la semana con la palabra de la que proceden. |
| 3.b. | Individual. | Conocimiento del léxico de las estaciones. | Sus estudiantes ordenan las estaciones. |
| 3.c. | Plenaria. | Conocimiento del léxico de los meses. Conocimiento del mundo: las estaciones en los dos hemisferios. | Haga esta actividad en el pleno. |
| 4.a. | Parejas y corrección plenaria. | Entendimiento del uso de las preposiciones para hablar del momento en el que sucede algo. | Sus estudiantes en parejas completan el esquema. |
| 4.b. | Individual y corrección plenaria. | Afianzar el uso de las expresiones temporales. | Haga una pequeña introducción sobre La Alhambra. |
| 4.c. | Parejas. | Practicar el uso de las preposiciones temporales. | Sus alumnos completan el diálogo. Se corrige en el pleno. |
| 5.a. | Individual. | Identificación acústica. | Haga que sus estudiantes, antes de escuchar, lean las palabras. |
| 5.b. y c. | Individual y corrección plenaria. | Entendimiento del funcionamiento de las reglas ortográficas. | Sus estudiantes escriben las palabras en la columna correspondiente, en función del sonido, y luego inducen la regla. Se comprueban los resultados en el pleno. |
| 5.d. | Individual y corrección plenaria. | Manejo correcto de la ortografía. | Sus estudiantes escuchan las palabras y las escriben. Haga que cierren los libros y escriban en una hoja aparte, así no verán las palabras en la actividad 5.a. Añada otras palabras. Al final, haga que las lean en voz alta. |

| Actividad | Forma social de trabajo recomendada | Objetivo | Sugerencia |
|---|---|---|---|
| Acción | Parejas, individual. | Actuar en español utilizando todos los conocimientos y habilidades adquiridos para hablar de las coordenadas temporales: hora y horarios. | Sus estudiantes hablan en parejas sobre sus actividades cotidianas y horarios en un día de trabajo y cada uno anota en la hoja de agenda la información de su compañero. para comparar los horarios. Después, individualmente, se escribe un pequeño texto sobre los horarios de la gente del país de cada estudiante. |

Le podrá ser de ayuda esta **información socio-cultural**:

## 1. Vamos a aprender:

El enorme aumento de las grandes superficies, debido a la falta de tiempo de la población para efectuar sus compras, está terminando con el pequeño comercio tradicional. Los horarios comerciales, por esta razón, están liberalizados en España, es decir, existe una gran variedad. Sobre todo, ha aumentado enormemente el número de horas de apertura, incluso durante los fines de semana. Si le interesan estos aspectos, lea: www.libertaddigital.com:83/ilustracion_liberal/articulo.php/415.

## 2. Competencia sociolingüística:

Por otra parte, ha crecido enormemente el número de tiendas de barrio, generalmente regentadas por asiáticos. Estas tiendas han venido a sustituir, en muchos casos, a las tiendas de ultramarinos de antes. Existen también muchas tiendas-bazar en las que se puede encontrar de todo: productos de droguería, electricidad, regalos, etc. Su horario es amplísimo, dado que la ley permite liberalizar el horario a los comercios de menos de 120 metros cuadrados, con tal de que no excedan de las 12 horas diarias.

## 3. Competencia gramatical:

**La historia de la Alhambra** está ligada al lugar geográfico donde se encuentra, Granada; sobre una colina rocosa de difícil acceso, en las márgenes del río Darro, protegida por las montañas y rodeada de bosque, entre los barrios más antiguos de la ciudad, la Alhambra se levanta como un castillo imponente de tonos rojizos en sus murallas, que ocultan al exterior la belleza delicada de su interior.

Concebida como zona militar al principio, la Alhambra pasa a ser residencia real y de la corte de Granada, a mediados del siglo XIII, tras el establecimiento del reino nazarí y la construcción del primer palacio, por el rey fundador Mohammed ibn Yusuf ben Nasr, más conocido por Alhamar.

A lo largo de los siglos XIII, XIV y XV, la fortaleza se convierte en una ciudadela de altas murallas y torres defensivas, que alberga dos zonas principales: la zona militar o Alcazaba, cuartel de la guardia real, y la medina o ciudad palatina, donde se encuentran los célebres Palacios Nazaríes y los restos de las casas de nobles y plebeyos que habitaron allí. El Palacio de Carlos V (que se construye después de la toma de la ciudad en 1492 por los Reyes Católicos), también está en la medina.

El conjunto monumental cuenta también con un palacio independiente frente a la Alhambra, rodeado de huertas y jardines, que fue solaz de los reyes granadinos: el Generalife.

Si desea ampliar esta información sobre La Alhambra de Granada, podrá encontrar más en: www.alhambradegranada.org.

# Ámbito Profesional

| Actividad | Forma social de trabajo recomendada | Objetivo | Sugerencia |
|---|---|---|---|
| Vamos a aprender | Plenaria. | Contextualizar y activar los pre-conocimientos de sus estudiantes sobre ferias. | Active los conocimientos y la motivación de sus estudiantes hacia el tema (las ferias) por medio de las preguntas. Sus estudiantes, tras hablar sobre sus experiencias al respecto, leen el calendario de IFEMA guiados por las preguntas. |
| 1.a. | Individual y corrección plenaria. | Conocimiento del léxico básico del mundo de las ferias. | Sus estudiantes relacionan las palabras con sus definiciones. |
| 1.b. | Parejas y discusión plenaria. | Conocimiento del léxico relativo a una feria de informática (SIMO). | Sus estudiantes, en parejas, leen el documento y hablan sobre el significado de los distintos términos que aparecen. Después, en el pleno, se aclaran las cosas si hace falta. |
| 2.a. | Individual y revisión plenaria. | Comprensión auditiva global. | Para evitar que sus estudiantes se orienten a una comprensión detallada, sugiéreles, antes de escuchar, que lean la actividad de control. |
| 2.b. | Individual y plenaria. | Conocimiento de los exponentes funcionales necesarios para quedar. | Sus estudiantes observan los cuadros con los exponentes. Aclare las dudas que surjan. Como segunda opción, con los libros cerrados, escriba las etiquetas (proponer un encuentro, aceptar una cita, etc.) en la pizarra y haga que sus estudiantes le digan los exponentes, que usted anotará. Para ello, quizá tenga que volver a poner el audio. |
| 2.c. | Parejas. | Expresión oral para proponer y aceptar o rechazar una cita. | Antes de empezar, déjeles que, durante unos minutos, piensen en las actividades que van a proponer a su compañero. Circule por la clase para supervisar el trabajo, así como para ofrecer ayuda ante posibles dudas. |
| 2.d. | Parejas y plenaria (juegos de roles). | Expresión oral para fijar una cita. | Distribuya las tareas entre las parejas y déjelos unos minutos para que preparen los juegos de roles. Después, permita que los representen ante el resto de la clase. |
| 3.a. | Individual y presentación plenaria. | Entendimiento de los pronombres personales átonos y tónicos. | Sus estudiantes completan el esquema de los pronombres y este se corrige en el pleno. |
| 3.b. | Parejas y plenaria. | Manejar correctamente la gramática. | Si le parece oportuno haga que sus estudiantes realicen este ejercicio individualmente. |
| 4.a. | Plenaria. | Conocimiento de las formas de saludo. Contextualización. | A partir de las fotografías, sus estudiantes hablan sobre el tipo de situaciones en que se saludan las personas de las fotografías. |
| 4.b. | Individual y corrección plenaria. | Sistematizacvión cultural de las formas de saludo. Expresión oral. | Sus estudiantes escriben debajo de cada ilustración las coordenadas de cada situación (se conocen / no se conocen, son amigos, etc.). En el pleno se comparan y se discuten los resultados. |
| 4.c. | Plenaria. | Expresión oral y contraste intercultural sobre las formas de saludo. | Haga que se hable en el grupo sobre las similitudes y / o diferencias entre las formas de saludarse en los diferentes países. |
| 4.d. | Individual y plenaria. | Comprensión lectora. | Sus estudiantes leen el texto y, en el pleno, se aclaran dudas y se comenta el contenido. |
| 4.e. | Plenaria a parejas. | Conocimiento de la cultura: la distancia entre interlocutores. | Retire, si le es posible, las mesas y sillas, para que sus estudiantes se puedan levantar y comprobar con qué distancia se sienten cómodos. |
| 5.a. | Plenaria (coral) o individual. | Identificación fonética y pronunciar correctamente. | La repetición de las palabras se puede hacer en forma coral o haciendo que cada vez un estudiante haga la repetición. |

| Actividad | Forma social de trabajo recomendada | Objetivo | Sugerencia |
|---|---|---|---|
| 5.b. | Individual. | Entendimiento de la regla ortográfica sobre la escritura de los diptongos *ie* y *ue*. | Sus estudiantes, después de leer la regla, escuchan otra vez las palabras y las escriben. |
| Acción | Plenaria, individual (parejas o grupos) y puesta en común plenaria. | Actuar en español utilizando todos los conocimientos y habilidades adquiridos para manejar la ficha técnica de un evento, feria, exposición, etc. | En una primera fase plenaria, se ven los posibles eventos, actuaciones, ferias que pueden tener lugar en la(s) ciudad(es) de sus estudiantes. En una segunda fase, sus estudiantes preparan la ficha técnica y el contexto de la feria, evento, etc. Se presentan los resultados al pleno. |

Le podrá ser de ayuda esta **información socio-cultural**:

## 1. Competencia léxica:

Respecto al léxico contenido en el documento del SIMO, puede explotar una información más profunda referente al contenido de la feria. Aquí tiene algunas direcciones:

es.wikipedia.org/wiki/Dom%C3%B3tica.

es.wikipedia.org/wiki/Comercio_electr%C3%B3nico.

www.elalmanaque.com/electronica.

es.wikipedia.org/wiki/Multimedia.

Otras ferias y eventos españoles conocidos internacionalmente son, relacionados con el mundo de la moda: la Pasarela Cibeles, y la Pasarela Gaudí. Y otra feria de renombre mundial es ARCO, la gran feria de arte contemporáneo. Si le interesa ampliar información:

www.cibeles.ifema.es ; www.moda-barcelona.com ; www.arco.ifema.es.

## 2. Competencia gramatical:

Respecto a los pronombres objeto directo de 3ª persona, hemos presentado solamente *la* para el femenino y *lo* para el masculino. Tenga en cuenta que en la variante del español peninsular, está muy extendido el uso de *le* para objeto directo masculino de persona y que este uso está admitido por la Real Academia Española. Quizá es interesante presentar este dato, sobre todo si usted utiliza dicha variante.

## 3. Competencia sociolingüística:

Sobre las formas de saludo en España, consulte el artículo "Lo no verbal como un componente más de la lengua", de Dolores Soler-Espiauba. Aquí tiene un extracto:

"[Como ya hemos mencionado, entre las formas de saludo más frecuentes en España está la costumbre de besarse en las mejillas.] Esta costumbre resulta a veces chocante para personas de otras culturas. En España se suele dar un único beso a las personas de la familia. Entre amigas, las mujeres pueden darse dos besos; mujer y hombre, también, y muy raras veces dos hombres entre sí. Hay que precisar que en la mayoría de los casos no se trata sino de un roce de mejillas mientras enviamos besos al aire. [...]"

El abrazo es otra de las formas más comunes de saludar. En España reviste una forma muy peculiar, entre hombres, con fuertes palmadas en la espalda. Su origen parece ser árabe. Los grupos de nómadas que se cruzaban por el desierto, se cacheaban al encontrarse, para asegurarse de que no ocultaban armas bajo la chilaba. Tender la mano para saludar tendría el mismo origen: mostrar que se está desarmado. Retroceder sin volver la espalda a un hombre importante sería también protegerse de un hipotético asesinato por la espalda.

www.ucm.es/info/especulo/ele/com_nove.html.

| Actividad | Forma social de trabajo recomendada | Objetivo | Sugerencia |
|---|---|---|---|
| 1. | Plenaria. | Contextualización. | A partir de las fotografías de las Fallas, sus estudiantes elaboran hipótesis sobre el contenido de las fiestas a las que corresponden. |
| 2. | Individual y plenaria. | Comprensión lectora. Conocimiento de la cultura. | Sus estudiantes, después de leer las preguntas, leen el texto. Se hace en común el control de la comprensión (preguntas). |
| 3.a | Plenaria, individual / parejas o pequeños grupos y plenaria. | Comprensión lectora. Expresión oral y conocimiento de la cultura. | Sus estudiantes leen el pequeño texto y se comenta en el pleno. Después se hace una fase de trabajo individual, o en parejas / pequeños grupos mononacionales sobre las fiestas en los distintos países y se comparan los resultados. Toda la clase habla sobre las costumbres de sus países en el día de los Difuntos. Intente que emerja el carácter de este día en las diferentes culturas (si se trata de un día triste o no). |
| 3.b | Plenaria. | Conocimiento de la cultura. | Haga que sus estudiantes comenten las fotografías. |
| 3.c | Individual y plenaria. | Comprensión lectora. Conocimiento de la cultura. | Sus estudiantes leen el texto y hacen la actividad de control (marcar en el texto las partes que corresponden a las fotografías). |
| 3.d | Individual y plenaria. | Conocimiento de la cultura. | Toda la clase habla sobre el carácter positivo de la fiesta de los muertos en México y el carácter de este día de los Difuntos en otros países. Cada alumno aporta la información sobre su país. |

Le podrá ser de ayuda esta **información socio-cultural**:

■ **Las Fallas de Valencia:**

Sus orígenes son realmente sencillos, una simple quema de desechos de los talleres de carpintería. Se podría decir que son los carnavales de la ciudad de Valencia, en donde toda la picaresca y crítica se vuelca en los monumentos. También en esta fiesta se unen varios aspectos que definen una cultura, ellos son el fuego, la música, la pólvora, y la calle.

Los monumentos que se queman, las fallas, habitualmente están dotadas de carácter satírico sobre temas de actualidad. Incluyen letreros que explican el significado de cada escenografía, siempre con sentido crítico y satírico.

es.wikipedia.org/wiki/Fallas.

www.fallas.com.

■ **La fiesta de los Muertos en México:**

Noviembre es, para el mundo maya, el mes de los muertos. Se cree, se presiente, por memoria histórica y cultural, que en estas fechas se les permite abandonar el más allá y vagar unos cuantos días por el mundo. Este retorno perpetuo es una creencia firmemente arraigada entre las diversas comunidades del mundo maya. Son pueblos acostumbrados a mirar hacia el pasado y a tomarlo en cuenta, para los cuales morir es solamente abandonar este mundo y habitar en otro.

www.mayadiscovery.com/es/vida/default.htm.

www.acabtu.com.mx/diademuertos/origen.html.

■ **La noche de San Juan:**

Las Hogueras de San Juan o Noche de San Juan es una fiesta muy antigua, sobre todo en la costa mediterránea, para celebrar la noche más corta del año, la que va del 23 al 24 de junio, en torno a hogueras purificadoras. Especialmente significativas son las de la ciudad de Alicante, siendo estas las fiestas oficiales de la ciudad y declaradas de Interés Turístico Internacional.

es.wikipedia.org/wiki/Hogueras_de_San_Juan.

Más información en:

www.hogueras.com.

www.hoguerassanjuan.com/index.php?page=5.

En este módulo sus estudiantes adquirirán los recursos lingüísticos y gramaticales necesarios para hablar de actividades de tiempo libre, quedar con amigos, comparar y hablar por teléfono: preguntar por alguien, preguntar quién llama, dejar un recado y, en general, para hablar de planes y proyectos.

Para ello, se les presentan los documentos reales relacionados con actividades de tiempo libre, las vacaciones y el turismo, así como otros relacionados con la comunicación telefónica.

- Página de la *Guía del Ocio*.
- Datos del INE sobre los intereses de los españoles en relación con los espectáculos y los deportes.
- Página de la *Guía del Ocio*, con actividades concretas sobre cine, teatro y exposiciones.
- Entradas de teatro, cine, museos y discotecas y tarjeta de gimnasio.
- Cartel de Turespaña con publicidad sobre diferentes destinos turísticos españoles.
- Textos de información turística sobre Toledo y Segovia.
- Calendario de los días de vacaciones y de fiestas de los que disponen los españoles y sobre cómo y dónde las disfrutan.
- Artículo de *El País* sobre los hábitos de vacaciones de los españoles.
- Mapa de España con los atractivos turísticos más importantes.
- Web de las *Páginas Blancas* de la Guía Telefónica.
- Notas para comunicar llamadas telefónicas en una empresa.

**Alatriste** es una película española dirigida por Agustín Díaz Yanes basada en el principal personaje de una serie de novelas escritas por Arturo Pérez-Reverte, *Las aventuras del capitán Alatriste*. La historia ocurre durante la España Imperial del siglo XVII. Diego Alatriste es un soldado al servicio del rey Felipe IV que se encuentra en la Guerra de Flandes. A su regreso, ve como el Imperio se va desmoronando por momentos a causa del egoísmo de los gobernantes de la época.
La trama de la película hace un recorrido por cada uno de los cinco libros publicados hasta el estreno, manteniendo como hilo argumental los personajes principales.

En los distintos contextos de lengua, los estudiantes irán entrando en contacto con los recursos lingüísticos y los documentos propios de cada contexto para ir adquiriendo las estrategias y los conocimientos necesarios para poder actuar con éxito. Para ello se les proponen las siguientes acciones:

- En el Ámbito Personal, quedar con amigos durante un fin de semana para salir con ellos.
- En el Ámbito Público, informarse e informar sobre destinos turísticos.
- En el Ámbito Profesional, hablar por teléfono y concertar una cita.

| Actividad | Forma social de trabajo recomendada | Objetivo | Sugerencia |
|---|---|---|---|
| Vamos a aprender | Parejas y plenaria. | Contextualización y comprensión lectora de una página de ocio. | Sus estudiantes, en parejas, leen la página de la *Guía del Ocio* y extraen la información que se les pide, que se presenta en el pleno. Amplíe la información sobre las diferentes actividades (flamenco de Paco de Lucía y Rafael Amargo, la película *Alatriste*...). |
| 1.a. | Individual y plenaria. | Comprensión auditiva global. | Recuerde que, para que sus estudiantes no intenten entender todo, es importante que lean las actividades de control antes de escuchar. |
| 1.b. | Parejas y puesta en común plenaria. | Comprensión auditiva detallada. Conocimiento de los exponentes funcionales para quedar. | Sus estudiantes escuchan y escriben los elementos que faltan. Ponga en común los resultados. Formalice los exponentes en la pizarra. |
| 2.a. | Plenaria e individual. | Entendimiento de las locuciones para indicar un tiempo futuro y forma del futuro con *ir a* + infinitivo. | Incorpore el esquema para indicar tiempo futuro a la pizarra. Sus estudiantes, individualmente, completan las formas del futuro (*ir a*...). |
| 2.b. | Parejas. | Práctica de la forma del futuro. | Supervise el trabajo de las parejas circulando por la clase. |
| 2.c. | Pregunta-desarrollo, parejas y puesta en común plenaria. | Entendimiento y práctica de *ir a* + infinitivo, *pensar* + infinitivo, *querer* + infinitivo. | Haga preguntas a la clase y, a partir de sus respuestas, desarrolle el esquema "Hablar del futuro" en la pizarra o en una transparencia. Después, las parejas llevan a cabo la actividad y, en el pleno, se habla de los planes de todos. |
| 3.a. | Grupos y presentación plenaria de resultados. | Conocimiento del léxico. | Cada grupo escoge un tema y lleva a cabo las actividades que se proponen. En esta fase, circule por los grupos para aclarar dudas sobre el léxico. Presente los exponentes de ayuda en cartulinas, que puede colgar en la pared para que toda la clase las vea. En la fase de presentación de resultados, compruebe que todos han comprendido el léxico. |
| 3.b. | Plenaria e individual. | Práctica del léxico adquirido. Expresión escrita. | Sus estudiantes, tras elegir varias actividades de ocio, circulan por la clase preguntando al resto sobre sus aficiones. Después, individualmente, elaboran un pequeño informe escrito. Exponga los distintos informes para que se puedan comparar. |
| 3.c. | Individual y presentación plenaria de resultados. | Comprensión lectora. | Haga una pequeña contextualización a partir de la cuestión "la noche del sábado". |
| 3.d. | Conversación plenaria. | Expresión oral: hablar de hábitos de ocio. | Conversación / discusión en el pleno sobre las similitudes y diferencias entre las costumbres de los diferentes países o grupos. Anote los errores, seleccione y sistematice los más relevantes y revíselos con la clase una vez terminada la discusión plenaria. |
| 4.a. | Individual y presentación plenaria. | Comprensión auditiva global. | Trabaje, antes de poner el audio, con las ilustraciones, esto facilitará el trabajo de identificación posterior. En la fase de control de la comprensión, haga que quede claro que, a pesar de que en algunos diálogos se anuncia que se va a quedar, la cita no tendrá lugar. |
| 4.b. | Parejas y plenaria. | Conocimiento de los exponentes socioculturales. | Sus estudiantes colocan las frases en la columna correspondiente. Compruebe los resultados en el pleno. |
| 4.c. | Individual y conversación plenaria. | Comprensión lectora. | Sus estudiantes, tras leer el texto, hablan sobre las diferencias con su cultura. |

| Actividad | Forma social de trabajo recomendada | Objetivo | Sugerencia |
|---|---|---|---|
| 4.d. | Parejas. | Conocimiento de los exponentes funcionales con *por qué, por qué no, porque...* y *es que...* | Haga que las parejas desarrollen mini-diálogos y circule por la clase para asegurarse de que todo el mundo ha entendido. |
| 4.e. | Individual. | Práctica de los exponentes. | Sus estudiantes, individualmente, responden por escrito a las propuestas. Haga que después, por parejas, representen los diálogos. |
| 4.f. | Plenaria. | Expresión oral. Práctica de los exponentes socioculturales y funcionales aprendidos. | Trabaje los documentos que figuran, para que queden claros para todo el mundo. Haga que sus estudiantes, por turnos, se dirijan a un compañero, proponiendo actividades. La otra persona tiene que responder. |
| 5.a. | Plenaria. | Entendimiento de las reglas de acentuación. | Antes de ver la regla, dicte algunos monosílabos en parejas contrastivas: "Te voy a regalar un libro". "Me gusta mucho el té", etc. |
| 5.b. | Individual y corrección plenaria. | Entendimiento de las reglas de acentuación. | Asegúrese de que sus estudiantes conocen el metalenguaje (relativo, artículo, pronombre, etc.). |
| Acción | Grupos. | Actuar en español utilizando todos los conocimientos y habilidades adquiridos para organizar un fin de semana y quedar con amigos para salir con ellos. | Sus estudiantes, en grupos pequeños, organizan el fin de semana: piensan qué actividades hacer, proponen unas u otras, aceptan o rechazan las propuestas y fijan las citas (cuándo, dónde). Al final, los grupos informan a los otros de lo que van a hacer, quizá hay personas a las que les gusta más la oferta de otro grupo... |

Le podrá ser de ayuda esta **información socio-cultural**:

## 1. Vamos a aprender:

Sobre información de actividades de ocio en España, pero no sólo, sino también en otros países hispanohablantes, como Argentina o México. Las direcciones son: mexicodf.mx.lanetro.com (México).
buenosaires.ar.lanetro.com (Argentina).
www.lanetro.com (España).

## 4. Competencia sociolingüística:

Una de las cosas que más llama la atención a muchas personas extranjeras es este aspecto sociolingüístico de decir "Ya te llamaré", "Te llamo (un día)" o "A ver si nos vemos", que en realidad significa que no se va a llamar. El hablante extranjero espera que esa llamada tenga lugar, por lo que el malentendido se produce casi siempre.

### Acción:

#### *Volver*:

Tres generaciones de mujeres sobreviven al viento solano, al fuego, a la locura, a la superstición e incluso a la muerte a base de bondad, mentiras y una vitalidad sin límites.
Dirige Pedro Almodóvar, que ha declarado que es su película más "autobiográfica". Las protagonistas más conocidas son Carmen Maura y Penélope Cruz. *Volver* es el título de un tango que interpreta Penélope Cruz con la voz de Estrella Morente.
www.zinema.com/pelicula/2006/volver.htm.

#### *Hoy no me puedo levantar*:

El grupo Mecano (Nacho Cano, José María Cano y Ana Torroja) compuso entre 1981 y 1992 canciones tan conocidas como "Hoy no me puedo levantar", "Perdido en mi habitación" o "Me colé en una fiesta", que siguen en la memoria de todos. "Hoy no me puedo levantar" es un musical optimista, un *revival* de la movida madrileña de los 80, que refleja a la sociedad de la época, que se movilizó tras un intento de Golpe de Estado años después del fin de la Dictadura."
www.sangrefria.com/blog/2005/04/07/musical-hoy-no-me-puedo-levantar-anuncio-coca-cola.

| Actividad | Forma social de trabajo recomendada | Objetivo | Sugerencia |
|---|---|---|---|
| Vamos a aprender | Plenaria e individual. | Contextualizar y poner en contacto a sus estudiantes con los contenidos a tratar en el ámbito. Comprensión lectora. | Revise con sus estudiantes las frases de la izquierda, y después, deje que ellos las relacionen con las imágenes y los textos del cartel de Turespaña. Haga una pequeña puesta en común. |
| 1.a. | Parejas y plenaria. | Conocimiento del léxico de atractivos turísticos. | Introduzca la actividad preguntando brevemente al grupo qué les interesa más, en general, a la hora de viajar (ciudades, historia, naturaleza, arte...) y anote el vocabulario nuevo en la pizarra. Después del trabajo de relacionar haga una pequeña puesta en común y no borre la pizarra. |
| 1.b. | Plenaria. | Practicar el léxico. Expresión oral para hablar de sus intereses en los viajes. | Haga que sus estudiantes aprovechen el vocabulario que ha apuntado en la pizarra en la actividad anterior, así podrán expresarse de acuerdo a sus intereses. Además utilizarán las conjunciones y y o. |
| 2.a. | Parejas. | Comprensión lectora global. | Haga un pequeño trabajo de contextualización sobre Toledo y Segovia, movilizando los conocimientos previos de sus estudiantes. Haga que trabajen en parejas para facilitar el trabajo de búsqueda de la información en los dos textos, aunque la lectura se hace individualmente. |
| 2.b. | Individual y corrección plenaria. | Conocimiento de los exponentes funcionales. Comprensión auditiva. | Antes de poner el audio, haga que sus estudiantes formulen frases comparativas a partir de la lectura del texto. A continuación leen el esquema presentado y forman las frases después de escuchar el diálogo. |
| 3.a. | Explicación frontal, trabajo individual y corrección plenaria. | Entendimiento de la comparación. | Desarrolle el esquema de la comparación en la pizarra, poniendo ejemplos concretos. Después sus estudiantes escriben las frases y se hace la corrección en el pleno. |
| 3.b. | Parejas (juego de roles). | Expresión oral para pedir información y aconsejar, comparando dos posibilidades. | Circule por la clase estimulando y ayudando a sus estudiantes. Aproveche para tomar nota de los errores más relevantes para, una vez seleccionados los más interesantes, revisarlos en el pleno. |
| 4.a. | Individual y plenaria. | Comprensión lectora. Conocimiento de las vacaciones en España. | Después de la lectura y de la comprobación de las actividades de control de la comprensión, comente el texto de partida con sus estudiantes. |
| 4.b. | Individual y plenaria. | Conocimiento sobre los festivos. | Una vez completado el anuario, presente en transparencia el anuario correcto confeccionado por usted. En el pleno, hablen de las vacaciones y los días festivos en los países de sus estudiantes. |
| 4.c. | Individual y conversación plenaria. | Comprensión lectora. | Trabaje los titulares para introducir el tema y, después de leer el texto, los alumnos elaboran el gráfico y el grupo conversa sobre este asunto. |
| 5.a. | Individual. | Identificación acústica. | Haga que sus estudiantes lean antes las palabras en voz alta. |
| 5.b. | Plenaria. | Pronunciar correctamente. | La actividad de pronunciación se puede llevar a cabo haciendo que sus estudiantes pronuncien uno a uno o en coro. También es productivo que sus estudiantes escuchen primero y lean después. |

| Actividad | Forma social de trabajo recomendada | Objetivo | Sugerencia |
|-----------|--------------------------------------|----------|------------|
| Acción | Individual, parejas y plenario. | Actuar en español utilizando todos los conocimientos y habilidades adquiridos para dar información sobre destinos turísticos. | Sus estudiantes escuchan el audio y completan los nombres de los atractivos turísticos mencionados. Utilizando sus conocimientos previos, los colocan bajo las imágenes. Se corrige en pleno. Después, dibujan un mapa de su país y sitúan los puntos turísticos más importantes, que se exponen después en el pleno. Si tiene varios estudiantes del mismo país, haga que trabajen en parejas o grupos. |

Le podrá ser de ayuda esta **información socio-cultural**:

## 1. Competencia sociolingüística:

El número medio de vacaciones de los españoles (22-23 días laborables) es de los más bajos de la Unión Europea. Si a usted le interesa este tema, puede consultar:

www.esade.es/detalle.php?MTMyOQ%3D%3D&MQ%3D%3D.

Por otra parte, el número de días festivos en todas las Comunidades Autónomas es de 14 al año. Quizá le interese informarse sobre los días de fiesta, ya que son un elemento cultural muy interesante para la clase: por ejemplo, en Valencia es festivo el día 19 de marzo, ya que es el día más importante de las Fallas; en Madrid es festivo el 15 de mayo, fiesta de San Isidro, etc. Aquí tiene un enlace con el calendario laboral de 2007:

www.seg-social.es/inicio/?MIval=cw_usr_view_Folder&LANG=1&ID=50297.

Otro tema del que se puede informar a sus estudiantes es de la costumbre española de "hacer puente", es decir alargar las fiestas cuando, por ejemplo, hay un día laborable entre dos festivos, o entre un festivo y el fin de semana, etc. Se trata de una costumbre tan arraigada que si usted teclea "puente de mayo" (que tiene lugar entre el ...1,2,3... de mayo), "puente de la Constitución" (entre 6 y 8 de diciembre, día de la Constitución el primero y día de la Inmaculada Concepción el segundo), puente de la Almudena, (alrededor del 9 de noviembre, fiesta de la Almudena en Madrid) en un buscador en Internet, le aparecerán ofertas de viajes para esas fechas y con ese nombre.

Si desea ampliar información turística sobre España, visite las páginas de Turespaña:

www.spain.info.

| Actividad | Forma social de trabajo recomendada | Objetivo | Sugerencia |
|---|---|---|---|
| **Vamos a aprender** | Individual, plenaria y parejas. | Contextualizar los contenidos del ámbito y movilizar los conocimientos previos de sus estudiantes. | Sus estudiantes examinan el documento. Ayúdeles, si es necesario, a comprender el léxico (Guardia Civil, DGT). Después, antes de la audición, hágales leer en voz alta todos los números de teléfono que figuran en el documento. |
| **1.a.** | Individual y corrección plenaria. | Conocimiento del léxico. | Sus estudiantes relacionan las palabras con las imágenes. |
| **1.b.** | Parejas y corrección plenaria. | Conocimiento del léxico. | Sus estudiantes infieren el significado de las expresiones. Aproveche el trabajo en parejas para circular por la clase supervisando, orientando, etc. |
| **2.a** | Parejas y plenaria. | Comprensión lectora. Conocimiento de los exponentes funcionales para hablar por teléfono. | Sus estudiantes leen las pequeñas conversaciones telefónicas y completan el cuadro. Haga una pequeña puesta en común. Aproveche también para hacer pequeñas prácticas de los exponentes. |
| **2.b** | Parejas. | Expresión oral para hablar por teléfono. | Sus estudiantes se llaman unos a otros, en parejas. Después, se pueden ir cambiando las tarjetas entre las parejas. |
| **2.c.** | Plenaria, individual y puesta en común plenaria. | Conocimiento de los exponentes funcionales: hablar de citas. | En una primera fase, como actividad de contextualización, se habla de las citas que hay ya en la agenda. Recuerde en esta fase, llamar la atención de sus estudiantes sobre el cuadrito "Hablar de citas". Pregunte "¿Qué va a hacer Enrique el lunes..?" o "¿Qué tiene que hacer Enrique...?" |
| **2.d.** | Individual y corrección plenaria. | Comprensión auditiva. | Se escucha el audio y se completa la agenda con las nuevas citas. |
| **3.a.** | Parejas y presentación plenaria. | Conocimiento de los exponentes socio-culturales. | Las parejas relacionan los exponentes y sus significados. |
| **3.b.** | Individual y plenaria. | Conocimiento de los exponentes socio-culturales. Comprensión lectora. | Después de leer los pequeños textos, se comenta el contenido en el pleno: ¿es diferente a tu país? ¿Qué sensación produce? |
| **3.c.** | Individual y presentación plenaria. | Comparación intercultural. | En la presentación al pleno, haga que se verbalicen las similitudes y / o diferencias entre las diferentes culturas. |
| **4.a.** | Plenaria. | Entendimiento del uso de *estar* + gerundio. | Si le parece mejor, puede hacer que sus estudiantes hagan el trabajo en parejas. En ese caso, debe haber una presentación al pleno. |
| **4.b.** | Parejas y presentación plenaria. | Entendimiento del uso de *estar* + gerundio | En la fase plenaria, añada ejemplos y trate de que sus estudiantes lo hagan también. |
| **4.c.** | Pregunta-desarrollo. | Entendimiento de la forma *estar* + gerundio y *acabar de* + infinitivo. | A partir de ejemplos concretos, desarrolle, preguntando a sus estudiantes, la forma *estar* + gerundio y *acabar* de + infinitivo en la pizarra. |
| **4.d.** | Parejas y corrección plenaria. | Práctica de la gramática. | Ayude a sus estudiantes mientras están realizando el trabajo. Muévase por la clase poniéndose así a su disposición. Supervise lo que están haciendo para ver si han comprendido. Es el momento de aclarar dudas. |
| **5.a.** | Individual. | Identificación auditiva y discriminación entre *ere* y *erre*. | Ponga el audio dos veces. |

| Actividad | Forma social de trabajo recomendada | Objetivo | Sugerencia |
|---|---|---|---|
| 5.b. | Parejas y corrección plenaria. | Entendimiento de la ortografía. | Sus estudiantes, después de hacer la actividad *a*, leen la regla y la completan. Se corrige en el pleno. |
| 5.c. | Parejas. | Práctica de la ortografía. | Sus estudiantes, después de leer la regla, escuchan y escriben las palabras. |
| Acción | Parejas. | Actuar en español utilizando todos los conocimientos y habilidades adquiridos para hablar por teléfono. | Cuando hayan hecho las llamadas, haga que intercambien los roles en las parejas. |

Le podrá ser de ayuda esta **información socio-cultural**:

Partiendo del ejemplo de las de *Páginas Blancas*, convendría explicar que en España existen dos guías telefónicas: las *Páginas Blancas* y las *Páginas Amarillas*, en las que figuran profesionales.

Aproveche para explicar las siglas:

RENFE: Red Nacional de Ferrocarriles Españoles.

CAM: Comunidad Autónoma de Madrid.

DGT: Dirección General de Tráfico.

AENA: Aeropuertos Españoles y Navegación Aérea.

### 1. Competencia léxica y funcional:

Hoy en día, en plena era del teléfono móvil y de las comunicaciones, habría que plantearse que existe otro léxico (SMS / *mensaje*, *llamada perdida*, *buzón de voz*, *mensaje* en lugar de *recado*, etc.) y otros exponentes funcionales: muchas veces ya no respondemos con "Dígame", sino que sabemos de antemano quién nos llama, por lo que la respuesta es otra: "Hola, Fulanito, dime", etc. Si le parece interesante, puede ampliar los contenidos en este sentido.

Sería igualmente relevante enseñar a nuestros estudiantes a manejarse con los contestadores automáticos (o buzones de voz), así como con las grabaciones que nos van indicando lo que tenemos que hacer. Por ejemplo: "Bienvenido al servicio de atención al cliente de Telefónica. Si desea información sobre x, pulse 1, si desea hablar..., etc.". Aunque posiblemente sea difícil hacer este trabajo con estudiantes del nivel A1, quizá sería interesante comentarlo en clase.

### 2. Competencia sociolingüística:

Sobre las mejores maneras de contestar al teléfono y otras cuestiones, puede encontrar información interesante en: www.protocolo.org/gest_web/proto_Seccion.pl?rfID=209&arefid=54.

| Actividad | Forma social de trabajo recomendada | Objetivo | Sugerencia |
|---|---|---|---|
| 1. | Parejas y plenaria. | Contextualizar y poner en relación a sus estudiantes con el tema. | Aproveche la fase de puesta en común para sondear qué estudiantes tienen gustos y hábitos en común. |
| 2. | Plenaria. Grupos y plenaria. | Comprensión lectora. Conocimiento de la cultura. Expresión oral. | Ponga las 3 palabras en la pizarra y haga que sus estudiantes escriban alrededor de aquellas lo que asocian con estos tipos de música. Forme los grupos juntando a personas con los mismos gustos. Haga que cada grupo escriba un pequeño texto. En el pleno sus estudiantes presentan sus textos. Si tiene usted la posibilidad de llevar a la clase una canción de cada uno de los estilos, los grupos podrán ponerlos en la presentación. |
| 3. | Pleno. | Comprensión lectora. Escuchar una canción. | Comenten el texto de la canción y después escúchenla. |

Le podrá ser de ayuda esta **información socio-cultural**:

### ■ El tango

Como comentábamos en el Módulo 4, el tango argentino utiliza en sus letras el lunfardo, un dialecto. Si le interesa este punto, así como el tango y sus letras, visite:

ar.geocities.com/lunfa2000.

ar.geocities.com/lunfa2000/queesellunfardo.html.

www.me.gov.ar/efeme/diatango/melodiades.html.

### ■ La salsa

La salsa es un género musical que mezcla ritmos tradicionales latinos y elementos del jazz con pop, rock y Rhythm & Blues. Mucha gente dice que es precisamente esa mezcla de "ingredientes" lo que le da el nombre de "salsa". Incluye muchos tipos de ritmos y estilos diferentes. Si le interesa la salsa, visite:

es.wikipedia.org/wiki/G%C3%A9nero_salsa.

### ■ El flamenco

El flamenco es un género musical que nace y se desarrolla en Andalucía, durante el periodo que va desde el siglo XVIII al siglo XX, y que se conforma como una reunión y mezcla de otros estilos musicales populares con participación o influencias judías, moriscas, gitanas, castellanas, africanas y americanas, así como de las cantigas peninsulares del medievo. Se expresa a través del cante, el toque y el baile. Consulte esta página para ampliar información:

es.wikipedia.org/wiki/Flamenco_(m%C3%BAsica.

# selección de textos fotocopiables para el aula

Aquí le proporcionamos unos textos adaptados,
relacionados temáticamente con los módulos,
que usted podrá utilizar en sus clases
en el momento que considere oportuno.

# Texto literario

### Nunca

*(...)*
*Nunca siento vergüenza*
*Nunca busco protección*
*Nunca llevo corbata*
*Nunca bajo los ojos*
*Nunca cierro la puerta*
*Nunca tengo reloj*
*(...)*
*Nunca trabajo mucho*
*(...)*

Carlos Edmundo de Ory, *Lee sin temor.*

## Carlos Edmundo de Ory
### Poeta y narrador español nacido en Cádiz en 1923

Es un autor vanguardista y revolucionario. Participa activamente en actividades surrealistas europeas. Sus títulos más famosos de poesía son: *Técnica y llanto, La flauta prohibida, Los sonetos, Lee sin temor, Poesía abierta, Metanoia* y *Aerolitos.* En el año 2006 recibe el título honorífico de "Hijo Predilecto de Andalucía", concedido por la Junta de Andalucía. Su obra tiene dos temas principales:

"Lo único que me fascina es el amor y el dolor. Como hombre, (...)  todo se resume en eso, en el amor a los seres humanos afines, a la naturaleza, a la música, a la poesía; y en el dolor (...)".

http://es.wikipedia.org/wiki/Carlos_Edmundo_de_Ory

1. **¿Qué cosas no hace nunca el poeta?**

2. **El poeta se presenta: expresa su forma de ser.
   ¿Cómo es? Relaciona las frases con las palabras:**

   Nunca llevo corbata                    impuntual
   Nunca busco protección                 abierto
   Nunca tengo reloj                      poco trabajador
   Nunca trabajo mucho                    informal
   Nunca cierro la puerta                 valiente

3. **¿Y tú? ¿Cómo eres?**

4. **¿Qué cosas no haces nunca?**

   Escribo mi propia poesía... Su título es NUNCA:
   Nunca.....................................
   Nunca.....................................
   Nunca.....................................

   Después enseña tu poesía a tus compañeros/as.

# INSTITUTO CERVANTES

El Instituto Cervantes recibe el Premio Príncipe de Asturias de Comunicación y Humanidades junto con seis institutos culturales europeos: el Goethe Institut, la Alianza Francesa, la Sociedad Dante Alighieri, el British Council y el Instituto Camoes. Todos ellos son premiados por su labor de difusión y preservación del patrimonio cultural europeo. En una entrevista, el director del Instituto Cervantes, César Antonio Molina, declara:

**"El español es una lengua útil para la vida profesional, los negocios y el ocio, así como de gran prestigio cultural".**

### ¿Cuál es la importancia del uso del español en el mundo?

"El español es hoy la cuarta lengua con mayor número de hablantes tras el chino, el inglés y el hindi y se habla en más de veinte países. Es la segunda lengua de comunicación internacional.

En Estados Unidos lo estudian dos de cada tres universitarios y más del 90 por ciento de las escuelas de enseñanza secundaria enseñan español. En Brasil las escuelas de enseñanza media están obligadas a ofrecer la asignatura de español, con unos doce millones de alumnos de español en los próximos años. Algo realmente impresionante. Son solo dos ejemplos. El español es una extraordinaria fuente de recursos económicos y una lengua útil para la vida profesional, los negocios y el ocio, así como de gran prestigio cultural."

César Antonio Molina

1. **¿Qué es el Instituto Cervantes? ¿Cuáles son los Institutos de otras lenguas?**

2. **¿Por qué les dan un premio?**

3. **¿Quién es el director del Instituto Cervantes?**

4. **Escribe con tu compañero/a los datos más importantes sobre el español que dice en la entrevista.**

# Texto literario

## Manuel Hidalgo
### Escritor y periodista español nacido en Pamplona en 1953

Es licenciado en Periodismo. Colabora en distintos medios de comunicación escrita y en TVE. Es también guionista de cine y autor literario.

El libro *La infanta baila* trata de cómo un profesor de arte intenta salvar todos los cuadros del Museo del Prado de Madrid de su destrucción en una sola noche: la noche del 6 de junio de 1999 los personajes de los cuadros de Velázquez pasean por las calles de Madrid. En el Museo del Prado quedan los lienzos vacíos.

*"Pablo tiene cuarenta años, es profesor de historia del Arte en la Universidad Complutense. Es rubio, usa gafas doradas de montura muy fina y parece un niño.*

*Al día siguiente de su primer encuentro Pablo y Lola fueron al cine. Y al día siguiente, a tomar una copa a Morocco. Lola, también rubia, delgada, ha invitado a Pablo a cenar en su precioso apartamento de Alonso Cano: cocina, baño, dormitorio y salón. Y está muy guapa con sus zapatillas verdes, sus pantalones blancos y su camisa azul. Lola trabaja como comercial de publicidad en un semanario. Gana mucho dinero, gasta mucho dinero: ropa, gimnasio, viajes, coche, moto. Veintinueve años. Fuma sin parar.*

*(...)*

*Pablo no se ha enamorado de Lola. Todavía no. Le gusta. Le gusta mucho. Pablo sigue enamorado de María Mendavia, restauradora de cuadros, la mujer con la que ha convivido, hasta la última Semana Santa, durante siete años".*

Manuel Hidalgo, *La infanta baila*
(texto adaptado)

1. **Aquí tienes la descripción de los dos personajes de "La infanta baila". ¿Cómo son los dos?**

2. **¿Se parecen o son diferentes? ¿Tienen la misma edad?**

3. **¿Qué siente Pablo por Lola? ¿Crees que su relación tiene futuro?**

4. **Describe a una pareja que conoces, su aspecto físico, su forma de vestir, su profesión, sus cosas en común y sus diferencias.**

## Gloria Fuertes

**Poeta y narradora española, nace y muere en Madrid (1918-1998)**

*Adivina, adivinanza,*
*va montado en un borrico\*,*
*es bajo, gordo y con panza,*
*amigo de un caballero*
*de escudo\* y lanza\*,*
*sabe refranes, es listo.*
*Adivina, adivinanza.*
*¿Quién es?*

*(aznaP ohcnaS)*

\***borrico** = burro, asno.
\***escudo** y **lanza**: armas de un caballero medieval.

1. **Una adivinanza es un texto que describe personas o cosas sin decir su nombre, nos da informaciones y nosotros "adivinamos". ¿Conoces adivinanzas en tu idioma?**

2. **¿Cuál es la solución de la adivinanza de Gloria Fuertes? ¿Cómo es el personaje? Dibuja al personaje. ¿Con quién va Sancho Panza?**

3. **Crea tu adivinanza, mira la imagen:**

   Don Quijote es ...........................................
   Va montado en ...........................................
   Tiene ...........................................

4. **Escribe tu adivinanza y compara con tus compañeros/as.**

# Canción

## Manu Chao
### Cantante y músico nacido en Francia en 1961

"Me gustas tú", canción de Manu Chao, del álbum "Próxima Estación Esperanza". Manu Chao es hijo del periodista gallego Ramón Chao y de madre vasca. Sus padres emigran a Francia durante la dictadura de Francisco Franco. En 1987 Manu, su hermano y su primo fundan el grupo Mano Negra, que triunfa primero en Francia con "Mala vida" y después por Sudamérica. Tras una larga temporada en el grupo (del 1987 al 1994), comienza su carrera en solitario. Chao canta en francés, español, árabe, portugués, inglés y wolof, mezclando varios de ellos a menudo en la misma canción.  Su música tiene muchas influencias: rock, canción francesa, salsa, reggae, ska y raï argelino. Muchas de las canciones de Chao son sobre el amor, la vida en ghettos y la inmigración.

1. **¿Qué elementos de la naturaleza le gustan a Manu Chao?**

2. **El instrumento que le gusta a Manu Chao es ............... y el tipo de música es ...............**

3. **¿Qué lugares le gustan? ¿Y qué momentos del día?**

4. **Di qué cosas que le gustan a Manu Chao te gustan a ti también, e intercambia la información con tu compañero.**

5. **Escribe tu propia canción, con la estructura de la canción de Manu Chao, y describe tus gustos.**

6. **¿Qué tipo de persona crees que es Manu Chao? Describe su carácter y forma de ser, según sus gustos.**

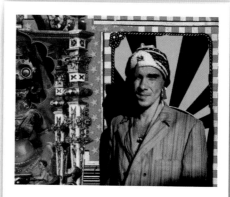

**Manu Chao - *Me Gustas tú***

*Me gustan los aviones, me gustas tú.*
*Me gusta viajar, me gustas tú.*
*Me gusta la mañana, me gustas tú.*
*Me gusta el viento, me gustas tú.*
*Me gusta soñar, me gustas tú.*
*Me gusta la mar, me gustas tú.*

*(estribillo)*
*Qué voy a hacer - je ne sais pas*
*Qué voy a hacer - je ne sais plus*
*Qué voy a hacer - je suis perdu*
*Qué horas son, mi corazón.*

*Me gusta la moto, me gustas tú.*
*Me gusta correr, me gustas tú.*
*Me gusta la lluvia, me gustas tú.*
*Me gusta volver, me gustas tú.*
*Me gusta la montaña, me gustas tú.*
*Me gusta la noche, me gustas tú.*
*(estribillo)*

*Me gusta la cena, me gustas tú.*
*Me gusta la vecina, me gustas tú.*
*Me gusta su cocina, me gustas tú.*
*Me gusta camelar\*, me gustas tú.*
*Me gusta la guitarra, me gustas tú.*
*Me gusta el reggae, me gustas tú.*
*(estribillo)*

*me gusta la canela\*, me gustas tú.*
*me gusta el fuego, me gustas tú.*
*me gusta La Coruña, me gustas tú.*
*me gusta Malasaña\*, me gustas tú.*
*me gusta la castaña, me gustas tú.*
*me gusta Guatemala, me gustas tú.*
*(estribillo)*

\* **camelar:** amar, enamorar.

\* **canela:** especia.

\* **Malasaña:** barrio bohemio de Madrid.

# Texto gastronómico

### El arroz, alimento universal

El arroz es uno de los principales alimentos del mundo: es el alimento básico para más de la mitad de la población mundial. También forma parte de numerosas culturas y tradiciones en todo el planeta, es símbolo de identidad cultural y de unidad entre los pueblos.

En España, el arroz también es un cultivo importante en zonas húmedas y forma paisajes de gran belleza y valor ecológico. Las principales áreas productoras son Andalucía, Extremadura, Valencia, Cataluña y Aragón.

www.agroalimentacion.coop

**1.** ¿Se come arroz en tu país? ¿Se come en alguna ocasión especial o en días normales?

**2.** ¿Se usa el arroz en ceremonias o actos culturales?

**3.** Escribe el nombre de comidas con arroz que conoces y haz una lista. Después lee la lista de tus compañeros.

**Aquí tienes la receta de la paella valenciana, famosa en todo el mundo.**

Arroz

### RECETA: PAELLA VALENCIANA

**Ingredientes** para 6 / 8 personas

| | |
|---|---|
| 1 pollo de 1 kg | 1 pimiento verde |
| 500 gr de conejo | 3 tomates maduros |
| 200 gr de judías verdes | 600 gr de arroz |
| 200 gr de habas | azafrán, sal, aceite de oliva |

**Tiempo de realización** 1hora y 30 minutos

**Preparación**

1. Echar el aceite en una paellera* y cuando esté bien caliente, dorar el pollo y el conejo en trozos.

2. Añadir el pimiento cortado en trozos, las judías cortadas y las habas; dejar unos 5 minutos y añadir los tomates sin piel y en trozos, dejar cocer otros 5 minutos.

3. Añadir el agua muy caliente (unos 2,5 litros).

4. Cocer a fuego fuerte; luego más suave unos 40 minutos. Añadir un poco de azafrán y comprobar el punto de sal.

5. Añadir el arroz, (el agua tiene que estar hirviendo) bien repartido en la paellera.

7. Dejar el fuego fuerte unos 10 minutos, luego bajar la intensidad del fuego y cocer unos 8 minutos más. Dejar unos cinco minutos antes de servir.

*\***paellera:** sartén redonda para hacer la paella.

**4.** Ahora escribe tu propia receta de un plato con arroz de tu país.

# Texto literario

## César González Ruano
### periodista, poeta y novelista, nace y muere en Madrid (1903-1963)

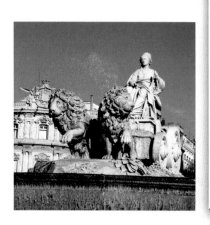

"De la Puerta del Sol arranca la calle más importante de Madrid: la famosa calle de Alcalá, una de las más largas y hermosas de Madrid, que une el centro de la villa con el popular barrio de Las Ventas, donde está la nueva Plaza de Toros.

A la izquierda, siguiendo hacia Cibeles, están el Casino de Madrid y la iglesia de Las Calatravas. A la derecha, donde empieza la Gran Vía, vemos el Círculo de Bellas Artes, y al lado el Ministerio de Educación.

Pasadas las calles del Barquillo y del Marqués de Cubas, encontramos a la izquierda el Ministerio del Ejército, edificio importante de arquitectura neoclásica, y a la derecha, el Banco de España, soberbia construcción de la segunda mitad del siglo XIX.

La primera plaza que encontramos ahora es la de la Cibeles. La plaza de la Cibeles tiene una bella fuente monumental, uno de los emblemas de Madrid.

Desde aquí podemos subir hasta la plaza de la Independencia, en la que se encuentra la Puerta de Alcalá, alzada en tiempos de Carlos III por el arquitecto Sabatini. Continúa después la calle de Alcalá y se hace más popular después de pasar el Parque del Retiro, y continúa hasta la Plaza de las Ventas, donde está la Plaza de Toros".

César González-Ruano, *Cuentos y novelas de Madrid*
(texto adaptado)

Trabaja en Berlín y Roma como periodista. En París es apresado por la Gestapo y encarcelado durante algún tiempo. Paseador noctámbulo de Madrid, uno de sus libros más famosos es una colección de entrevistas a personalidades de la actualidad española e internacional, *Las palabras quedan* (Conversaciones): futbolistas como Di Stefano, toreros, escritores y figuras universales como Orson Welles, Somerset Maugham, Gregory Peck y Jean Cocteau, entre otros.

1. **En un plano del centro de Madrid, localiza el recorrido que describe el autor en su texto y sitúa los monumentos y edificios.**

2. **Explica qué partes tiene la calle de Alcalá, y cómo son.**

3. **De todos los monumentos nombrados, ¿cuál es un emblema de Madrid? ¿Qué representa?**

4. **¿Qué monumento es el emblema de tu ciudad? ¿Qué representa y dónde está situado?**

# Texto de geografía

### Ubicación y clima de Madrid

La provincia de Madrid está situada en el centro geográfico de la península Ibérica. Su superficie es de unos 8.000 kilómetros cuadrados, donde viven 5.O22.289 habitantes entre Madrid propiamente dicho y el resto de los pueblos de su provincia.

Madrid capital se encuentra a una altura de entre 550 y 650 metros de altitud. Su proximidad a la Sierra, llamada el pulmón de Madrid, permite a sus habitantes un contacto frecuente con la naturaleza.

El clima de Madrid es mediterráneo continental y está muy influido por las condiciones urbanas. Los inviernos son fríos, con temperaturas inferiores a los 8° C. Los veranos son calurosos con medias superiores a los 24° C, en julio y agosto con máximas que a veces superan los 35° C. Las lluvias, poco abundantes se concentran en las estaciones de otoño y primavera, cuando el clima es más agradable.

Obtenido de http://es.wikipedia.org/wiki/Geograf%C3%ADa_de_Madrid

1. **Localiza Madrid en este mapa, lee los datos del texto y escríbelos en el mapa.**

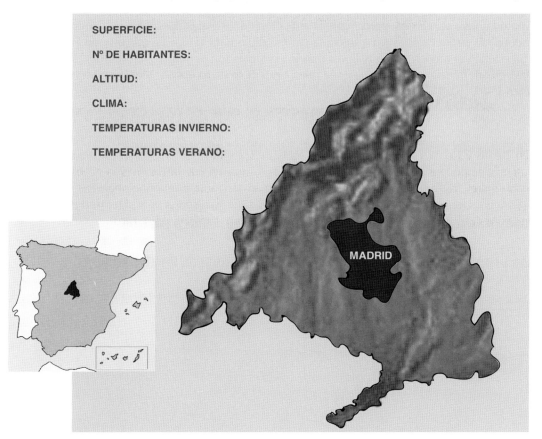

SUPERFICIE:

N° DE HABITANTES:

ALTITUD:

CLIMA:

TEMPERATURAS INVIERNO:

TEMPERATURAS VERANO:

MADRID

2. **Escribe un texto similar sobre la ubicación y el clima de tu ciudad.**

# Texto literario

### La ardilla

*La ardilla corre.*
*La ardilla vuela.*
*La ardilla salta*
*como locuela\*.*
*- Mamá, la ardilla*
*¿no va a la escuela?*
*- Ven, ardillita,*
*tengo una jaula*
*que es muy bonita.*
*- No, yo prefiero*
*mi tronco de árbol*
*y mi agujero.*

**Amado Nervo**
**Poeta mexicano nacido**
**en Tepic (1870-1919)**

\***locuela**, diminutivo cariñoso
de "loca".

En su juventud quiere ser clérigo, pero siente la atracción de los viajes, los amores y la misma poesía. Abandona la carrera eclesiástica e inicia la carrera diplomática. Vive largos años en París y en Madrid. Su estética es modernista. Sus libros más importantes son *Serenidad, Elevación, Plenitud* y *La amada inmóvil.* Tiene gran influencia en la poesía española de su época. Muere en Montevideo, Uruguay, en 1919.

1. **¿Qué personajes hablan en esta poesía? ¿Qué dice cada personaje?**

2. **Describe cómo es la ardilla y lo que hace.**

3. **Esta poesía de Amado Nervo es un canto a la libertad. Explica por qué.**

4. **Escribe tu propia poesía sobre la libertad usando la imagen de otro animal.**

## Al Gore, candidato al Príncipe de Asturias de Cooperación Internacional

### Se reconoce al ex vicepresidente estadounidense su labor de difusión de la lucha contra el cambio climático

El ex vicepresidente de Estados Unidos Al Gore es candidato para el Premio Príncipe de Asturias de Cooperación Internacional 2007 por su labor de difusión de la lucha contra el cambio climático. Varias personalidades e instituciones culturales de todo el mundo, proponen la candidatura.

Estas personalidades e instituciones consideran que Al Gore es uno de los líderes más importantes e influyentes del mundo en la lucha contra el cambio climático. En particular, parte de su lucha se centra en la difusión del documental *An inconvenient truth* (*Una verdad inconveniente*), en el que, de una manera muy didáctica, presenta las consecuencias desastrosas del cambio climático. El documental tiene un enorme éxito e impacto en la opinión pública mundial.

Nacido en Washington en 1948, se dedica últimamente a la divulgación y concienciación sobre la actual situación climática y pronuncia miles de conferencias por todo el mundo alertando sobre los efectos del calentamiento global del planeta.

El Premio Príncipe de Asturias de Cooperación Internacional se concede a "la persona, personas o institución cuya labor contribuye de forma ejemplar y relevante al mutuo conocimiento, al progreso o a la fraternidad entre los pueblos". Algunos de ellos son: la Fundación Bill y Melinda Gates, Nelson Mandela, el programa Erasmus de la Unión Europea, Luiz Inácio Lula da Silva, el Alto Comisionado de las Naciones Unidas para los Refugiados y Mijail Gorbachov, entre otros.

EFE - Oviedo - 05/02/2007

---

1. ¿Sabes qué es el cambio climático? Explica a tus compañeros sus consecuencias.

2. ¿Conoces a Al Gore? ¿Qué sabes de él a través del texto? ¿Sabes más cosas?

3. ¿Por qué le quieren conceder el Premio Príncipe de Asturias? Di otras personas que tienen ese premio ya.

4. ¿Y tú, qué piensas? ¿Te parece bien darle el Premio Príncipe de Asturias? Di otras personas que se merecen ese premio también y discútelo con tus compañeros/as.

# Texto literario

## Mario Benedetti
**Poeta y narrador uruguayo
nacido en Montevideo
(Uruguay) en 1920**

La tregua es la obra de Mario Benedetti con mayor éxito de público. En forma de diario personal relata un breve periodo de la vida de un empleado viudo, próximo a la jubilación.

*"Ninguno de mis hijos se parece a mí. En primer lugar, todos tienen más energías que yo. Esteban es el más huraño\*. Creo que me tiene respeto, pero nunca se sabe. Jaime es quizá mi preferido, aunque casi nunca me entiendo con él. Me parece sensible, me parece inteligente, pero no me parece fundamentalmente honesto. Es evidente que hay una barrera entre él y yo. A veces creo que me odia, a veces me admira. Blanca tiene por lo menos algo de común conmigo: también es una triste con vocación de alegre. Es la que está más tiempo en casa y tal vez se siente esclava de nuestro desorden, de nuestras dietas, de nuestra ropa sucia. Sus relaciones con los hermanos están a veces al borde de la histeria, pero se sabe dominar y, además, sabe dominarlos a ellos. Quizás se quieren bastante. No, no se parecen a mí. Ni siquiera físicamente. Esteban y Blanca tienen los ojos de Isabel. Jaime tiene de ella su frente y su boca. ¿Qué pensaría Isabel si pudiera verlos hoy, preocupados, activos, maduros?"*

Mario Benedetti,  *La tregua* (Texto adaptado)

\***huraño:** antipático, tímido.

Se educa en el Colegio Alemán de Montevideo, y empieza a trabajar a los 14 años. Con *La Tregua*, que apareció en 1960, Benedetti adquiere fama internacional. En 1973, tras el golpe militar y el comienzo de la dictadura en Uruguay, abandona su país. Etapas de sus doce años de exilio fueron la Argentina, Perú, Cuba y España. Su vasta producción literaria abarca todos los géneros, incluyendo famosas letras de canciones, con 45 libros y traducido a 20 idiomas.

1. Explica cómo es la familia del protagonista, de qué personas se compone.

2. Describe el físico y el carácter de cada uno de los tres hijos del protagonista.

3. Isabel es la mujer del protagonista, ya muerta. ¿Se parecen sus hijos a ella?

4. Describe el físico y el carácter de personas de tu familia y explica en qué se parecen o no.

## LA BIOGRAFÍA de GLORIA FUERTES, ESCRITORA

El 28 de julio de 1917 nace Gloria Fuertes en Madrid, en el barrio de Lavapiés, en una familia humilde.

Con 14 años estudia en el Instituto de Educación Profesional de la Mujer.

En 1935 publica sus primeros versos y da sus primeros recitales de poesía en Radio Madrid. Desde 1938 hasta 1958 trabaja de secretaria en "horribles oficinas".

En 1939 publica semanalmente cuentos, historietas y poesía para niños, hasta el año 1953. En 1942 toma contacto con el movimiento poético denominado *Postismo (Carlos Edmundo de Ory, véase módulo 1)* y colabora en revistas literarias.

En 1947 obtiene el 1er premio de "Letras para canciones" de Radio Nacional de España. En 1951 funda el grupo femenino "Versos con faldas", que ofrece lecturas y recitales por cafés y bares de Madrid. Organiza la primera Biblioteca Infantil Ambulante para pequeños pueblos. Desde 1961 a 1963 reside en los Estados Unidos e imparte clases en universidades. A su vuelta de Estados Unidos imparte clases de español para americanos en el Instituto Internacional. A mediados de los años 70 colabora en programas infantiles de TVE, que la convierten en la poeta de los niños. Recibe cinco veces premios por este programa. A partir de estos años, lecturas, recitales, homenajes... siempre cerca de los niños; publicando continuamente, tanto poesía infantil como de adultos. Muere el 27 de noviembre de 1998, en Madrid.

www.gloriafuertes.org

1. Lee con tu compañero la biografía de Gloria Fuertes y haz un resumen de los momentos más importantes.

2. ¿Qué momentos de la historia de España vive Gloria Fuertes? ¿Te parece una mujer típica de su época?

3. Describe el tipo de literatura que hace.

4. Escribe una biografía de un/a escritor/a que conozcas bien y señala los momentos más importantes.

**PASAPORTE** A1